# le mythe national

## L'histoire de France en question

A mes petits enfants
Coline                    Paul

en mémoire de leurs ancêtres

béarnais, bigourdans,      flamands, normands, gascons
juifs « portugais », juifs d'Alsace et de Paris
« français » d'Ile de France, bretons
suisses romands, suisses allemands, hollandais...

La nation française à laquelle nous avons le bonheur d'appartenir, est, de toutes les nations, la plus civilisée, la plus généreuse, la plus grande ; elle en est en même temps la plus polie ; sa courtoisie est célèbre dans tout l'univers. Les Français sont le peuple le plus sociable de la terre ; ils ont une imagination vive, ardente, inventive, qui leur fait concevoir les projets les plus hardis, et trouver des ressources dans les circonstances les plus aventureuses ; ils ont une bonté, une honnêteté, une loyauté naturelles, et une générosité toujours prête a accueillir les infortunes et à oublier les injures, ainsi qu'une merveilleuse aptitude pour les sciences et pour les lettres, et un goût exquis dans les arts ; un courage bouillant, un esprit naturel, qui se manifeste par les plus vives saillies.

Théodore H. BARRAU,
*La Patrie. Description et histoire de la France,*
Paris, Hachette, 1864

Le principe d'autodétermination est une norme perverse, une machine à découper les peuples. Il porte atteinte à l'intégrité du territoire et à l'unité de la République. Quoi ! On a ramené au sein de la France, par le feu et par le sang la Vendée chouanne, le Languedoc cathare, les Cévennes camisardes, la Commune communarde, les girondins et les fédéralistes, et en Nouvelle-Calédonie on laisserait maintenant filer une poignée qui veut l'indépendance !
[...] Je vous pose la question : la France de Bouvines, qui s'est rassemblée derrière l'oriflamme de Saint-Denis, pourrait s'arrêter à Thio devant le tee-shirt d'Eloi Machoro ?

Jean-Claude MARTINEZ,
député du Front national (Hérault).
« Débat sur la Nouvelle-Calédonie. »
*Le Monde,* 10 juillet 1986

Le mythe et la mémoire conditionnent l'action. Il est des mythes qui entretiennent la vie. Ils méritent qu'on les interprète pour notre époque. Certains nous égarent et doivent être redéfinis. D'autres sont dangereux et doivent être démythifiés.

Josef Hayim YERUSLAMI,
*Zakhor,*
*histoire juive et mémoire juive,*
La Découverte, 1984

SUZANNE CITRON

# Le mythe national

## L'histoire de France
## en question

Co-édition

Les Editions ouvrières
12, av Soeur Rosalie 75013 PARIS

Etudes et Documentation internationales
29, rue Descartes, 75005 PARIS
1987

## DU MÊME AUTEUR

*L'Ecole bloquée*, Paris-Montréal, Bordas, 1971

*Attention, écoles*, Paris, Fleurus, 1971. (en collaboration)

*Enseigner l'histoire aujourd'hui. La mémoire perdue et retrouvée*, Paris, les Editions ouvrières, 1984

© Copyright by
Les Editions ouvrières
E.D.I. Etudes et Documentation internationales
Paris 1987
ISBN 2-85139-084-X
ISBN 2-7082-2554-5

## Introduction

# LA FRANCE ET LES FRANÇAIS
# ENTRE LÉGENDE ET RECHERCHE

*Nous voudrions construire l'Europe, vivre à l'échelle de la planète, mais, plus que jamais, en France, l'histoire nationale est à l'ordre du jour. On célèbre, en 1987, le « millénaire » d'Hugues Capet, on prépare, pour 1989, le bi-centenaire de la Révolution. On édite des « Lieux de mémoire », des histoires de France en série. Le symbole Hugues Capet réunit pour des commémorations officielles les plus hautes autorités, des historiens, des journalistes éminents. Mais, par ailleurs, les interrogations sur notre identité collective se multiplient. Derrière ces célébrations ou ces monuments textuels, s'agit-il du passé des Français ou seulement de la « France » ? Et l'histoire, que l'école républicaine nous a fait intérioriser, détient-elle le secret de cette identité française aujourd'hui si malaisée à cerner ? Hugues Capet — renié à la fin du Moyen Age par les historiens et ridiculisé par le peuple ![1] —, ancêtre d'une lignée de rois qui persécutèrent les cathares, les juifs, les protestants, écrasèrent les révoltes paysannes, peut-il aujourd'hui figurer comme héros dans notre société laïque et multiculturelle ?*

*A la complexité de cette société, les mouvements sociaux de l'hiver 1986-1987 \* ont superposé le déchirement du tissu social; la société civile a paru, un moment, s'atomiser. La « nation », l'« unité », la « France », trois mots-clés du vocabulaire officiel, qu'il soit de droite ou de gauche, semblent plaqués sur une réalité vivante, dont ils ne rendent pas compte. Ces mots ont été popularisés par l' « histoire de France », c'est-à-dire une mise en scène du passé imaginée au siècle dernier par les historiens libéraux,*

---

\* Le mouvement étudiant-lycéen de novembre-décembre 1986, marqué par la mort tragique de Malik Oussékine, et les grèves « basistes », à la SNCF et ailleurs, qui ont suivi.

*romantiques puis républicains. Mais les chercheurs de ces der-
nières décennies nous en ont dévoilé quelques truquages. Et les
grands drames collectifs vécus par les plus âgés d'entre nous
(effondrement de juin 40, Vichy, guerre d'Algérie) en révélèrent les
mensonges.*

*
* *

*Le statut de l'histoire en France est en effet paradoxal. D'un
côté la légende, la mythologie nationale consacrée par l'école, une
succession chronologique organisée autour des grands événements et des grands personnages façonnent ce que nous croyons
être la trame du passé. De l'autre côté des travaux, des recherches
conduisent, sur des points précis, à de nouvelles perspectives et
suscitent un regard distancié et critique sur les précédentes mises
en ordre. Une histoire, « nouvelle » ou différente, pose des questions, propose des résultats, certes dispersés et discontinus, mais
qui, si l'on y réfléchit, mettent en question la représentation du
passé que l'école, depuis un siècle, a transmise aux Français et que
l'on nous impose comme notre « mémoire collective ».*

*Pourquoi ce contraste, cette contradiction entre l'histoire-
souvenir de l'école primaire et l'importante production médiatique
d'une histoire-recherche qui ne peut s'inscrire dans cet « ordre
chronologique naturel » de l'histoire scolaire ? Un alliage mysté-
rieux, une alchimie secrète ont fondu dans la conscience collective
française histoire et mythologie nationale.*

*Comment démêler l'histoire de la légende, comment recon-
naître dans « l'histoire de France » le tissu indéfiniment cha-
toyant qui entrecroise événements, groupes, personnages, mouvements, rêves ? Et comment repenser un passé dont nous ne
saisissons que des traces, inséparables des sentiers par lesquels
elles nous sont parvenues ?*

*Les grands historiens eux-mêmes, hormis quelques silen-
cieux, ont, dans un passé récent, laissé entendre que l'histoire à
l'école ne pouvait être que l'histoire de France, la grande fresque
chronologique traditionnelle organisée autour de personnages
symboles de la puissance de l'État. Force de l'habitude, attachement sentimental à leurs souvenirs d'enfance, ou tabou de l'inconscient parce que le lien entre l'histoire scolaire et la nation
serait intangible ? Mais Vercingétorix, Clovis, Charles Martel,
Charlemagne, Hugues Capet, saint Louis, Duguesclin, Jeanne*

*d'Arc, Richelieu, Louis XIV, Robespierre, Napoléon, Jules Ferry...*
*peuvent-ils prétendre à tout jamais au statut de socles de l'histoire*
*et sont-ils réellement les héros positifs de la mémoire collective des*
*Français de souche toulousaine, provençale, bretonne, béarnaise,*
*corse, juive, protestante, antillaise, musulmane... ?*
  *Par leur silence ou leurs acquiescements tacites, les historiens*
*entretiennent le fossé entre recherche et transmission du légen-*
*daire, et la chronologie séculaire demeure l'ordre indiscutable et*
*préétabli du passé. Certes des blocages, des cloisonnements ins-*
*titutionnels, des conflits de pouvoir expliquent en partie le déca-*
*lage entre la recherche et l'histoire enseignée, les scléroses qui en*
*résultent. Mais l'éducation historique dans notre pays et l'ima-*
*ginaire français qu'elle entretient pâtissent surtout de l'inexistence*
*d'une conscience* historiographique.

### Conscience historique et conscience historiographique

  *L'absence, en France, de l'idée que l'histoire a une « his-*
*toire » est flagrante. Nous croyons à l'histoire avec un grand H.*
*Pourtant le passé se transmet sous des habillages qui varient selon*
*les époques; la configuration d'un récit est marquée d'empreintes*
*idéologiques fluctuantes, de colorations imaginaires; nulle expli-*
*cation ne reflète jamais complétement son objet. L'histoire de*
*France reste, pour la plupart des Français, ce qu'elle était à la fin*
*du siècle dernier : à la fois science et liturgie. Décrivant le passé*
*« vrai », elle a pour fonction et pour définition d'être le récit de*
*la nation : histoire et nationalisme sont indissociables. Au*
*XIXème siècle, la nation devint l'être historique par excellence,*
*autour duquel s'organisa le passé supposé intégral. Et le mariage*
*du credo de la science et de la foi nationaliste conduisit à ne pas*
*bien comprendre les hommes d'autrefois. « Se croyant détentrices*
*de la critique historique, écrit Karl Werner, [les historiographies*
*françaises et allemandes du XIXème siècle] ne l'appliquèrent qu'à*
*la reconstitution des anciens textes et des événements et oublièrent*
*de reconstituer les idées et les motivations des hommes du passé,*
*qu'elles n'hésitèrent pas à remplacer par leurs idées propres* [2]. *»*
  *Les Français devraient donc savoir que toute compréhension*
*du passé est datée et se rattache à une culture, à un système de*
*représentations, une certaine manière de concevoir le temps,*
*l'espace, l'origine. Aucune écriture de l'histoire n'est innocente et*
*nous devrions, dès l'enfance, apprendre que l'histoire est un*
*regard sur le passé, mais non pas « le » passé. Les Français*

*découvriraient ainsi comment s'est historiquement forgée l'image pieuse de la « Mère-Patrie », à travers la chaîne des chroniqueurs, des historiographes et des historiens, qui, depuis plus d'un millénaire, ont pétri et remodelé la pâte du passé. Au lieu d'une France incréée et pré-déterminée, ils verraient progressivement se construire et s'inscrire une Francia-« Francie » complexe, dans le flou de significations anciennes, multiples et changeantes. Ils comprendraient, du même coup, que la France une et indivisible, dispensatrice au monde des Droits de l'Homme par le Saint-Esprit de la Révolution française, est, tout autant que l'idée d'une France pré-existant à son espace géopolitique, construction d'un imaginaire historique et non le socle indestructible de notre identité. Reconnaissant dans cette vision la marque de la culture et de l'idéologie des universitaires républicains de la fin du XIXème siècle, ils s'ouvriraient à de nouvelles lectures du passé. Conscients des grilles anciennes qui, pour nos prédécesseurs et pour les plus âgés d'entre nous, avaient donné sens au passé ils projetteraient sur ce même passé des éclairages nouveaux. Et le présent, tel que nous le percevons en cette fin du XXème siècle, s'enracinerait dans une durée repensée avec l'outillage mental dont nous disposons aujourd'hui.*

*Ainsi pourrait se déliter cet imaginaire archaïque qui berce les nostalgies d'une religion de la France incompatible avec la création d'une Europe et conforte les assertions sur l'existence d'une quasi-race française, d'un peuple homogène et unique, grande famille aux communs ancêtres gaulois, menacée dans son identité par les « étrangers », les cultures venues d'ailleurs. Ces comportements frileux et ces peurs, ces convictions souvent sincères, ces haines aussi, sachons reconnaître que l'enseignement de la France à l'école, tout au moins dans les textes, le corpus officiel a de quoi les alimenter : l'« ordre chronologique naturel » reste celui de l'homogénéité de la nation, de sa légitimité, de la justification de la raison d'État. Notre histoire n'est pas celle de l'émergence au sein de l'humanité, et de la collectivité française en particulier, du respect des différences culturelles et symboliques, l'un des fondements de ce que nous appelons les droits de l'homme. Elle reste un passé reconstruit autour de la vision européo-centrique et nationaliste du siècle dernier, inséparable de l'idée que la nation, être supra-humain, est l'unique référence de la société civile, et que l'Europe précède l'humanité dans la voie d'un progrès assuré. La grande fraction du public, préoccupée par les nouveaux mélanges dans la société française, ne trouve pas*

dans cette histoire de réponses à ses questions ni un terreau
d'enracinement pour une mémoire familiale. De même les interrogations sur les clivages trop politiciens entre « Gauche » et
« Droite », sur les rapports de l'État et de la société civile, sur les
abus de pouvoir, sur la nature du totalitarisme ne peuvent
s'immerger dans le passé ainsi restitué.

### Les questions-clefs du présent

Nos demandes, nos problèmes, nos perceptions ont besoin,
pour s'approfondir, d'un passé qui ait du sens pour nous, que nous
puissions comprendre, nous approprier avec les mots et dans la
perspective que le présent nous incline à dégager. Pour que le
passé nous parle, pour qu'il soit notre passé, et non pas celui des
humanistes du XVIème siècle ou des libéraux romantiques et des
républicains du XIXème siècle, il faut que lui soient posées les
questions de notre culture, de notre société, de notre vision
psychique, matérielle, intellectuelle de l'humanité dans son effa-
rante puissance technologique, son dénuement scandaleux, sa
barbarie totalitaire, sa multiculturalité, ses acquis les plus pré-
cieux. Il ne s'agit certes pas de chercher dans ce passé quelque
« leçon », mais simplement de comprendre comment nous en
sommes arrivés là, comment ce qui nous précède explique le
présent, tel que nous le ressentons ou l'analysons avec la volonté
de le changer en mieux.
Or les plus éminents des historiens et préhistoriens chercheurs, français, anglo-saxons, allemands, italiens... dont les
travaux émaillent nos bibliographies, par des plongées nouvelles
dans le passé, dispensent leurs trouvailles, jettent des lueurs
inattendues. N'appréhendant plus le passé selon les notions du
XIXème siècle, ils posent sur lui un regard élargi, un regard
anthropologique. Et ce regard incorpore les dimensions essentielles de notre moderne compréhension des choses humaines. L'humanité — Homo Sapiens dispersé sur la planète entière — est
une et infiniment diverse dans la multiplicité de ses cultures et
de ses groupes essaimés dans l'insaisissable durée et dans l'espace
de l'évolution humaine. Entre les hommes et le réel qui tisse leur
existence, l'ordre du  symbolique (langage et représentations)
traverse tous les rapports. Paix, guerre, domination, convivialité,
échanges : pas d'humanité, pas de créativité humaine sans parole
et sans geste, et sans mémoire qui transmet (et modifie) le geste
et la parole [3].

L'écran de l'imaginaire se glisse inéluctablement entre l'historien et le passé qu'il veut saisir, entre nous-mêmes et ce passé, ou plutôt les traces que nous en apercevons. Car, comme le souligne Georges Duby, les traces seules confèrent l'existence à l'événement. « En dehors d'elles l'événement n'est rien. » [4] Entre le présent et le passé, un réseau symbolique entrelace l'imaginaire du premier témoin, la succession des interprétations et la manière dont nous-mêmes débrouillons cette suite *.

Le regard anthropologique, en outre, modifie la compréhension du « politique », notion héritée de la culture antique, fondement de l'histoire occidentale et de l'histoire nationaliste et républicaine en particulier. Le politique s'inscrit désormais dans une conception élargie du pouvoir, des rapports de domination, constants dans les relations humaines. Le politique est le champ privilégié des rapports de pouvoir, et ce dernier, dont l'ère de l'audio-visuel nous a appris à mesurer les modalités de fascination et de manipulation, devient le « noyau de l'histoire », au cœur des processus.

L'imaginaire et le pouvoir, deux clefs de notre compréhension de l'histoire humaine en général et française en particulier, ont été méconnus par les fondateurs de l'histoire républicaine, parce que leur culture, leur nationalisme, leur perception de la « nature » humaine n'en percevaient ni la portée ni le ressort. Ayant sécularisé et laïcisé la conception de l'histoire, ils pensaient en avoir éliminé le sacré qu'à leur manière ils réinséraient dans le culte de la nation et de l'État.

L'imaginaire : dans Le dimanche de Bouvines, sur 300 pages Georges Duby en consacre 70 à l'événement et 63 au légendaire, c'est-à-dire à la façon dont l'événement a retenti jusqu'à nous depuis le premier récit, amplifié, magnifié, minimisé, transformé selon les besoins idéologiques du moment. De son côté, l'historien allemand Karl Ferdinand Werner, dans un volume consacré aux origines de la France, est irrésistiblement conduit à confronter la question des « origines » et celle de la conscience historique. L'histoire est inséparable de la manière dont elle a été perçue de siècle en siècle jusqu'à ses représentations actuelles. Autrement dit, Werner fait de l'imaginaire « français » la première composante de « l'histoire de France ».

---

* Dans le cas limite du génocide, la trace peut devenir le constat de la « non trace », de la disparition, à travers la confrontation de la parole des témoins, comme dans Shoah, le film de Claude LANZMANN.

*Le pouvoir : nous verrons comment se sont entremêlés, dans la genèse et l'épanouissement du concept de « France », l'expansion d'un pouvoir — celui des rois des Francs — et la mémoire de ce pouvoir par sa sacralisation. L'idée de France est à la charnière de la réalité de ce pouvoir et de son inscription dans le symbolique. Mais cet imaginaire est un miroir irisé aux multiples facettes. Il se modifie dans la durée et il dépend des cultures dans lesquelles il se déploie. Jusqu'à la Révolution, les cultures populaires ne connaissaient que le roi symbole visible et sacré d'une communauté invisible.*

*L'image de la France comme une « personne » est née dans une culture écrite, transmise de siècle en siècle, au sein d'une élite de clercs, de nobles, d'intellectuels aristocrates et bourgeois, dont la bourgeoisie fondatrice de la 3ème République était l'héritière. Cette dernière mit en forme, pour l'école publique, une vulgate historique de la France une et indivisible créée par les rois et relayée par la nation révolutionnaire. Sur la table rase de l'ancienne religion royale une religion de la France, inspirée par la version nationaliste et jacobine de la Révolution, fut le socle de l'imaginaire républicain.*

# Première partie

# LA LÉGENDE RÉPUBLICAINE

## Petite anthologie de la France à l'école

Les Pères de la République, imprégnés d'une religion de la France, assignèrent à l'enseignement de l'histoire un objectif patriotique : à tous les enfants du pays, majoritairement issus de villages ruraux aux mille parlers, seraient inculqués l'amour de la patrie une et indivisible et la foi en la supériorité de la France. L'historien Ernest Lavisse fixa, pour les écoles, un TEXTE du passé, organisé autour d'une France sans commencement incarnée dans une Gaule mythique, d'une succession d'actes de guerre et de conquêtes licites puisqu'ils construisaient une patrie préexistant à sa formation. Les abus de pouvoir servant la grandeur et l'unité de l'Etat étaient légitimés.

Les manuels postérieurs à la seconde guerre mondiale conservaient encore la marque indélébile de ce texte et de son style. Les manuels actuels, édités depuis le « rétablissement » de l'enseignement de l'histoire à l'école élémentaire, restent inspirés par la même logique du passé : France immémoriale, ancêtres gaulois, justification implicite des guerres qui « agrandissent » la France.

Soit une histoire qui ne soulève jamais la problématique *dreyfusarde* des rapports entre la Vérité et la Raison d'État et qui ne donne pas la parole aux vaincus du pouvoir (monarchique ou républicain).

Cette anthologie s'adresse à la classe politique, à l'opinion en général. Elle voudrait, par delà, atteindre les « décideurs », les concepteurs de programme. Car les auteurs de manuels ne sont que les artisans et exécutants d'un modèle pré-conçu. Les programmes 1985 qui sous-tendent les manuels récents ont été préfacés par Jean-Pierre Chevènement, alors ministre de l'Éducation nationale, assurant qu'il en avait arrêté « personnellement la forme définitive ».

Je lui dédie symboliquement cette anthologie.

### Liste alphabétique des manuels utilisés,

CE      E. LAVISSE, *Histoire de France*, cours élémentaire, A. Colin, 1931.

CM     E. LAVISSE, *Histoire de France*, cours moyen, A. Colin, 1924.

CS      E. LAVISSE, *Histoire de France*, cours supérieur, A. Colin, 1925.

#### Cours élémentaire

AA     AGEORGES, ANSCOMBRE, *Images et récits d'histoire de France*, MDI, 1971.

BMé    BONIFACIO, MÉRIEULT, *Histoire de France*, Hachette, 1952 *.

Ch     M. et S. CHAULANGES, *Images et récits d'histoire de France*, Delagrave, 1967, 1971 (première édition 1956).

DFP    DAVID, FERRÉ, POITEVIN, *Histoire*, F. Nathan, 1955.

GLG   GAUTROT-LACOURT, GOZÉ, *Premier livre d'histoire de France*, A. Colin-Bourrelier, 1966.

GM    GRIMAL, MOREAU, *Histoire de France*, F. Nathan, 1965.

HS     HINNEWINKEL, SIVIRINE, *Histoire-géographie-éducation civique*, Nathan, 1985.

PBM   PERSONNE, BALLOT, MARC, *Histoire de France*, A. Colin, 1962.

PV     PRADEL, VINCENT, *Histoire de France*, SUDEL, 1964.

#### Cours moyen

BM     BONIFACIO, MARECHAL, *Histoire de France*, Hachette, 1964.

CH     M. et S. CHAULANGES, *Histoire de France*, Delagrave, 1963, 1971. Réédité en 1985.

D       Martial DUBAUX, *Histoire de France*, O.D.I.L., 1985.

DF     DOREL-FERRÉ, *Histoire*, A. Colin, 1981.

DHMD DROUET, HAY, MARTINEZ, DROUET, *Du passé vers l'avenir*, Magnard, 1981 (réédité en 1985).

GCW  GRASSER, COLLET, WADIER, *Notre histoire*. Hachette, 1981.

HHSV  HINNEWINKEL, HINNEWINKEL, SIVIRINE, VINCENT, *Histoire*, F. Nathan, 1981 (réédité Nathan, 1985, sous une autre couverture).

NPB   NEMBRINI, POLIVKA, BORDES, *Histoire*, Hachette, 1985.

VLDS  VINCENT, LOCHY, DUPRÉ, SÉMÉNADISSE, *La France au fil du temps. De la préhistoire à 1789*, Nathan, 1985.

VSL   VINCENT, SÉMÉNADISSE, LOCHY, *La France au fil du temps. De 1789 à nos jours*, Nathan, 1985.

W      WIRTH, *Histoire de France*, Delagrave, 1981.

## Chapitre 1

## « LA FRANCE EST UNE RELIGION »

Les fondateurs de la 3ème République ne dissociaient pas la République et la France. La défaite de 1871, l'humiliation, la perte de l'Alsace-Lorraine ressentie comme une intolérable mutilation accentuèrent dans leur culture politique la fibre patriotique. Mais ils appartenaient à une famille intellectuelle et idéologique, dont le ressort principal était l'ancrage dans la mémoire de la Révolution française. Et celle-ci exaltait le sentiment d'un destin exceptionnel de la France et nourrissait un nationalisme profond.

Trois générations de publicistes, d'historiens, d'hommes politiques avaient mûri, au long du XIXème siècle, leurs analyses, leurs réflexions sur les origines et la signification de la Révolution dans le destin de la France et dans celui de l'humanité. Et chacune dut confronter sa vision et ses fantasmes au réel de l'événement inattendu. Les libéraux des années 1820, dont Thiers, Mignet, Augustin Thierry, Guizot avaient été les maîtres, avaient rencontré l'explosion de juillet 1830. Guizot symbolisa la tentative et l'échec d'une conciliation entre les principes de 1789 et un parlementarisme monarchique à l'anglaise. Les républicains des années trente et quarante, dont Michelet et Quinet, professeurs au Collège de France, incarnaient les aspirations, subirent, le cœur meurtri, et pour Quinet dans l'exil, le coup d'État, le retour d'un Bonaparte. La 3ème République devait être l'œuvre de la troisième génération, jeunes gens sous le second Empire — (Jules Ferry était né en 1832, Gambetta en 1838) — qui voulaient concilier l'idéal et le possible.

## Michelet et la France

Cependant l'œuvre de Michelet domine et traverse le
siècle par son ampleur et sa passion dans la volonté de résurrection du passé. Lui-même, en sa personne, par son existence
physique, joint le temps de la Révolution à celui de l'après
1871. Né en 1798 il meurt en 1874. Son père, arrivé à Paris en
1792, y devient imprimeur et Michelet naît au coin de la rue
de Tracy et de la rue Saint-Denis, parmi un menu peuple
d'artisans et de boutiquiers qui avait participé aux « journées
révolutionnaires ». Michelet recueille de la bouche de son père
les récits de la rue de Paris. Pour l'enfant et plus tard pour
l'historien, écrit Paul Viallaneix, la Révolution ne s'achèvera
jamais : elle survit dans les récits paternels [1].

La parution des dix-sept tomes de *l'Histoire de France*
s'étale sur plus de trente ans, de 1833 à 1867. Les deux tomes
de *l'Histoire de la Révolution française* sont publiés en 1847,
juste après la première édition du *Peuple* (1846). Aucune lecture
du passé de la France et des événements révolutionnaires n'est
désormais concevable sans référence à Michelet.

Lui-même le sait bien. N'a-t-il pas, par son labeur, inventé
l'Histoire de la France, et, par là-même, créé la France ?
« Cette œuvre laborieuse d'environ quarante ans fut conçue
d'un moment, de l'éclair de juillet, écrit-il dans sa préface de
1869. Dans ces jours mémorables, une grande lueur se fit, et
j'aperçus la France. Elle avait des annales et non pas une
histoire ». Et il précise : « Nul ne l'avait encore embrassée du
regard dans l'unité vivante des éléments naturels et géographiques qui l'ont constituée. Le premier, je la vis comme une âme
et comme une personne » [2].

N'est-il pas « le peuple » même dont il fait l'histoire ?
Dans la dédicace, à Edgard Quinet, du livre auquel il donne
ce titre — *Le Peuple*, — il affirme sans ambage : « Ce livre est
plus qu'un livre c'est moi-même ». Et dissertant sur « La
France », il souligne : « Il y a bien longtemps que je suis la
France, vivant jour par jour avec elle depuis deux milliers
d'années » [3].

Cette identification démiurgique eut une force irrésistible.
La langue magnifique, la ferveur du visionnaire fixèrent
l'image romantique d'une France révélée à elle-même par la
Révolution.

### L'évangile de la Révolution : Dieu en la patrie

En Michelet s'allient intimement l'amour religieux de la patrie et le culte de la Révolution : deux objets, une seule image. « Par devant l'Europe, la France, sachez-le, n'aura jamais qu'un seul nom inexpiable, qui est son vrai nom éternel : la Révolution! » [4]

Le père de Michelet meurt l'année même où paraît *Le Peuple*. L'historien rappelle dans son *Journal* qu'il a reçu de ce père l'empreinte de la culture du XVIIIème siècle, du siècle de Voltaire et de Rousseau, de « la vraie France ». Comment concilier l'humanisme universaliste, la notion de « genre humain » et l'amour charnel de la France ? « J'aime la France, parce qu'elle est la France, et aussi parce que c'est le pays de ceux que j'aime et que j'ai aimés » écrit-il [5]. Il résout le dilemme en consacrant la France patrie de l'universel, pays de l'égalité fraternelle, nouvelle incarnation de Dieu.

La Révolution a scellé ce destin unique. Michelet la définit — ou plutôt la célèbre — « comme l'avènement de la Loi, la résurrection du Droit, la réaction de la justice » [6]. La Révolution est le soubassement du culte de la patrie. Par elle toute l'histoire de France s'éclaire qui annonce et prépare l'amour. « Toute autre histoire est mutilée, la nôtre seule est complète; prenez l'histoire de l'Italie, il y manque les derniers siècles; prenez l'histoire de l'Allemagne, de l'Angleterre, il y manque les premiers. Prenez celle de la France; avec elle vous savez le monde [...] La France a continué l'œuvre romaine et chrétienne. Le christianisme avait promis, et elle a tenu. L'égalité fraternelle, ajournée à l'autre vie, elle l'a enseignée au monde, comme la loi d'ici-bas. » L'ancienne histoire de la France y trouve son accomplissement. La Révolution permet aux hommes de s'aimer et donc de se sacrifier les uns pour les autres parce qu'elle est l'infini. « On ne sacrifie guère qu'à ce qu'on croit infini. Il faut pour le sacrifice, un Dieu, un autel... un Dieu, en qui les hommes se reconnaissent et s'aiment ». Et ce Dieu est venu. « Le Dieu Verbe, sous la forme où le vit le Moyen Age fut-il ce lien nécessaire ? L'histoire toute entière est là pour répondre : Non. Le Moyen Age promit l'union, et ne donna que la guerre. Il fallut que ce Dieu eût sa seconde époque, qu'il apparût sur la terre, en son incarnation de 1789 » [7].

Comme tout romantique, Michelet est un croyant. Ses relations au christianisme ont été ambiguës. Paul Bénichou [8] en a indiqué l'évolution et noté les tensions intimes à travers lesquelles se poursuit une méditation qui débouche sur l'hostilité. Mais il ne parvint jamais à se débarrasser de l'empreinte de la théologie catholique, et son vocabulaire le traduit par un jeu de métaphores : incarnation, passion, Église, résurrection. L'identification de l'humanité au Christ est un thème familier de la pensée humanitaire du milieu du XIXème siècle, dont Michelet et Quinet sont les prophètes convaincus.

Pour Michelet le processus de l'histoire implique la transposition dans l'humanité des notions chrétiennes. L'ancien mode d'existence spirituel devait périr : « Le Moyen Age ne pouvait suffire au genre humain [...] L'humanité devait reconnaître le Christ en soi-même, apercevoir en soi la perpétuité de l'incarnation et de la passion ».

Hymne à la patrie, la dernière partie du *Peuple* condense la religiosité de Michelet dans une illumination extatique. Il avait esquissé, en un livre qui fit scandale, *Du prêtre, de la femme, de la famille*, le credo d'une religion d'amour dont les intercesseurs seraient le peuple, la femme, l'enfant. Dans *Le Peuple* l'amour explose en un discours, qui sonne à nos oreilles comme celui d'un nationalisme effréné. « C'est dans les religions de l'humanitarisme qu'a germé l'idôlatrie de la Nation, en tant que valeur suprême et pseudo-divinité », note Paul Bénichou [9]. Dans le dernier chapitre du *Peuple* — « Dieu en la Patrie. La jeune Patrie de l'avenir. Le Sacrifice » — , l'imagination de Michelet vagabonde entre père, mère, Dieu, patrie : « Dieu d'abord révélé par la mère, dans l'amour et dans la nature. Dieu ensuite révélé par le père dans la patrie vivante, dans son histoire héroïque, dans le sentiment de la France ». L'enfant ainsi initié, c'est Michelet lui-même en ses souvenirs transfigurés [10].

> Un autre jour, plus tard, quand l'homme s'est un peu fait en lui, son père le prend; grande fête publique, grande foule dans Paris. Il le mène de Notre-Dame au Louvre, aux Tuileries, vers l'Arc de Triomphe. D'un toit d'une terrasse, il lui montre le peuple, l'armée qui passe, les baïonnettes frémissantes, le drapeau tricolore... Dans les moments d'attente surtout, avant la fête, aux reflets fantastiques de l'illumination, dans ces formidables silences qui se font tout à coup sur le sombre océan du peuple, il se penche, il lui dit : « Tiens, mon enfant, regarde; voilà la France, voilà la Patrie! Tout ceci c'est comme un seul homme. Même âme et même cœur. Tous mourraient pour un

seul; et chacun doit aussi vivre et mourir pour tous... Ceux qui passent là-bas, qui sont armés, qui partent, ils s'en vont combattre pour nous. Ils laissent là leur père, leur vieille mère qui auraient besoin d'eux... Tu en feras autant, tu n'oublieras jamais que ta mère est la France ».

Déesse intransigeante, Vierge mère, la France exige le dévouement absolu, le sacrifice, la mort. Michelet, remarque encore Paul Bénichou, attribue au sacrifice une importance religieuse décisive. Il a transmué ses anciennes idées sur la passion et la Croix, en les laïcisant à la gloire des héros et des martyrs de la République [11]. Nous retrouverons, affadis mais identiques au fond, ce culte des héros et cette morale du sacrifice dans le Petit Lavisse.

Corps visible de Dieu, la Patrie, vivante et charnelle porte en elle et résume l'histoire du monde.

Il a vu la Patrie... Ce Dieu invisible en sa haute unité est visible en ses membres, et dans les grandes œuvres où s'est déposée la vie nationale. C'est bien une personne vivante qu'il touche, cet enfant, et sent de toutes parts ; il ne peut l'embrasser, mais elle, elle l'embrasse, elle l'échauffe de sa grande âme répandue dans la foule, elle lui parle par ses monuments... C'est une belle chose pour le Suisse de pouvoir d'un regard contempler son canton, embrasser du haut de son Alpe le pays bien-aimé, d'en emporter l'image. Mais c'en est une grande vraiment pour le Français d'avoir ici toute cette glorieuse et immortelle patrie ramassée en un point, tous les temps, tous les lieux ensemble, de suivre des Thermes de César à la Colonne, au Louvre, au Champ-de-Mars, de l'Arc de Triomphe à la place de la Concorde, l'histoire de la France et du monde.

En faisant de la France la Patrie-Messie, objet ultime de l'effusion religieuse, Michelet écarte définitivement les rêves d'universalisme apatride. « Une autre religion, le rêve humanitaire de la philosophie qui croit sauver l'individu en détruisant le citoyen, en niant les nations, abjurant la patrie... Je l'ai immolé moi-même. La patrie, ma patrie peut seule sauver le monde » [12].

Cette patrie ne se dissocie jamais de la Révolution. L'évangile de la France est celui de la fête unitaire de la Fédération de 1790, révélation, que Michelet porte en lui. « Je rentre en moi. J'interroge sur mon enseignement, sur mon histoire, son tout-puissant interprète, l'esprit de la Révolution, écrit-il dans la préface de 1847. Lui, il sait, et les autres n'ont pas su. Il contient leur secret, à tous les temps antérieurs. En lui seulement la France eut conscience d'elle-même [...] La

Révolution est en nous, dans nos âmes; au-dehors elle n'a pas de mouvement. Vivant esprit de la France, où te saisirais-je, si ce n'est en moi ?» [13].

## « La Révolution est un bloc »

Quand, avec la 3ème République, la Révolution s'institutionalise, Michelet est explicitement requis par l'histoire officielle, qui s'incarne dans la chaire de Sorbonne créée pour Alphonse Aulard [14]. Les enseignements universitaires, les institutions historiques sont peu à peu investis par les collaborateurs de la Revue historique, fondée en 1876 par G. Monod, qui pense avoir ouvert en France l'ère de l'histoire scientifique. Mais, face à Taine qui, de 1875 à 1893, publie les Origines de la France contemporaine, efficace machine de guerre contre la Révolution, les historiens positivistes font appel au souffle inspiré du créateur de la « légende nationale ». Admiré par les radicaux, salué même par l'Institut, Michelet est à l'honneur : à l'occasion du centenaire de 1789, le Parlement vote une édition nationale de son Histoire de la Révolution [15].

Depuis 1815, à l'exception du regard lucide et de l'analyse distanciée de Tocqueville, le débat historique sur la Révolution s'expliquait par l'implication des protagonistes : les positions sur 1793 et sur la Terreur étaient inséparables de la manière dont on se définissait dans le présent. Les historiens libéraux avaient dissocié 89 et 93. Mais la génération du milieu du siècle, celle des quarante-huitards, avait eu tendance, par-delà les divergences pour ou contre les « jacobins », à souligner l'unité globale de la période révolutionnaire. « Si vous admettez une fois la révolution, écrivait en 1847 Alphonse Esquiros, auteur d'une Histoire des Montagnards, il faut l'admettre pleine, entière, logique [...] A la Révolution française, il faut la Terreur » [16]. La théorie des « circonstances » mettait l'accent sur le caractère exceptionnel et dramatique des événements et atténuait le désaveu de la Terreur en insistant sur le sauvetage de la Révolution et de la France par le comité de Salut public et la Convention.

Peu avant la chute du second Empire, en 1865, la publication par Edgard Quinet en exil, d'un ouvrage de réflexion critique sur La Révolution réinstaura avec éclat le débat sur la Terreur et même sur le sens historique d'ensemble de la Révolution. Quinet, heurtant de front les néo-jacobins, affirmait que, par la Terreur, les « hommes nouveaux » avaient réintroduit dans l'histoire l'absolutisme et la servitude et consacré ainsi l'échec de la Révolution. En 1866 une polémique ardente opposa le néo-jacobin Alphonse Peyrat, rédacteur en chef de l'*Avenir national* et Jules Ferry, membre de l'Union libérale, opposant résolu à l'Empire, qui, dans *Le Temps,* prit la défense d'Edgar Quinet [17]. En 1868, dans une préface à la réédition de *l'Histoire de la Révolution,* Michelet intervint indirectement. Tout en fustigeant l'historiographie pro-jacobine, il rappelait que, par-delà les polémiques, la Révolution ne pouvait se réduire à une seule de ses parties. « Je n'aime pas à rompre l'unité de la grande Église » était sa conclusion [18].

La nouvelle équipe républicaine, au pouvoir après 1879, se considère comme dépositaire de l'ensemble de la Révolution, dans la mémoire de laquelle elle puise ses symboles officiels. « Que nous le voulions ou non, que cela nous plaise ou nous choque, la Révolution est un bloc », dira Clemenceau à la Chambre des députés en 1891.

Malgré les divergences sur le rôle de Danton et de Robespierre, l'unité de la Révolution est le levier de l'historiographie officielle : 1789 et 1793 forment un tout. Aulard, en bon radical modéré, en présente, en 1901, une synthèse indolore : « La Révolution consiste dans la Déclaration des droits rédigée en 1789 et complétée en 1793, et dans les tentatives faites pour réaliser cette déclaration; la contre-révolution, ce sont les tentatives faites pour détourner les Français de se conduire d'après les principes de la Déclaration des droits, c'est-à-dire d'après la raison éclairée par l'histoire » [19].

L'œcuménisme est donc le décor de fond dans ces années, décisives, selon la remarque d'Alice Gérard, pour « l'endoctrinement de la masse électorale et scolaire » [20]. Une image stéréotypée de la Révolution s'élabore, sollicitant l'admiration, mais rassurant le bon sens, une Révolution tout à la fois romantique, patriotique et « scientifiquement » étudiée.

Mais cette image consensuelle permet aussi de construire en amont et en aval un récit linéaire de l'État-Nation : l'histoire républicaine de la France. Et sous l'habillage d'une histoire scientifique et positiviste, « la France supérieure comme dogme et comme légende », la France inventée par Michelet palpite silencieusement. Elle demeure le point d'ancrage de l'imaginaire républicain. Scruter ce dernier, c'est donc exorciser l'ombre immense de Michelet!

### Soldat de Dieu hier, soldat de l'idéal toujours

Mais c'est aussi mesurer l'ambiguïté qu'une vision totalisante de l'histoire tisse autour de la République elle-même. Héritière de la Révolution, la République s'identifie à la France. Elle invente une logique historiographique, qui lui permet de se réapproprier le passé : l'histoire de France est celle de la nation, enfantée par les rois, accouchée en 1789, définitivement république depuis 1879. Par la Révolution elle est lumière du monde, mais cela fut toujours sa mission. « La France, soldat de Dieu jadis, aujourd'hui soldat de l'humanité, sera toujours le soldat de l'idéal », ces mots de Clemenceau résument l'histoire de France telle que la République l'entend.

Mais, sauf en période d'Union sacrée, l'identification entre la Révolution et la France est inacceptable pour les conservateurs se réclamant du catholicisme monarchiste. Inversement, depuis que la République est institutionnalisée, les républicains sont captifs de la confusion entre une république idéale, « la République absolue », incarnation mystique des principes de la Révolution, et la République réelle, étatique, parlementaire, affairiste. Le concept de « défense de la République », qui naît contre le boulangisme, est traversé par cette ambivalence.

L'affaire Dreyfus est le nœud de toutes les contradictions idéologiques et historiographiques. Aux dreyfusards, mûs par une philosophie des droits de l'homme sans concession, luttant pour la vérité, la justice et la liberté d'un homme s'opposent, d'un côté les autorités de l'État, la République officielle, de l'autre, au nom de l'Armée et de la « Patrie française », des groupes plus ou moins hostiles aux principes comme au régime républicains. Paradoxalement, face aux révisionnistes dreyfusards, les autorités officielles et les antidreyfusards sont, de fait, solidaires, dans la défense de la *raison d'État* contre la *Vérité*.

Dans ce méli-mélo, qui stupéfie l'étranger, l'image de la France se brouille : où est la France des lumières et du Droit ? L'État républicain finira par réhabiliter le capitaine Dreyfus, mais ne reconnaîtra jamais solennellement les trucages et les mensonges du procès de 1894 et l'absurdité de celui de Rennes. La République française est restée prisonnière de ce carcan de confusion entre l'État (républicain) et la République idéale. Et le pouvoir d'État a constamment joué de cette confusion, récusant, au nom de la République, les libertés, « l'objection de conscience » postulées en face de lui ou contre lui. Cela aboutit à une *rétention systématique de l'information*, au nom de la raison d'État (républicaine).

Puisque la République est la Révolution accomplie, l'avènement définitif de la liberté-égalité-fraternité, la République est parfaite et l'État républicain, par définition au-dessus de tout soupçon, ne saurait attenter aux libertés qu'il incarne. Lorsqu'il le fait (ce qui est inévitable) il occulte systématiquement la vérité et poursuit ceux qui la recherchent. Refusant de reconnaître ses propres entorses à l'idéal, l'État les masque et filtre jalousement l'information. La notion de *pouvoir* et d'abus de pouvoir qui caractérisait « l'Ancien Régime », la République, imbue de ses grands principes, ne saurait se l'appliquer à elle-même. Et le secret d'État, légitimé, passe de l'histoire « qui se fait » dans l'histoire « qui s'écrit ». Répression de la Commune, affaire Dreyfus, mutineries de 1917, massacres de Sétif en mai 1945, tortures en Algérie, combien de temps aura-t-il fallu pour que l'« histoire » élucide ces secrets et pour qu'ils entrent dans une logique d'explication qui casse les tabous et cesse d'être une logique d'inculcation ?

Mais l'histoire de France tire aussi sa cohérence d'être celle de la « nation », dans son unité et son indivisibilité. Le peuple est une personne, à laquelle la République a enfin accordé toutes les libertés. L'histoire républicaine, unanimiste, gommera longtemps le mouvement ouvrier et les luttes sociales de la 3ème République. Ayant, depuis, donné droit de cité à la nation de « classe », elle n'a pas encore accédé à cette révision historiographique qui reconnaîtrait et qui expliquerait, dans le fait français, le mélange des peuples et des cultures, la multiplicité des origines, les effets de pouvoir et le principe laïque de la cohabitation symbolique.

L'histoire, inventée pour l'école, est le catéchisme d'une religion de la France.

## Chapitre 2

# THÉOLOGIE : LA FRANCE ÊTRE INCRÉÉ

Les républicains portaient en eux la conviction sincère que l'éducation du peuple était une nécessité, un devoir, une vocation impérieuse de la démocratie. Positivistes, disciples d'Auguste Comte, idéalistes kantiens, Jules Ferry, Littré, Gambetta, Ferdinand Buisson, Paul Bert, Léon Bourgeois, Emile Durkheim, Ernest Lavisse et tant d'autres, tous croyaient en l'éducation. Certes, ils créèrent une école du peuple, à côté de lycées payants et bourgeois, mais c'est leur faire un procès d'intention que de douter de la sincérité de leurs convictions. Pour les tenants du positivisme l'enseignement était insépara-ble de l'éducation et serait à la base de la régénération de l'humanité.

### La France à l'école. Le « Petit Lavisse ».

L'enseignement devait nourrir le sentiment national. Déjà Michelet, toujours dans *Le Peuple*, avait prophétisé « l'école, la grande école nationale comme on la fera un jour », qui marquerait l'enfant de « l'intuition durable et forte de la Patrie ». « Je parle, ajoutait-il, d'une école vraiment commune, où les enfants de toute condition, viendraient, un an, deux ans, s'asseoir ensemble, avant l'éducation spéciale, et où l'on n'apprendrait rien d'autre que la France ». Réunissant — provisoirement — riches et pauvres, l'école, « s'il faut que l'inégalité subsiste entre les hommes », permettrait « qu'au moins l'enfance pût suivre un moment son instinct, et vivre dans l'égalité! »

L'école enseignerait la Patrie et serait un antidote à l'égoïsme des riches et à l'envie des pauvres! [1].

> La Patrie apparaîtrait là, jeune et charmante, dans sa variété, à la fois et dans sa concorde. Diversité tout instructive de caractères, de visages, de races, iris aux cent couleurs. Tout

rang, tout habit, toute fortune ensemble aux mêmes bancs, le
velours et la blouse, le pain noir, l'aliment délicat [...] Ce serait
une grande chose que tous les fils d'un même peuple, réunis au
moins pour quelque temps, se vissent et se connussent avant les
vices de la pauvreté et de la richesse, avant l'égoïsme et l'envie.
L'enfant y recevrait une impression ineffaçable de la patrie, la
trouvant dans l'école non seulement comme étude et enseignement, mais comme patrie vivante, une patrie enfant, semblable
à lui, une cité meilleure avant la Cité, cité d'égalité où tous
seraient assis au même banquet spirituel.

L'école serait la maison de France, substitut de la mère,
éducatrice du futur soldat, lieu de la révélation de Dieu dans
la patrie.

> Si ta mère ne peut te nourrir, si ton père te maltraite, si tu
> es nu, si tu as faim, viens, mon fils, les portes sont toutes
> ouvertes, et la France est au seuil pour t'embrasser et te
> recevoir. Elle ne rougira jamais cette grande mère, de prendre
> pour toi les soins de la nourrice, elle te fera de sa main héroïque
> la soupe du soldat, et si elle n'avait pas de quoi envelopper,
> réchauffer, tes petits membres, elle arracherait plutôt un pan de
> son drapeau. Consolé, caressé, heureux, libre d'esprit, qu'il
> reçoive sur ces bancs l'aliment de la vérité. Qu'il sache, tout
> d'abord, que Dieu lui a fait la grâce d'avoir cette patrie qui
> promulgua, écrivit de son sang, la loi de l'équité divine, de la
> fraternité, que le Dieu des nations a parlé par la France.

Ainsi Michelet ne prêche pas pour une éducation démocratique, (le riche et le pauvre ne seront côte à côte que
momentanément), mais pour un séminaire laïque où s'enseigne
l'évangile de la patrie. Quarante ans après la première édition
du *Peuple*, l'école pour tous est devenue une réalité. Est-elle
vraiment cet « asile doux et généreux » où il fait si bon que les
petits enfants « l'aiment autant et plus que la maison pater-
nelle » ? Ce n'est pas évident! Mais elle enseigne la France.
Elle a même, selon l'expression de Pierre Nora, son « instituteur national », Ernest Lavisse.

Celui-ci, en 1884, rédige un manuel pour l'école primaire,
conforme au programme de 1882. De lecture facile et chaleu-
reuse, avec une mise en page nouvelle, égayée d'images et de
petits cartons, cette *Histoire de France* fait sensation. « Le voilà
le petit livre d'histoire vraiment national et vraiment libéral que
nous demandions pour être un instrument d'éducation, voire
même d'éducation morale » écrit à Lavisse Ferdinand Buisson,
le directeur de l'enseignement primaire. « Il y a des pages,
avoue-t-il, il y a même de simples images avec légendes qui font

venir les larmes aux yeux, tant c'est vrai, impartial, élevé de courage envers et contre tout » [2].

En 1895 *l'Histoire de France* en trois années (préparatoire, première, deuxième année), connaît déjà sa soixante-quinzième édition. Sans cesse rééditée et revue par Lavisse lui-même jusqu'à sa mort en 1924, le livre poursuit sa carrière avec une dernière édition en 1950! Par sa diffusion quantitative — des centaines de milliers de manuels durant toute la 3ème République — le Petit Lavisse a imprégné la vision de millions de Français *. Mais en outre il a créé un modèle de récit, une présentation du passé, une mise en ordre de l'histoire dont l'influence est remarquable, puisque nous verrons que des manuels édités en 1985 restent tributaires de la mise en scène du Petit Lavisse!

Or, paradoxalement, Lavisse, salué à sa mort comme un grand personnage, un monument de la République, professeur à la Sorbonne, directeur de l'École normale supérieure, a longuement pesé son ralliement à la république. Précepteur du prince impérial (le fils de Napoléon III), collaborateur de Victor Duruy (ministre de l'Instruction publique à la fin du second Empire) il n'a jamais milité pour la République et n'accepte la forme républicaine de l'État que par réalisme et par force, lorsqu'il voit le régime durablement installé. Patriote fervent, il voue à la France un véritable culte, nourri, dit-il par la lecture de Michelet. Traumatisé, comme beaucoup de ses contemporains, par la défaite de 1870-71, il explique le désastre par la faiblesse de l'éducation française. Aussi, dans ses manuels exhorte-t-il fréquemment les enfants au travail et à l'étude. En septembre 1919, il rédige une adresse aux « élèves de nos écoles », qui figurera dans les manuels de l'entre-deux-guerres, dans laquelle il exalte la victoire et rappelle l'humiliation de la défaite.

> Mes enfants, moi qui vous parle et qui suis ému en vous parlant puisque vous êtes l'avenir de la Patrie, je suis un vieillard. Dans quelques semaines, j'atteindrai ma soixante-dix-septième année. Pendant près de cinquante ans, depuis le désastreux traité de Francfort, j'ai vécu dans une France vaincue, démembrée, humiliée. J'ai souffert de la défaite, du démembrement, de l'humiliation! J'ai vu que, parce que la France était vaincue, l'Allemagne se croyait tout permis; son orgueil et ses ambitions menaçaient le genre humain.

---

* Appellation courante des manuels de Lavisse.

Le cours d'histoire est un hymne à la patrie française. Et la neutralité, la prudence de Lavisse pendant l'affaire Dreyfus n'ont rien de surprenant. Le déjà célèbre auteur de manuels reste à l'écart de la grande bataille d'idées. Celle-ci ne sera jamais évoquée dans les chapitres traitant de la 3ème République, y compris dans le « cours supérieur ». Histoire de la maison France, l'histoire de France oppose de façon manichéenne les bons et les mauvais serviteurs de la raison d'État. L'inspiration dreyfusienne des années 1890 lui est étrangère.

Modelés par le catéchisme fondateur, les manuels ultérieurs conserveront la même grille. Nous examinerons dans ce chapitre comment Lavisse et ses successeurs immédiats ont diffusé l'image théologique d'une France incréée inscrite à l'avance dans le déroulement du futur, préfigurée par la Gaule, incarnant le droit et la justice.

### *Notre pays existe originellement : nos ancêtres les Gaulois...*

« Notre pays » a toujours existé. L'histoire s'ouvre sur lui au commencement des temps : livre premier, chapitre premier.

> Autrefois notre pays s'appelait la **Gaule** et les habitants s'appelaient les **Gaulois** (CE, 1) Il y a deux mille ans la France s'appelait la Gaule. (CM, 5).

Par le mot « pays », par celui de « France », hier et aujourd'hui sont continus. Réels au présent, ces mots, projetés dans le passé, donnent vie à une France originelle imaginaire. L'histoire de France commence par le mythe de France.

Les Gaulois diffèrent de nous, mais ils nous relient à l'origine, soit par la France-Gaule, soit par notre généalogie.

> Notre pays a bien changé depuis lors et nous ne ressemblons plus guère à nos pères les Gaulois (CE,1).

La carte ci-après, extraite du Petit Lavisse, p. 10, superposant la Gaule et la France, fixe en image le mythe du commencement.

Les réflexions générales qui clôturent le livre I du cours moyen précisent la pureté de notre filiation gauloise.

> Nous ne savons pas au juste combien il y avait de Gaulois avant l'arrivée des Romains. On suppose qu'ils étaient quatre millions.

La partie noire représente la France d'aujourd'hui ; la partie noire rayée de traits blancs, les pays qui, outre la France, faisaient partie de la Gaule. On voit donc que la Gaule était beaucoup plus grande que notre France.

Les Romains qui vinrent s'établir en Gaule étaient en petit nombre. Les Francs n'étaient pas nombreux non plus, Clovis n'en avait que quelques milliers avec lui. Le fond de notre population est donc resté gaulois. Les Gaulois sont nos ancêtres. (CM, 26).

Ainsi nous appartenons à l'être originel de la France qui est gaulois. Le sol et la race fondent notre identité dans le passé le plus lointain.

### Le mystère du nom

Comment passe-t-on du nom de Gaule au nom de France ? Toute religion a ses mystères. Et il y a un mystère du nom. Il n'est jamais suggéré que *France* pourrait venir de *Franc*. La France semble se nommer elle-même.

Les évêques et les Gaulois furent très contents du baptême de Clovis. Ils l'aidèrent à devenir roi de toute la Gaule. **Dans la suite, la Gaule changea de nom. Elle s'appela la France.** (CE, 14).

Dans le cours moyen, un paragraphe s'intitule « Commencement de la France ».

> **Charles le Chauve** eut la plus grande partie de la Gaule [...].
> **Le royaume de Charles le Chauve s'appela la France.** (CM, 25).

Cette France est l'héritière de Charlemagne. Au cours du chapitre qui traite des « rois carolingiens », on finit par oublier que ceux-ci sont des Francs, c'est-à-dire des Germains. On montre une école dans le palais de Charlemagne, mais on ne nomme jamais Aix-la-Chapelle et une carte de l'empire de Charlemagne n'indique que les villes françaises.

Une fois nommée, la France inscrit définitivement sa logique dans le récit, d'où sont désormais écartés les espaces non « français ». On passe tout naturellement des Carolingiens devenus incapables à de nouveaux rois plus compétents. Hugues Capet est le successeur naturel de Charlemagne.

> Les descendants de Charlemagne se partagèrent l'empire; l'un d'eux eut le pays qu'on appela la **France** (843). Les Carolingiens ne surent ni se faire obéir, ni protéger le pays, que ravagèrent les Normands. En **987**, *les Français* * élurent un nouveau roi, **Hugues Capet**. (CM, 25).

Les Gaulois sont devenus des « Français ». Quelques lignes plus haut le mot « France » est apparu dans toute son ambiguïté, sur laquelle se construira la pré-détermination de l'action des Capétiens. Le texte montre les faibles Carolingiens obligés de céder la Normandie à Rollon.

> **Les rois n'avaient donc pas su défendre la France.** (CM, 24).

En face, les ducs de « France » s'imposent par leur mérite.

> Parmi les duchés, il y en avait un qu'on appelait le **duché de France** : c'était le pays entre la Seine et la Loire. Paris en était la capitale.
> Le duc de France, **Robert le Fort** s'était fait tuer en combattant les Normands. Son fils **Eudes** les empêcha de prendre Paris. Le petit-neveu d'Eudes, **Hugues Capet** fut élu roi de France en 987. Ainsi commença à régner une troisième famille, qu'on appela **capétienne**. Elle a régné sur la France jusqu'en 1792, c'est-à-dire pendant huit cent cinq ans. (CM, 24-25).

Ancrée dans l'origine des temps, voici la France assurée de la continuité. Elle ne peut disparaître. Son destin est scellé.

---

* Tous les termes soulignés en italique dans les citations imprimées en retrait le sont par moi, S.C.

## Un destin providentiel et tracé à l'avance

Alors commence la véritable histoire de France : croissance continue entrecoupée de crises, de drames, de miracles.
Combat du Bien contre le Mal. D'un côté les bons rois, les bons
serviteurs de la France, de l'autre les méchants, les seigneurs
qui désobéissent, les mauvais conseillers, les traîtres, les reines
perfides. On parle une dernière fois des Francs.

> Vous avez vu que les descendants de Charlemagne furent de
> mauvais rois. Aussi en l'année 987, les Francs choisirent-ils
> leurs rois dans une autre famille. (CE, 50).

Le destin hésite encore, mais pas pour longtemps.

> [Hugues Capet] ne fut guère obéi dans le royaume, parce qu'il
> y avait partout des seigneurs qui faisaient tout ce qu'ils vou-
> laient. (CE, 50). **Hugues Capet** était le roi de toute la France,
> mais ne commandait vraiment que dans le **duché de France**. Les
> autres provinces appartenaient à des **seigneurs vassaux** du roi,
> mais qui, le plus souvent, ne lui obéissaient pas. (CM, 38).

Mais voici bientôt « trois bons rois de France », « des rois
qui se firent obéir ». (CE, 50). Ces premiers bons rois symbolisent les qualités grâce auxquelles la France devient de plus
en plus forte et prestigieuse : esprit de décision, énergie,
protection des petits gens, mais surtout puissance, capacité
guerrière, qui permettent les agrandissements en battant les
ennemis (qui ont toujours attaqué la France).

> Les pauvres gens aimèrent le roi Louis (le Gros) parce qu'il
> punissait les seigneurs qui leur faisaient beaucoup de mal [...]
> Les Français aimèrent le roi Philippe-Auguste, parce qu'il avait
> battu les Allemands qui avaient attaqué le royaume de France
> [...]
> Les Français pleurèrent le roi Saint Louis quand il mourut en
> 1270. Ils l'aimaient parce qu'il était charitable, parce qu'il était
> juste, parce qu'il était brave. (CE, 51,52,53,54,58).

Les meilleurs rois sont ceux qui acquièrent des terres : ils
accomplissent le destin, celui de la France qui se fait. Dans ce
cas un méchant homme devient un bon roi.

> **Philippe-Auguste** qui fut un grand roi, fit la guerre au roi
> d'Angleterre et lui prit la Normandie. Il battit les Allemands à
> **Bouvines** en 1214. Son fils **Louis VIII** acquit le pays de **Beaucaire**
> et de **Carcassonne**, après l'horrible croisade des Albigeois. (CM,
> 45).

> [Louis XI] était méchant. Il fit mourir des hommes qu'il n'aimait pas, ou bien il les enferma dans des cages où l'on ne pouvait se tenir debout ni se coucher.
> Il y avait dans ce temps-là des seigneurs qui ne voulaient pas obéir au roi. Il les fit obéir. Alors la France fut tranquille. Il agrandit le royaume en acquérant plusieurs provinces.
> **Ce méchant homme fut un roi qui rendit de grands services à la France.** (CE, 85).

Du reste, ses ennemis sont si antipathiques, que Louis XI en devient sympathique. Quand les autres ont des ambitions, mieux vaut que la France s'agrandisse.

> Les seigneurs se révoltèrent contre [Louis XI], et ils prirent pour chef le duc de Bourgogne, **Charles**, qu'on appelait **le Téméraire**, parce qu'il avait des projets trop hardis.
> Heureusement pour Louis XI, le duc de Bourgogne se perdit par sa témérité. Il cherchait querelle à tous ses voisins. Il alla combattre en **Suisse** où il fut battu, et en Lorraine où il fut tué en assiégeant **Nancy**.
> Louis XI s'empara alors du duché de Bourgogne. Il hérita de la **Provence**, du **Maine** et de **l'Anjou**.

Et la conclusion est typographiquement soulignée :

> **C'est en réunissant ainsi les pays qui appartenaient à leurs grands vassaux que les rois ont créé la France.**
> **Ils ont fait comme les propriétaires qui achètent un champ puis un autre, puis un autre encore, et arrondissent ainsi leur propriété.** (CM, 54, 55).

Le rôle providentiel de Louis XI est précisé par une carte qui montre l'agrandissement du domaine royal à la mort du roi. Le finalisme est manifeste : la carte indique en gris les régions de France « non encore réunies ». Comment, dans cette perspective, imaginer que la crise de la guerre de Cent ans débouche sur une géographie politique différente de celle qui conduira à l'« hexagone » ? Impensable! Pour l'historiographie nationaliste, dans laquelle la France est prédéterminée, les combats médiévaux sont des « guerres civiles » comme le sont les guerres de religion, c'est-à-dire des « crimes » contre la France, qui, heureusement ne peut disparaître.

> Rappelez-vous qu'au temps de la guerre de Cent ans, des Français s'étaient battus contre des Français, le duc de Bourgogne avait fait alliance avec les Anglais. Un roi d'Angleterre fut un moment roi de France [...]
> A la fin de la guerre de Cent ans, la France était ruinée. Quelques années après, au temps de Louis XI, elle était redevenue riche et forte.

Après les guerres de religion, la France était ruinée. Sous le règne d'Henri IV, elle redevient riche et forte. Cela prouve qu'il y a dans notre pays beaucoup de ressources et beaucoup d'énergie.
On n'a jamais le droit de désespérer de la France. (CM, 89).

## La France est une personne multiple, souffrante, agissante, hésitante

Pour Michelet, « la France supérieure comme dogme et comme légende », la France « pontife du temps des lumières », existe indépendamment du *peuple*, malgré le titre de son livre. Les nations sont des personnes vivantes. « La voilà cette France, assise par terre comme Job, entre ses amies les nations, qui viennent la consoler, l'interroger, l'améliorer, si elles peuvent, travailler à son salut [...]. Ne venez pas me dire : "Comme elle est pâle cette France..." Elle a versé son sang pour vous. — "Qu'elle est pauvre!" Pour votre cause, elle a donné sans compter... Et n'ayant plus rien elle a dit : "Je n'ai ni or, ni argent, mais ce que j'ai, je vous le donne..." Alors elle a donné son âme, et c'est vous qui vivez ».

Comme Michelet, mais avec toute la distance qui sépare la platitude du génie, Lavisse, à partir de la guerre de Cent ans, personnalise de plus en plus la France. Elle devient sujet de verbes d'état, d'action. Elle souffre, elle gagne, elle perd, elle est dans l'incertitude. Elle existe indépendamment des Français.

> Peu de temps après, en **1328**, un roi d'Angleterre voulut devenir roi de France. Une grande guerre commença. La France fut d'abord vaincue; elle souffrit de grands maux. Jeanne d'Arc lui rendit courage. Les Français en combattant les Anglais apprirent à mieux aimer la France. (CM, 58).
> Les guerres entre les protestants et les catholiques continuèrent. La France souffrit beaucoup. (CE, 96).

Dans la guerre de succession d'Autriche,

> La France ne réclamait rien pour elle; elle prit part, sans raison, à cette guerre où elle eut à combattre à la fois contre l'Autriche et contre l'Angleterre [...].
> On fit la paix à **Aix-la-Chapelle**; la France ne perdit rien, mais elle ne gagna rien non plus. (CM, 123, 124).

Quelques années après Louis XV engage la France dans la guerre de Sept ans.

> On aurait dit que la France ne savait plus ce qu'elle voulait [...].
> La France eut d'abord quelques succès, mais elle éprouva de
> grands revers. (CM, 125, 126).

L'usage du mot France, en fait, est très ambigu. Dans
certains passages la « France » désigne plus ou moins *l'État*,
le gouvernement, dans les guerres d'État à État. Dans tous ces
passages Lavisse est très préoccupé de ce que « perd » ou
« gagne » la France, à peu près jamais des souffrances
concrètes des êtres humains. Les guerres ne sont jugées qu'au
crible des gains ou des pertes. Cela est flagrant dans le chapitre
du cours moyen sur les guerres de Louis XIV.

Guerre contre l'Espagne (1667-1668)
> La paix d'Aix-la-Chapelle lui donna plusieurs villes de
> Flandre, parmi lesquelles la ville de Lille.

Paix de Nimègue (1678)
> La France acquit de nouvelles villes en Flandre et la **Fran-
> che-Comté**.

Paix de Ryswick (1697)
> Elle ne gagna rien.

Paix d'Utrecht (1713)
> La France ne gagna rien à la paix. Au contraire, elle dut
> céder à l'Angleterre plusieurs colonies, parmi lesquelles
> **Terre-Neuve**. (CM, 106, 108, 110).

Mais Lavisse n'évite pas les contradictions dans cette
identification France-État. Il porte un jugement global négatif
sur la politique extérieure de Louis XIV, rare critique de la
« France ».

> Depuis François Ier jusqu'en **1661**, la France s'était défendue
> contre la maison d'Autriche qui était trop puissante et qui la
> gênait. Elle avait été victorieuse et elle était devenue la plus
> grande puissance de l'Europe.
> A partir de 1661, elle abuse de sa force; elle menace et effraie
> tout le monde, et tout le monde se déclare contre elle. Il en
> arrive toujours ainsi quand un État veut faire la loi aux autres.
> (CM, 120).

Après le « mauvais » règne de Louis XV, à l'approche de
la Révolution, la France semble désigner le collectif des
Français.

> La France avait beaucoup souffert des fautes commises par
> Louis XIV et par Louis XV. Elle désirait que le roi ne fût plus

libre de faire tout ce qu'il voulait, et que la nation eût le droit de s'occuper de ses affaires. (CM, 129, 130).

Il s'agit en fait d'un chapitre extrêmement flou sur « les demandes de réformes » qui se termine par la louange de « nos écrivains ». Plus ambiguë encore, « la France » avant les états généraux :

> **Ce que la France voulait.** Mais la France ne voulait pas que les états généraux se réunissent seulement pour donner de l'argent au roi. Elle attendait, elle exigeait la réforme de tous les abus.

Le mot France recouvre ainsi une multitude de significations.

Après la Révolution française, la « France » est une girouette, ballottée au gré des circonstances changeantes.

> Vous avez vu au livre VI que la France, qui avait un maître absolu, le roi, en **1789**, eut encore un maître absolu, l'empereur en **1804**. Pourtant elle avait fait une révolution pour ne plus avoir de maître.
> Vous venez de voir au livre VII que la France, qui en **1804**, a renversé la république, l'a rétablie en **1848**.
> On dirait que la France ne sait pas ce qu'elle veut.
> Mais réfléchissez bien. La France pendant des centaines et des centaines d'années avant **1789**, avait obéi à des rois. Elle avait l'habitude de se laisser gouverner.
> C'est beaucoup plus commode de se laisser gouverner que de se gouverner soi-même. Quand on se laisse gouverner, on n'a qu'à faire ce que le chef vous dit. Quand on se gouverne soi-même, il faut penser à ce qu'on fera, délibérer, se décider, se donner de la peine. (CM, 212).

Les Français de chair et d'os, dans leur diversité, sont étrangers à cette France, tantôt État, tantôt vaguement peuple ou sujet collectif, cette France abstraite, chimérique, velléitaire, mais toujours présente, englobante, aimée.

L'histoire de France de Lavisse véhicule ainsi le contraire d'une éducation démocratique. Déité abstraite qui structure le récit, la France, tantôt encensée, tantôt plainte, ne nourrit pas un imaginaire de lucidité, de réflexion critique, de tolérance. Elle n'incite ni à l'initiative, ni à la participation. Elle fait appel à l'esprit guerrier et au sacrifice, jamais à la créativité intelligente et constructive.

Ne flamboient que les héros morts pour la patrie et, fugitivement, les écrivains les plus intelligents ou les savants « illustres parmi les plus grands savants du monde ».

La théologie d'une France incréée, enracinée dans la pureté de l'identité gauloise, victime des méchants, sauvée par des êtres d'exception dévoués à mort, pourrait, en termes d'aujourd'hui, être qualifiée d'« intégrisme » : le contraire d'une théologie de la libération!

### France-République-Humanité : les épigones

Jacques et Mona Ozouf ont étudié la deuxième vague des manuels de la 3ème République, moins directement liée à la génération des fondateurs de l'école laïque et au traumatisme de la défaite de 1871 [3]. Ils ont montré que, malgré les accusations portées contre les instituteurs « pacifistes » on retrouve, dans ces livres, avec quelques nuances, un contenu qui n'est point en discordance avec celui des prédécesseurs. Ces manuels ont préparé l'Union sacrée de 1914.

France, patrie, république sont un seul être en trois personnes et la république est l'accomplissement ultime de la France. Le XIXème siècle est présenté comme une suite d'essais plus ou moins malheureux jusqu'à leur aboutissement à la 3ème République. Celle-ci est célébrée comme le bien absolu, la réalisation de la Révolution grâce à un régime de justice qui cimente enfin la communauté française. C'est bien la république absolue, à la fois Mère-Patrie et Justice accomplie. Elle réunit les Français « en une seule classe, celle des citoyens ». Les Français chérissent indistinctement la République et la France.

> Mes amis, **aimez la République**. Elle a tout fait pour vos pères et pour vous. Ne soyez pas ingrats; reconnaissez ses généreux bienfaits.
> **Aimez la France** : c'est votre mère. Vers elle doit tendre le vif élan de votre âme. C'est la terre qui vous a vus naître; là ont vécu vos aïeux; là ils ont souffert; sous cette terre repose leurs cendres.
> **République et France**, tels sont, mes enfants, les deux noms qui doivent rester gravés au plus profond de vos cœurs. Qu'ils soient l'objet de votre constant amour, comme aussi de votre éternelle reconnaissance [4].

La religion de la France continue d'imprégner les manuels comme elle illumine l'un des *best-sellers* de l'époque, *le Tour de la France par deux enfants,* qualifié de « Petit livre rouge de la République » par Jacques et Mona Ozouf. Publié en 1871, répandu à trois millions d'exemplaires entre 1877 et 1887, six millions en 1901, écrit, sous le pseudonyme de G. Bruno, par Mme Alfred Fouillée la femme d'un des idéologues de la 3ème République, le livre est une mise en scène de l'unité nationale à travers le voyage d'André et de Julien, les deux petits orphelins lorrains. La bonne conscience patriotique qui plonge loin en arrière dans le XIXème siècle reste, jusqu'en 1914 le trait commun des éducateurs de tout bord. Les manuels se suivent et se ressemblent qui exhortent les petits Français au saint amour d'une Patrie irréprochable.

> A juste titre, soyez orgueilleux, vous les enfants de la grande Patrie française [5].

Malgré l'accentuation de l'idéologie républicaine et la coloration radicale (au sens du début du siècle), mais nullement « socialiste », soulignent J. et M. Ozouf, le schéma reste le même. Il s'agit de lire dans le passé la formation de la nation française.

D'où, parfois, une critique plus nette des guerres non conformes aux « vrais » intérêts de la France, guerres d'Italie, guerres de Louis XIV. De nouvelles figures emblématiques viennent illustrer le Panthéon des grands hommes, annonciatrices des futures libertés : Michel de l'Hôpital, Coligny sont les champions de la tolérance, aux côtés d'Henri IV, « le plus français, le plus bienfaisant et le plus populaire de nos rois ». Etienne Marcel et Turgot annoncent l'idée d'égalité devant l'impôt.

La France est plus que jamais un être supérieur, incréé accomplissant une mission hors ligne. Dans *Les livres d'écoles de la République 1870-1914*, Dominique Maingueneau confirme ce rapport entre l'école et la vision d'une France au-dessus de tout soupçon. L'histoire de France, travaillée par l'idéal, est l'enseignement d'une nation née pour sauver l'humanité. L'histoire reste michelétienne. Et c'est à Michelet comme à Lavisse que se réfère Ferdinand Buisson, un autre pape de l'école républicaine, dans ses *Leçons de morale*, résumant ainsi la vocation historique de la France :

> La France, de tout temps, même aux temps barbares, aux temps des guerres féodales de château en château, avait conçu un idéal qui dépassait la barbarie environnante... La France dès ces âges lointains, s'est fait connaître au monde comme personnifiant, en quelque sorte, la foi au droit. On l'appelait le Soldat de Dieu, c'est-à-dire le soldat de la justice absolue... Et lorsque parvenue enfin au régime de la démocratie républicaine, elle

trouva dans l'Europe tout autour d'elle les vieilles monarchies coalisées, ce n'est pas pour elle seule qu'elle prit les armes : ce fut pour la liberté de tous [6].

La théologie d'une France immémoriale personnifiant Dieu s'accompagne d'une morale intégriste dont la loi unique est le service d'une patrie incarnant la justice et la liberté.

Chapitre 3

# MORALE : SERVIR LA FRANCE

*La France « impératif catégorique »*

— Dans la *Revue pédagogique* d'avril 1883, raconte Pierre
Nora, Emile Boutroux commentant la parution d'un manuel
d'instruction civique, rédigé par Lavisse sous le pseudonyme
de Pierre Laloi, constatait que la morale n'y était approfondie
« ni au point de vue philosophique, ni au point de vue religieux, ni au point de vue politique, mais au seul point de vue
patriotique » [1]. La théologie intégriste de la France s'accompagne d'une morale intégriste : la patrie est, pour Lavisse, l'équivalent de l'impératif catégorique kantien, source de la morale,
qui permet à l'homme de discerner le bien du mal. La morale
se résume en un seul canon : servir la France, et cette identification infléchit, souvent dans l'implicite, le récit historique
lui-même. Tout est jugé à l'aune de la France qui s'accomplit
dans la croissance. Il y a deux poids et deux mesures :
conquêtes légitimées, gloire soulignée, bravoure admirée
quand il s'agit de « Français » face à « l'ennemi », envahisseur
ou envahi, dont les actes sont odieux ou perfides. Un manichéisme simpliste légitime tout ce qui contribue à faire la
France, sans craindre le cynisme. De surcroît la France défend
de grandes causes, sur lesquelles on ne s'interroge pas : conver-
sions forcées au christianisme, croisades, conquêtes révolutionnaires, colonisation. « Dieu en la Patrie » avait parlé par
la bouche de Michelet. La plume de Lavisse dispense d'une
réflexion sur ce que nous appelons les *droits de l'homme*. Les
gommages, les enchaînements de récit qui en résultent instau-
rent une présentation du passé dont les traces n'ont pas disparu
depuis cent ans.

Cette morale est à double face : légitimité des guerres et
conquêtes « françaises », bien-fondé des causes défendues.

— *Pour les épigones,* tous ceux qui, d'une manière ou d'une autre ont travaillé à créer matériellement et moralement la patrie ont droit à toutes les louanges. « Servir la France » reste bien le premier des devoirs. Il en résulte que la distinction entre les guerres justes et injustes, que cherchent à opérer ces manuels, est toujours ambiguë.

L'équivoque de la double mission des héros, qui servent en même temps la France et l'humanité, n'est pas levée. Jacques et Mona Ozouf soulignent, au contraire, que, malgré la tonalité pacifiste de certains banquets d'instituteurs, « l'évocation de l'héroïsme guerrier n'a pas perdu sa force et son prestige ». La conquête coloniale est célébrée en toute bonne conscience. Les colonies sont de « nouvelles France » et la France républicaine poursuit ainsi l'œuvre de la Révolution, qui a consolidé celle des rois. Entre les intérêts de la patrie française et ceux des peuples colonisés, il ne peut y avoir divorce, puisque la France apporte le progrès matériel et culturel. « Pour tous les manuels, les peuplades indigènes à peine civilisées ou parfois même tout-à-fait sauvages, parfois fourbes et arriérées [...] ont tout à gagner de l'arrivée des Français qui les arrache à la barbarie, à l'injustice, à l'esclavage même ».

Le lien entre cause française et cause humaine conduit à l'idée qu'une guerre française ne peut être qu'une guerre juste. Cette conviction apparaît comme l'une des clefs de l'éducation patriotique reçue en profondeur à l'école. Éducation première, elle n'a pu, sans doute, être supplantée par l'éducation syndicaliste, c'est ce que révèle l'Union sacrée du début août 1914. « Soldats de Dieu hier, soldats de l'idéal toujours » voilà bien ce que suggère le *Manuel de morale à l'école* de Payot (cours moyen et supérieur 1907).

> Supposons le moment tragique venu : la France a fait ce qu'elle devait pour résoudre le conflit par arbitrage. La mauvaise foi et la barbarie d'un gouvernement voisin nous acculent à la guerre : quelle énergie enthousiaste serait celle de notre armée, qui combattrait à la fois, pour le sort de la Patrie et pour l'avenir même de la civilisation! *Gesta Dei per Francos!* [...] L'armée française, sûre que la nation maîtresse de ses nerfs, ne s'emploiera qu'à la défense de causes sacrées, sera d'une force invincible, étant la Justice et le Droit, c'est-à-dire la conscience humaine en lutte contre la barbarie[2].

Jacques et Mona Ozouf soulignent la parenté de ce texte avec le discours de Jouhaux sur la tombe de Jaurès. L'adresse de Lavisse aux écoliers en septembre 1919, rappelle que « France et humanité [...] sont conjoints et inséparables ».

— *Après 1945*

Le choc inouï de la débâcle de 1940, la faillite morale et idéologique du régime de Vichy, la complexité et la diversité des courants de résistance qui peu à peu se reconnurent dans le général de Gaulle, s'unirent autour de lui, le drame de la décolonisation enfin, qui commence dès 1945 avec la guerre d'Indochine se sont-ils répercutés dans l'image que l'école donne de la France après la Deuxième Guerre mondiale et notamment de la guerre et des héros ?

Deux générations de manuels sont à distinguer. Après la coupure des années 1969-1981, au cours desquelles l'histoire fut intégrée dans un ensemble de « disciplines d'éveil », le rétablissement d'un enseignement d'histoire de France au cours moyen à la rentrée 1981, puis en 1985 à tous les niveaux de l'école élémentaire, a entraîné une floraison de nouveaux manuels. Entre les livres des années 1950-1970 — la cuvée des années soixante — et la cuvée des années 1981-1985, il y a rupture de style. Jusqu'en 1970 l'influence du Petit Lavisse est patente par la reproduction de certains clichés et mouvements de phrase comme nous allons le voir. Les manuels des années 80 ont renoncé au sentimentalisme et à l'emphase enthousiaste pour emprunter au secondaire un phrasé sec et distant.

Le texte suivant est extrait d'un manuel de 1955 :

> **Revoyons ce que nous avons appris : les grandes figures françaises :**
> 1. Mes enfants, rappelez-vous les noms des grands chefs de notre pays, depuis le début de son histoire jusqu'à nos jours, rois, empereurs, ministres. Il en est qui furent de vaillants guerriers; il en est qui furent habiles; d'autres furent violents et cruels; d'autres aimèrent trop la guerre; il en est qui furent justes et bons et que le peuple pleura.
> Ce sont ceux qui ont conquis le sol français et qui l'ont défendu. C'est Clovis, Charlemagne, saint Louis, Louis XI, François Ier, Henri IV, Richelieu, Louis XIV, Colbert, Napoléon...
> 2. Rappelez-vous les noms des héros de la famille française, — chevaliers, savants, hommes de bien. Ils se nomment Vercingétorix, Roland, Duguesclin, Jeanne d'Arc, Bayard, Michel de l'Hôpital, Vincent de Paul, Marceau, Hoche, Bara, Gambetta, Pasteur, Foch, Clemenceau et combien d'autres. (DFP, 86).

L'impératif de la guerre, la supériorité des causes « françaises » sont des leit-motiv sous-jacents aux manuels depuis Lavisse jusque dans les années 1970.

## I. LA GUERRE

La « défense du pays » est le premier des devoirs. Mais dans la mesure où elles construisent la « France », les guerres de conquête sont légitimes. La plupart des *héros* présentés à l'admiration des enfants véhiculent donc une morale guerrière, qui n'a rien à voir avec la défense du droit.

***La défense de « notre pays » et son ambiguïté. Vercingétorix, Charles Martel, Duguesclin, Jeanne d'Arc.***

— *Dans les Lavisse*, l'idée de nation est fugitive. Celle de patrie s'impose dès le premier chapitre. Elle est le fil conducteur du rapport à la France et du choix des personnages de notre Panthéon.

VERCINGÉTORIX, bien que la Gaule ne soit pas encore une « patrie », est le premier patriote.

> La Gaule était habitée par une centaine de petits peuples. Chacun d'eux avait son nom particulier, et souvent ils se battaient les uns contre les autres.
> **Elle n'était donc pas une patrie, car une patrie est un pays dont tous les habitants doivent s'aimer les uns les autres.** (CM, 5).

Ces nuances ne pouvant être saisies par les enfants du cours élémentaire, « *Vercingétorix meurt pour la patrie* » est le titre du paragraphe 4 du premier chapitre. Il se termine par un alinéa en italique, destiné à attirer l'attention des élèves.

> **Retenez bien le nom de Vercingétorix, qui a combattu pour défendre sa patrie, et qui a souffert et qui est mort dans une affreuse prison.** (CE, 7).

Dans le manuel du cours moyen Vercingétorix est notre premier héros.

> **Ainsi Vercingétorix est mort pour avoir défendu son pays contre l'ennemi. Il a été vaincu ; mais il a combattu tant qu'il a pu. Dans les guerres, on n'est jamais sûr d'être vainqueur ; mais on peut sauver l'honneur en faisant son devoir de bon soldat.**
> **Tous les enfants de la France doivent se souvenir de Vercingétorix et l'aimer.**

Jusqu'à la guerre de Cent ans, ce thème de la « défense du pays » de la défense contre l'ennemi, contre l'étranger, de l'héroïsme guerrier prépare celui de la « défense de la patrie ». De Vercingétorix à Jeanne d'Arc, de Bayard aux soldats de la République, un même courage, un même combat réunissent ceux que nous devons aimer et admirer.

CHARLES MARTEL est le prototype de ces héros. Son mythe, encore présent dans les manuels actuels et surtout dans les esprits, sert de référence à l'extrême-droite. Voici donc, *in extenso*, le texte du cours moyen de Lavisse (Charles Martel n'est pas évoqué au cours élémentaire).

**Charles Martel. Invasion arabe.**

Parmi ces familles, la plus puissante habitait à l'Est de la Gaule, dans le pays de **Metz**.

Elle devint célèbre au temps qu'elle avait pour chef **Charles** surnommé Martel parce qu'il a écrasé, comme avec un marteau, les **Arabes** qui avaient envahi la Gaule.

Les Arabes habitaient, en Asie, un pays qu'on appelle **l'Arabie**.

Un homme, appelé **Mahomet**, leur enseigna une religion. Les Arabes voulurent répandre cette religion dans le monde entier. Mahomet leur avait dit que ceux qui mourraient en combattant auraient toutes sortes de plaisirs dans le paradis, et que ceux qui ne seraient pas braves souffriraient toutes sortes de misères en enfer. Les Arabes conquirent une partie de l'Asie, tout le nord de l'Afrique, puis l'Espagne, et ils entrèrent en Gaule.

**La bataille de Poitiers (732).**

En l'année **732**, ils étaient arrivés près de **Poitiers** quand ils rencontrèrent Charles Martel qui venait au-devant d'eux avec une armée.

Les Arabes, montés sur de petits chevaux rapides, et habillés de longs manteaux blancs, coururent vers la cavalerie franque.

Les Francs, montés sur de grands chevaux du Nord, les laissèrent venir, et se défendirent avec leurs haches et leurs épées si bien que les Arabes reculèrent. Alors les Francs se mirent en marche. C'était comme une muraille de fer qui s'avançait.

Les Arabes se retirèrent dans leur camp, et, pendant la nuit, ils s'enfuirent. Ainsi, Charles Martel a empêché les Arabes de conquérir notre pays. (CM, 17-18).

ROLAND, neveu de Charlemagne, est un modèle de courage et d'amour de la France.

Vous le voyez retombé sur le sol; son sang coulait; il n'avait plus de forces. Il sentait venir la mort. Alors Roland pensa dans son cœur à Charlemagne son empereur, et à la douce France, sa patrie. Ses yeux se fermèrent. **Il tenait serrée contre sa poitrine son épée Durandal.** (CE, 21).

Peu importe que le récit mêle anachroniquement la vie de Charlemagne et la « chanson de Roland » du XIIème siècle : comme la France, l'amour de la patrie qui vient du fond des âges est intemporel.

**DUGUESCLIN**, « le vainqueur des Anglais » au temps de Charles le Sage, est batailleur. « Fils d'un seigneur pauvre, dont le château était près de la ville de Rennes », il devient le meilleur général du roi Charles.

> Il remporta des victoires sur les Anglais, et leur reprit beaucoup de villes qu'ils nous avaient prises. Pour récompenser Du Guesclin, le roi Charles décida de le nommer **connétable** de France. [...]
> **Dans tout le royaume, on admirait et on aimait le connétable Du Guesclin, parce qu'il servait bien son seigneur le roi Charles et la France sa patrie.** (CE, 67).

Allez savoir que, pour la petite Mona, bretonne et fille d'instituteur laïque, avant la deuxième guerre mondiale, « à l'école, Duguesclin est un héros breton, on ne l'appelle, à la maison, qu'"an Trubard", le traître » [3]. Nulle part n'est remarqué qu'au temps de Duguesclin, la Bretagne n'était pas « française »! Allez comprendre que, depuis des siècles, les princes et les Grands sont mûs par des codes de fidélité qui n'ont rien de commun avec le patriotisme du XIXème siècle et que la succession de la couronne de France n'est pas si évidente, puisque l'entourage de Charles VII s'emploie à faire « réapparaître » le texte ignoré jusque-là de la loi Salique : l'exclusion systématique des femmes est, en effet, « un problème ignoré jusqu'au XIVème siècle » [4].

**JEANNE D'ARC** est la plus pure référence du patriotisme populaire.

> **Dans aucun pays, on ne trouve une aussi belle histoire que celle de Jeanne d'Arc. Tous les Français doivent aimer et vénérer le souvenir de cette jeune fille qui aima tant la France et qui mourut pour nous.** (CM, 53).

Quelle est la nature de l'inspiration, quel est le ressort de l'action de Jeanne la croyante, la décidée, la courageuse, la subtile ? Est-ce vraiment l'« amour de la patrie » ? Lavisse lui-même remarque qu'à la fin de la guerre de Cent ans :

> Notre patrie pourtant n'était pas achevée. Les différentes provinces se connaissaient mal les unes les autres. Elles avaient des lois particulières. L'unité n'était pas faite. (CM, 58).

Comme celle de la France, l'essence de la patrie précède son existence.

— *Dans les manuels des années soixante*, l'effusion patriotique est plus retenue, mais la même chaîne de défenseurs de « notre pays » reste offerte à l'admiration. On évoque la « perte de liberté » de la Gaule (GLG, 4), la libération de la France avec Jeanne d'Arc en ces années où le souvenir de l'Occupation est très proche. Cependant l'impératif de la patrie n'a pas entièrement disparu et les grandes figures emblématiques conservent leur fonction symbolique.

VERCINGÉTORIX fait encore l'objet d'un « in memoria », rappelant Lavisse :

> Souvenons-nous de Vercingétorix, qui est mort pour sa patrie. (DFP, 7).
> Retenons le nom du Gaulois qui a si vaillamment défendu sa patrie . (PBM, 11).
> Ainsi périt l'héroïque défenseur de notre pays. La Gaule entière est occupée par les Romains. (Ch. 4).

DUGUESCLIN reste le symbole de la lutte victorieuse de la France contre les Anglais :

> L'habile Duguesclin remporte partout la victoire sur les Anglais. A sa mort, ils n'ont plus que cinq villes en France : Calais, Cherbourg, Brest, Bordeaux et Bayonne.
> [Résumé] Presque toute la France est délivrée des Anglais par le connétable Bertrand Duguesclin. (PBM, 35).
> **Duguesclin chasse les Anglais**. Duguesclin reprend la lutte contre les Anglais qui ravagent notre pays [...]
> [A sa mort,] ils ne possèdent plus en France que **cinq villes. Notre pays est redevenu libre.** (GM, 33).
> Duguesclin est presque toujours vainqueur dans cette guerre de surprises et d'escarmouches. Peu à peu il réussit à chasser les Anglais de notre pays.
> [Résumé] Charles V et Duguesclin réussissent à chasser les Anglais de France. (PV, 37).

JEANNE D'ARC a sauvé la « France ». La formule se retrouve dans la plupart des manuels. Certains auteurs préfèrent écrire qu'« elle a rendu courage aux Français » (BM, 22) ou que « la France entière reprend confiance et courage » (DFP, 41). Un manuel souligne : « elle est la plus belle figure de notre histoire » (DFP, 41). Partout le texte implique l'identification à une entité « France » éternelle, impératif suprême.

Jeanne d'Arc a sauvé la France. Elle est morte avant que son pays ne soit complètement libéré, mais elle a fait comprendre aux Français qu'ils devaient tous s'unir pour défendre leur patrie. Ils attaquent partout les Anglais, et ils les chassent de partout : la guerre de Cent ans est terminée. (PV, 39).

L'héroïsme sacrificiel est commémoré :

Le sacrifice de Jeanne d'Arc n'est pas inutile. (GM, 35).

**CHARLES MARTEL**, sans être présenté comme un « patriote », appartient, incontestablement, à la galerie des « défenseurs » de « notre pays ». C'est un héros positif qui nous a délivré des Arabes, et les manuels continuent de le célébrer. Les Arabes sont les nouveaux envahisseurs, leur religion n'est pas toujours mentionnée.

Voici d'abord la vision d'un classique, « le Chaulanges » de 1964, réédité en 1981. Les invasions y sont fortement dramatisées, le mot « barbare » n'est jamais expliqué mais associé à des images terrifiantes.

### Les invasions des Germains
Quatre ou cinq siècles après la conquête romaine, la Gaule fut de nouveau envahie. Quels terribles malheurs pour notre pays!
Au-delà du Rhin, s'étendait un pays froid et pauvre couvert de forêts et de marécages : la **Germanie**. Il était habité par des peuples guerriers : les Germains. Le doux climat et les richesses de la Gaule leur faisaient envie [...] Ils se ruent sur la Gaule, Ils arrivent par bandes, avec leurs chariots, leurs femmes, leurs enfants. Souvent ils pillent, incendient, massacrent. « Les gens tombent comme des épis sous la faux ». Combien de familles n'ont ni maison, ni troupeaux, ni pain et sont réduites à mendier! Combien de champs en friche, de villes détruites, de ponts en ruine! Partout une immense terreur, une immense misère.
Finalement toute la Gaule est occupée par ces peuples *étrangers* : les Francs au Nord, les Burgondes à l'Est, les Visigoths au Sud. (CH, 14).

L'invasion arabe est inséparable des connotations d'horreur qui affectent les « barbares ». Le vaillant Charles Martel est presque toujours valorisé par son contraste avec les « rois fainéants », miroir en négatif de son action salvatrice. Ces derniers ont réduit à néant l'action unificatrice de **Clovis**, héros positif, grâce auquel « notre pays n'est plus divisé, les guerres s'apaisent : on se reprend à espérer ». (CH, 16).

Le texte, par endroit, reprend celui de Lavisse.

A l'époque des rois fainéants, la Gaule est de nouveau envahie.

Cette fois, ce sont les **Arabes**. Ils viennent d'Arabie et ils ont
conquis le nord de l'Afrique et l'Espagne. Leur prophète **Mahomet** leur a commandé de combattre tous ceux qui n'adorent
pas **Allah**, le dieu des Musulmanns. Ils n'ont peur de rien. Leurs
petits chevaux semblent avoir des ailes et les habitants se
sauvent épouvantés. Ils ravagent le Sud de la Gaule et s'avancent jusqu'à Poitiers. Notre pays va-t-il devenir musulman ?
Les rois mérovingiens sont incapables de le défendre. Personne
ne leur obéit plus. Celui qu'on écoute est un ministre énergique,
le Maire du Palais, Charles. C'est lui qui réunit en hâte ses
cavaliers et attaque les Arabes. Une grande bataille a lieu près
de Poitiers en 732. Charles se bat comme un lion ; de sa lourde
épée, il écrase les têtes comme avec un marteau. On le surnom-
mera **Charles Martel**. Les Arabes s'enfuient.
Les Francs admirent ce chef courageux. Ils choisissent pour
chef son fils Pépin le Bref (751), puis son petit-fils Charles
(**Charlemagne**). (CH, 18).

Dans tous les manuels, l'enfant est invité à s'identifier au
magnifique héros qui a terrassé les terribles Arabes, nos ennemis qui ont envahi la Gaule, c'est-à-dire la France!

A l'époque des rois fainéants, un grand danger menace la
Gaule. Les **Arabes**, venus d'Afrique, passent les Pyrénées et
s'avancent jusqu'à la Loire. Partout flambent les églises et les
villes [...].
Charles, vainqueur des Arabes, est appelé Charles Martel : car
il avait brisé les ennemis, de même que le marteau brise la pierre
et le fer. (DFP, 15).

A ce moment le pays est envahi par les **Arabes**. Un maire du
palais, homme d'une force terrible leur barre la route à Poitiers.
Il est surnommé **Charles Martel**, parce qu'il a écrasé comme
avec un marteau, les ennemis qui ont envahi la Gaule. Les
Arabes repassent les Pyrénées. (PBM, 15).

A l'époque des rois fainéants, les **Arabes**, venus d'Afrique,
franchissent les Pyrénées et envahissent notre pays [...].
Un Maire du Palais, **Charles Martel, leur livre bataille à
Poitiers, en 732**. Pendant sept jours, les deux armées s'observent
sans se décider à attaquer. Le huitième, les Arabes se lancent
contre les Francs de toute la vitesse de leurs petits chevaux et
les criblent de flèches. Les Francs, se serrant les uns contre les
autres, présentent leurs grands boucliers et leur longues lances
aux cavaliers arabes. Dix fois, vingt fois, ceux-ci essaient de
rompre ce véritable mur de fer mais n'y parviennent point. La
nuit met fin au combat. Quand le jour suivant se lève, les Francs
s'aperçoivent que les **Arabes, découragés, ont fui. Charles
Martel et ses guerriers ont sauvé la France chrétienne**. (GM, 13).

Ainsi l'historiographie traditionnelle de Charles Martel,
« sauveur de la France », maintient-elle ses effets sur l'imaginaire (ou l'inconscient) collectif des Français.

La plupart des manuels les plus récents reproduisent l'image du « bon » Charles Martel.

— *Manuels de 1985* :

[...] **Charles Martel** s'est distingué en arrêtant à **Poitiers (732)** les **Arabes** venus d'Espagne pour envahir la Gaule. (DHMD, 37).

**L'invasion arabe**
En 732, les Arabes, venus d'Espagne, arrivent en *France*. Ils pratiquent une nouvelle religion, l'Islam. Bientôt ces rudes cavaliers, qui combattent armés de sabres, arrivent à Poitiers. Un très puissant maire du Palais Charles Martel, dirige l'armée des francs contre l'envahisseur. Il réussit à repousser les cavaliers arabes et en retire une grande gloire. (VLDS, 35).

Un ouvrage (D) semble prendre en compte la réalité complexe du fait musulman en Espagne et d'une Gaule partagée entre des souverainetés rivales.

A cette époque, les **Arabes** de religion musulmane avaient apporté leur civilisation **aux Berbères** d'Afrique du Nord. Ces derniers, Kabyles d'Algérie et **Maures** du Maroc, avaient ensuite conquis l'Espagne. Leur civilisation était bien plus développée que celle des Francs, et le comte d'Aquitaine, dans le Sud de la Gaule, avait fait alliance avec eux contre les rois Mérovingiens.

Mais un titre ambigu au milieu de l'explication relance la traditionnelle « défense » du pays.

**Charles Martel défend la Gaule**
Charles Martel, Maire du Palais de la région du Nord, l'Austrasie, réorganise la cavalerie franque. Il se bat contre les Berbères musulmans à Poitiers en 732. Il commence ensuite la *conquête* des autres régions de la Gaule, l'Aquitaine et la Bourgogne, puis de la Provence qui était restée romaine. Son fils Pépin le Bref se fait sacrer roi des Francs à Reims et prend la place du roi mérovingien. C'est le premier des rois carolingiens. Il termine les conquêtes de son père. (D, 16).

« Défense » ou « conquête » ? Nous en reparlerons dans la troisième partie (cf. *infra*, ch. 10).

### Légitimité des guerres de conquête

La logique de l'histoire étant celle de la construction de la France, la conquête est, pour les Francs, puis les Français un acte collectif licite, mais cette morale ne s'applique pas aux autres comme nous l'a montré le combat de Charles Martel contre « l'envahisseur » !

### CLOVIS ET CHARLEMAGNE

Acteurs de la France à venir, Clovis, Charlemagne sont des guerriers exaltants, des conquérants glorieux, auxquels l'enfant est convié à s'identifier. Leurs ennemis sont nos ennemis, nous assumons leur brutalité.

> Les Francs se servaient très bien de la francisque. Ils la lançaient sur les casques de leurs ennemis et leur fendaient la tête.
> Vous voyez que les Francs, autour de Clovis, frappent leurs lances sur leurs boucliers. C'était leur façon de dire qu'ils étaient contents.
> **Ils étaient contents d'avoir un roi jeune et brave comme le roi Clovis.** (CE, 12).

Les violences de Charlemagne, nous le verrons plus loin, entrent dans une autre légitimité, celle de la croisade et de la christianisation des ennemis païens.

Clovis, « maître de toute la Gaule », « chef redoutable », « élevé sur le pavois », Charlemagne « grand guerrier » sont célébrés par le texte et par l'image dans tous les manuels de la série 1950-1970.

### LA CROISADE DES ALBIGEOIS

Dans Lavisse, à partir d'Hugues Capet, la France devient vraiment la France, son image se fait précise, l'espace gaulois un peu flou est remplacé par le futur hexagone, que l'on projette dans le passé pour assister désormais à sa gestation inéluctable. (Carte CM, 56).

Dès lors sont légitimes toutes les violences, annexions, conquêtes qui vont dans le sens de l'histoire. La croisade des Albigeois peut servir de parabole. Le texte gomme les atrocités qui servent la construction capétienne de la France et passe sous silence les réactions des populations concernées. Les Albigeois sont des « hérétiques », suspects donc a priori.

> **La croisade des Albigeois.** Au temps de Philippe-Auguste il se passa dans le Midi des événements terribles. Un grand nombre des gens du Midi étaient **hérétiques**, c'est-à-dire qu'ils ne voulaient pas croire ce qu'enseignait l'Église. On les appelait **Albigeois** du nom de la ville d' **Albi** où les hérétiques étaient très nombreux.
> Le Pape prêcha une croisade contre eux. Les seigneurs du Nord prirent part à cette croisade où des atrocités furent commises.
> Le pape établit un tribunal appelé **Inquisition**. Les juges de ce tribunal recherchaient les hérétiques et les condamnaient à des peines très dures, même à mort [*sic!*].
> **Acquisition de provinces dans le Midi.** Philippe-Auguste n'alla

pas à cette croisade; mais il y envoya son fils. Ce fils, devenu roi sous le nom de **Louis VIII**, réunit au domaine royal les pays de **Beaucaire** et de **Carcassonne**.

La conclusion est soulignée par le « filet sinueux » qui dénote les « réflexions personnelles » de l'auteur.

> **Ainsi le domaine du roi commença de s'étendre dans ces pays du Midi qui paraissaient fort éloignés, car il fallait six fois plus de temps pour aller de Paris à Carcassonne qu'il n'en faut aujourd'hui pour aller de Paris à Constantinople.** (CM, 41).

La violence, le drame, la simple réalité historique de la lutte des hommes du Nord contre le comte de Toulouse et ses alliés sont superbement ignorés dans cette conclusion prosaïque. Le manuel du cours supérieur paraît encore plus cynique dans sa brièveté.

> Le pape Innocent III avait d'autre part organisé en France une **croisade** contre les Albigeois, c'est-à-dire contre les gens du Midi qui ne voulaient pas obéir à l'Eglise. Philippe-Auguste se garda de prendre part à cette croisade où les seigneurs du Nord se montrèrent féroces. **Car son royaume l'intéressait beaucoup plus que la guerre du Midi.** Mais il s'arrangea tout de même pour en profiter. Il y envoya son fils qui, devenu roi sous le nom de Louis VIII, devait réunir au domaine royal **une partie du Languedoc.** (CS, 104).

Un manuel républicain d'avant 1914, celui d'Aulard et Debidour (cours moyen 1895) stigmatise les croisés en Albigeois qui « se comportèrent en sauvages ou en bêtes féroces ». Mais son effet d'agrandissement s'inscrit dans la logique qui fait la France : « La guerre des Albigeois agrandit encore le domaine royal d'une moitié du Languedoc (1229) » [5].

La croisade des Albigeois est purement et simplement gommée des manuels 1950-1970 consultés.

### BAYARD : L'IMPÉRIALISME DES ROIS DE FRANCE MAGNIFIÉ

Lavisse ne récuse pas les expéditions hors du royaume : tout ce qui est fait au nom de la France engage la patrie. Ainsi en est-il des guerres de conquêtes en Italie. Même si certains manuels des « épigones » les critiquent (cf. *supra*, p. 42), la figure emblématique de Bayard illustre l'acquiescement à l'impérialisme de François Ier.

Le chevalier *Bayard* a bien servi le roi dans la conquête du Milanais. Au cours de la retraite d'Italie, il meurt face au connétable de Bourbon qui « s'était mis au service de Charles Quint ».

Quand il vit Bayard, Bourbon descendit de cheval et lui dit qu'il
avait du chagrin de le voir en cet état. Mais Bayard répondit :
**« Ce n'est pas moi qui suis à plaindre ; c'est vous, car vous servez
contre votre roi et contre votre patrie »**. (CM, 68).

La légende de Bayard continue d'être célébrée dans les
manuels 1950-1970, en termes très voisins de ceux de Lavisse.
Il symbolise toujours le patriote contre le « traître », le duc de
Bourbon.

Alors arrivent les Espagnols victorieux. Ils sont commandés par
le connétable de Bourbon, un traître qui combat dans les rangs
ennemis.
Ah ! capitaine Bayard, dit-il, j'ai grand pitié de vous ! Je vous
remercie, répond le chevalier, car je meurs en homme de bien.
C'est vous qu'il faut plaindre : car vous combattez contre votre
roi et votre patrie. (DFP, 49).
Et Bayard lui répond fièrement : « Je vais mourir mais ce n'est
pas moi qui suis à plaindre. C'est plutôt vous qui avez trahi
votre patrie ». (GM, 43).
« Ce n'est pas moi qui suis à plaindre, répond fièrement ce
chevalier ; mais vous-même qui avez trahi votre roi et votre
patrie ». (Ch, 39).

La bataille de Marignan ne reste-t-elle pas dans la tête des
Français l'une des plus célèbres de notre histoire ?

### JUSTES GUERRES DE RICHELIEU ET DE LOUIS XIV

Les guerres de Richelieu sont ainsi présentées par Lavisse :

Richelieu voulait que le roi de France fût le premier entre les
rois du monde. Il fallait pour cela que la France combattit la
maison d'Autriche, c'est-à-dire l'empereur d'Allemagne et le roi
d'Espagne, qui étaient parents et toujours alliés l'un avec
l'autre. (CM, 91).

Le manuel ne précise pas que la guerre est déclarée par
le roi de France, mais écrit qu'elle « commença mal ». Après
*Corbie* Louis XIII « rendit courage » à Richelieu et « vendit
son argenterie pour se procurer de l'argent ». L'on retombe
ainsi dans le registre du patriotisme de défense face à l'envahisseur.

La milice de Paris s'apprêta à défendre les remparts. Dans les
rues, on mit sur les tables des registres où ceux qui voulaient
se faire soldats écrivirent leurs noms. Le roi et Richelieu
marchèrent vers Corbie. Les Espagnols se retirèrent. Richelieu
organisa des armées et une flotte. Il fut vainqueur sur mer et
sur toutes nos frontières. Le **Roussillon**, l'**Artois** et la **Franche-
Comté** furent conquis par nos soldats. (CM, 91, 92).

Ainsi se trouvent légitimées les nouvelles conquêtes, et notamment celle du Roussillon catalan, longtemps ballotté entre la France et l'Aragon. Le condensé du cours élémentaire fait l'éloge de cette politique impérialiste.

> Conseillé par Richelieu, Louis XIII fit la guerre aux Espagnols et aux Allemands. Il les vainquit *et devint le plus puissant roi de l'Europe.* (CE, 106).

Nous avons vu Louis XIV critiqué pour avoir fait trop de guerres, mais celles où la France « gagne » ne sont jamais récusées, ni par Lavisse, *ni dans les manuels récents.* La dévastation du Palatinat est occultée.

TURENNE fut tué dans une bataille contre les Allemands. La guerre avait été déclenchée par Louis XIV contre la Hollande « qui voulait l'empêcher de conquérir la Flandre et le Luxembourg » et « parce qu'il n'aimait pas les Hollandais » qui « étaient protestants et républicains ».

> L'Espagne et l'Allemagne déclarèrent la guerre à Louis XIV [...].
> Turenne entra en Allemagne. La veille du jour où il devait attaquer l'ennemi, il fut tué par un boulet de canon.
> Quand on ramena le corps de Turenne, la population accourut tout le long de la route de Paris pour voir passer le cortège. Beaucoup de gens gémissaient et pleuraient. Le roi voulut que Turenne, mort en combattant pour la patrie, fut enseveli dans les caveaux du monastère de Saint-Denis, à côté des rois. (CM, 108).

Pendant la guerre de la *Ligue d'Augsbourg,* clairement imputée à Louis XIV, l'élève est invité à vibrer aux « belles victoires » et à s'identifier à « nos » marins et « nos » soldats.

> De belles victoires furent remportées sur terre par le maréchal de **Luxembourg** en Belgique et par **Catinat** en Italie. Nos marins commandés par **Tourville** se battirent aussi vaillamment que nos soldats. (CM, 110).

### LES GRANDES VICTOIRES DE NAPOLÉON

La présentation de Napoléon, dans le cours élémentaire de Lavisse, en deux chapitres — les victoires, les revers —, si elle suit logiquement les événements, est bien conforme à la morale de Lavisse : guerres légitimes quand on « gagne », guerres contestables lorsqu'elles sont perdues! Le manuel, au demeurant, est imprégné de légende napoléonienne. Certes « Napoléon aimait trop à faire la guerre », mais le récit de

Waterloo nous arrache des larmes.

> Alors l'empereur veut mourir. Vous le voyez au moment où il vient de tirer son épée. Mais un vieux soldat prend son cheval par la bride. Les généraux le supplient de quitter le champ de bataille. (CE, 156).

Le bilan du cours moyen est balancé ; critique du despotisme, jugement nuancé sur les guerres, et mise en accusation de l'Angleterre. Grief majeur : la diminution de la France, soulignée par deux cartes, qui suggèrent que la Belgique aurait dû rester française.

> [...] Il a été surtout un grand chef de guerre. C'est par la guerre qu'il a été élevé au trône ; mais c'est par elle qu'il a péri.
> **Pour son malheur et pour celui de la France, il a été un maître absolu. Il a supprimé toute liberté politique. Personne ne put donc l'empêcher de faire les fautes qu'il a commises pour le malheur de la France.**
> L'Angleterre est en partie la cause des guerres de l'Empire ; elle a forcé Napoléon à combattre tous les États d'Europe, mais Napoléon a commis de très grandes fautes, par amour de sa gloire et par orgueil. A la fin il a laissé la France moins grande qu'elle ne l'était à son avènement. (CM, 190).

Et voici la conclusion :

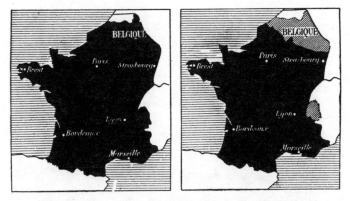

> Le carton à gauche représente la France de 1807, avec les agrandissements que les gouvernements de la Révolution avaient donnés à notre pays ; le carton à droite représente la France en 1815 après la chute de Napoléon : les parties teintées en gris sont les pays que les traités de 1815 firent perdre à la France.

> *La France en 1815.— Par le traité de Paris, en 1815, la France perdit les conquêtes de Napoléon ; elle perdit aussi les conquêtes que la Révolution avait faites, c'est-à-dire les provinces du Rhin, la Belgique et la Savoie. Elle fut ramenée à l'état où elle était en 1789 ; même elle perdit quelques villes qu'elle possédait en ce temps-là.*(CM 191)

Dans la plupart des manuels des années soixante, Napoléon est d'abord un grand homme de guerre. « La plus belle victoire de Napoléon est celle d'Austerlitz » (PV, 77). « Il a remporté de grandes victoires sur tous ses ennemis » (BM, 58). La légende napoléonienne pointe dans le Chaulanges.

> Ainsi le petit sous-lieutenant pauvre de 1789 était devenu Empereur des Français et presque le maître de l'Europe. (CH, 118).

La réprobation se fait parfois explicite :

> Les guerres ont coûté beaucoup d'argent à la France. un million d'hommes sont morts. Napoléon est surnommé l'« ogre de Corse ». Sa gloire a coûté cher à notre pays. (AA, 67).

Ce genre de critiques demeure exceptionnel. Dans la mesure où l'être « France » s'identifie à la « Liberté » et à « L'humanité », les causes défendues sont justes. Il en va ainsi de la croisade et de la colonisation.

## II. LES GRANDES CAUSES :
## LA SAINTE CROISADE ET LA COLONISATION

### — La Croisade

LA CONVERSION BRUTALE DES SAXONS par Charlemagne ne fait
l'objet d'aucune réserve alors que les Arabes ont été critiqués
pour avoir voulu répandre leur religion dans le monde entier.
La critique ne vaut pas pour le christianisme. Certes le martyre
des chrétiens, « la belle histoire de sainte Blandine » (CE, 8)
sont exemplaires de non-violence. Mais Charlemagne, qui
« allait à la guerre à peu près tous les ans », combat pour
répandre le christianisme.

> Les Germains qui habitaient le nord de la Germanie n'étaient
> pas encore chrétiens. On les appelait **Saxons**, Charlemagne
> voulut les faire chrétiens. Il alla dans leur pays plus de trente
> fois. Il brûla leurs villages et détruisit leurs moissons. Un jour
> il fit couper la tête à des centaines et des centaines de Saxons.

Le récit va-t-il s'interrompre pour susciter la comparaison
avec ce qui a été précédemment raconté des Arabes ? Non,
Charlemagne, lui, a des excuses : la violence des hommes
d'autrefois.

> Il n'était pourtant pas méchant, mais, **dans ce temps-là, les**
> **hommes faisaient des choses qui nous paraissent aujourd'hui**
> **atroces.**

Et puis le sens de l'histoire c'est la christianisation. Déjà,
en quelques pages précédentes et sans commentaires, nous
avons appris que

> Quatre cents ans après la mort de Jésus-Christ toute la Gaule
> était chrétienne. (CM, 13).

La conclusion de l'affaire saxonne paraît donc naturelle.

> A la fin, les Saxons ne se défendirent plus. Ils furent baptisés
> et devinrent chrétiens. (CM, 20,21).

*Vingt ans après la seconde guerre mondiale,* la sainte cause
du christianisme, le combat par les armes pour convertir ou
pour punir restent justifiés dans les manuels en usage dans

l'école publique. Les actes de Charlemagne lui valent la ré-
compense de son ami le pape.

> Toute sa vie Charlemagne fait la guerre aux peuples barbares
> qui entourent la France. Il combat les Sarrasins d'Espagne et
> surtout les Saxons qui vivent de l'autre côté du Rhin, en
> Germanie.
> Il combat ces peuples pour défendre la France et parce qu'ils
> ne sont pas chrétiens. Quand il les a vaincus, Charlemagne les
> oblige à se faire baptiser. Aussi le Pape, qui est le chef de tous
> les chrétiens, est-il son ami. (PV, 15).
> Ses plus féroces ennemis sont les **Saxons**. Ils habitent un pays
> que l'on appelle maintenant l'Allemagne. Ils sont **païens**,
> c'est-à-dire qu'ils adorent des idoles, entre autres un tronc
> d'arbre gigantesque. **Charlemagne veut les obliger à devenir
> chrétiens**. Quand les armées franques approchent, ils se cachent
> dans les bois. Mais dès que Charlemagne retourne en France
> avec ses guerriers, ils détruisent les églises qu'il a fait construire
> et massacrent les prêtres. Charlemagne les combat pendant
> trente ans. Un jour, furieux, il en fait tuer plus de quatre mille.
> **Les Saxons finissent par se soumettre**.
> Charlemagne fait également la guerre en Italie et en Espagne
> aux ennemis du **Pape**, le chef de tous les chrétiens. **Pour le
> récompenser, celui-ci le couronne empereur en l'an 800**. (GM,14).

> Au-delà du Rhin, dans la Germanie du Nord vivaient les
> **Saxons**. Charles envoya chez eux des prêtres chrétiens. Les
> Saxons les tuèrent au lieu de les écouter et Charles fut très en
> colère. Il brûla leurs villages et leurs récoltes ; il en fit massacrer
> des milliers. Cette lutte sauvage dura très longtemps. A la fin,
> les Saxons se firent chrétiens.

Ce manuel, le Chaulanges cours moyen, réédité en 1981,
ne juge même pas nécessaire, comme celui de Lavisse, de
chercher des excuses à Charlemagne, le plus grand roi de la
terre !

> [...] Le pape lui mit une couronne d'or sur la tête, puis il se
> prosterna devant lui. Au milieu des cris de joie, Charles, «roi
> des Francs » fut proclamé **Empereur**. Les autres rois de la terre
> le craignaient et l'admiraient. Jamais, depuis les Romains, on
> n'avait vu un Empire aussi vaste. (CH, 19).

Aucun manuel, ni avant ni après 1980, ne suggère aux
enfants que Charlemagne symbolise un passé plus européen
que « français » !

### L'ÉPOPÉE DES CROISADES

On vient de voir Charlemagne christianiser les Saxons
l'épée à la main, pour leur plus grand bien. Avec les croisades,

les Français deviennent de sublimes « soldats de Dieu ». Récits et images, tant au cours élémentaire qu'au cours moyen, invitent l'élève à communier totalement avec la cause et les souffrances des croisés. Le tombeau du Christ est aux mains des méchants. Les Français vont aller le délivrer.

*Texte de Lavisse*
En ce temps-là, beaucoup de chrétiens s'en allaient en pélerinage à Jérusalem pour prier auprès du tombeau du Christ.
Jérusalem appartenait aux Turcs, et les Turcs maltraitaient les chrétiens. Ils les battaient, leur prenaient leur argent et les mettaient en prison. Quelquefois même, ils les tuaient. (CE,44).

Jérusalem appartenait aux Turcs qui étaient mahométans et maltraitaient les pélerins chrétiens. (CM,33).

Dans le manuel du cours élémentaire la Croisade est exclusivement « française » et l'univers mental est parfaitement manichéen.

Un moine appelé **Pierre l'Ermite** fit le voyage de Jérusalem; il revint en France, et il raconta les méchancetés des Turcs. Il alla de village en village et de ville en ville. Il marchait nu-pied, habillé d'une longue robe en capuchon.
Ceux qui l'entendaient pleuraient et disaient qu'il fallait aller à Jérusalem pour en chasser les Turcs. Quelque temps après le pape vint en France [...] Le pape raconta les misères des chrétiens et les méchancetés des Turcs. Il termina en disant : « Français, vous êtes la plus brave des nations! C'est vous qui chasserez les Turcs de Jérusalem! »
Quand le pape eut fini de parler, la foule l'acclama. Les bras se levaient vers lui. Un grand cri fut répété par tout le monde : « Partons! Dieu le veut! Dieu le veut! »
Des hommes, et des femmes mirent sur leur poitrine des morceaux d'étoffe taillés en forme de croix. C'est pour cela que l'on appela **croisés** ceux qui partirent pour Jérusalem et **croisades** les guerres que les chrétiens firent aux Turcs. (CE, 44, 45, 46).

Croisades des pauvres gens, croisades des seigneurs, nous sommes conviés à communier avec leur enthousiasme, avec leurs souffrances, avec leur mort.

[Les pauvres gens] arrivèrent au bout de la France, ils traversèrent l'Allemagne, puis d'autres pays encore. Beaucoup moururent en chemin, de maladie, de fatigue ou de misère. Les survivants arrivèrent au bout de l'Europe à Constantinople.
Ces pauvres gens passèrent ensuite sur des barques le bras de mer qui sépare l'Europe de l'Asie. Arrivés en Asie, ils furent attaqués par les Turcs qui les massacrèrent presque tous. Aucun d'eux ne vit Jérusalem.

---

### IMMOBILISME DES MANUELS : LES CROISADES

#### — *LAVISSE*

En ce temps-là, beaucoup de chrétiens s'en allaient en pélerinage à Jérusalem pour prier auprès du tombeau de Jésus-Christ [...].
Enfin, un jour de l'année 1099 ceux qui marchaient les premiers arrivèrent devant Jérusalem. Ils eurent une grande joie; ils crièrent « Jérusalem! Jérusalem! » C'était Jérusalem, en effet. (CE, 44, 48).

#### — *MANUELS 1950-1970*

Enfin après trois ans de marches et de souffrances apparaît Jérusalem. Un immense cri monte jusqu'au ciel : « Jérusalem! Jérusalem! » (DEP, 29).
A cette époque beaucoup de chrétiens vont à Jérusalem pour prier sur le tombeau du Christ. [...].
Au bout de trois ans de souffrances, les croisés aperçoivent enfin Jérusalem. (PBM, 24, 25).
Au temps des seigneurs, beaucoup de pélerins vont jusqu'à Jérusalem pour prier sur le tombeau du Christ. [...].
Après bien des souffrances, les croisés aperçoivent enfin Jérusalem. Tous pleurent de joie et crient : « Jérusalem! Jérusalem! » (PV, 28, 29).
Au temps des seigneurs les Français sont très croyants. Beaucoup se rendent à Jérusalem pour prier sur le tombeau du Christ. [...].
Enfin, après trois ans de terribles souffrances, ils arrivent devant Jérusalem. Alors ils se mettent à genoux et pleurent de joie. (GM, 22,23).
A cette époque, de nombreux chrétiens vont à Jérusalem prier sur le tombeau du Christ. [...].
Enfin après trois ans de souffrances, un grand cri s'élève : « Jérusalem ». (AA, 21).
Les Turcs occupèrent la Palestine. Ils étaient musulmans et ils empêchaient les pélerins chrétiens de se rendre à Jérusalem. [...].
Après bien des souffrances, au bout de trois ans, ils s'emparèrent de Jérusalem (1099) (CH, 34).

#### — *MANUEL 1985*

Après bien des souffrances, trois ans après avoir quitté leur pays, les croisés arrivent devant Jérusalem, qu'ils prennent d'assaut le 15 juillet 1099. (HHSV, 50).

> **Presque aucun d'eux ne revit le village d'où il était parti joyeux et chantant.** (CE, 47).

Pas un mot des massacres des communautés juives par les « pauvres gens » en chemin, ni du pillage de Constantinople (dont rien ne laisse à penser que c'est une ville chrétienne) par les seigneurs en 1204. L'image des *croisés mourant de soif dans le désert* nous apitoie sur leur sort. Et nous vibrons lorsqu'ils parviennent enfin à Jérusalem.

> Enfin, un jour de l'année 1099, ceux qui marchaient les premiers arrivèrent devant Jérusalem. Ils eurent une grande joie; ils crièrent : « Jérusalem, Jérusalem! ». C'était Jérusalem en effet.

Contre les Turcs on s'en donne à cœur joie :

> [Les seigneurs] attaquèrent [Jérusalem] que les Turcs défendaient. Ils y entrèrent. Ils tuèrent des milliers de Turcs dont le sang coula comme une rivière, et ils allèrent s'agenouiller devant le tombeau de Jésus-Christ.

Las, si « Godefroy de Bouillon devient roi de Jérusalem », les Turcs finissent par reprendre la ville. Le récit intégriste, cependant, se clôt sur un cocorico :

> **Mais les chevaliers de France avaient bravement combattu. Aujourd'hui encore on se souvient de leur bravoure dans ces pays-là.** (CE, 48, 49).

Même note chauvine dans le manuel du cours moyen. Nous apprenons, à la fin, qu'« il y eut aussi des croisades faites par des Allemands, des Anglais et des Italiens ».

> Mais c'est la France qui en fit le plus grand nombre. **Depuis ce temps-là, le nom de la France est resté célèbre en Orient.**

L'impact du Petit Lavisse, l'influence des manuels les uns sur les autres, et donc le caractère figé de l'historiographie, ou si l'on veut, la transmission du légendaire sont démontrés par la reproduction de deux phrases de Lavisse, dont un manuel de 1985 apporte encore l'écho! (cf. encadré).

## — « *Bonté de la France* ». *L'idylle coloniale*

L'historiographie colonialiste survit dans les manuels bien au-delà des accords d'Évian. Son imagerie reste longtemps proche de celle de Lavisse.

Pour ce dernier, la République aurait été un peu plate, un peu terne, s'il n'y avait eu l'aventure coloniale. Dans le manuel du cours élémentaire, qui ne dit rien de la 3ème République, un chapitre entier est consacré aux « conquêtes de la France », essentiellement celle de l'Algérie. Le *combat de Mazagran* est l'occasion de raconter la victoire de cent vingt-trois Français contre douze mille Arabes.

> **Dans toute la France, on parla du combat de Mazagran. Tout le monde fut fier de la vaillance de nos soldats.** (CE, 164).

Les conquêtes coloniales donnent à l'histoire républicaine sa cohérence : conquête et mission humaine se mêlent en un bouquet final. L'empire colonial est l'achèvement de l'expansion française qui nimbe de messianisme la gloire de combats victorieux. Les peuples sont soumis, mais pour leur bien. La colonisation est l'aboutissement logique d'une histoire construite sur une morale à double face : raison d'État et primat de la nation, service de Dieu ou de l'humanité. *Décoloniser l'histoire de France* reviendrait donc à une révision déchirante de toute l'historiographie républicaine nationaliste.

Pour les colonisés, être soumis à la France, c'est recevoir les dons de sa « bonté ».

> **Une école en Algérie.** Aujourd'hui, toute l'Algérie est soumise à la France [...].
> L'image vous représente une école en Algérie. Parmi les élèves, vous en voyez qui sont habillés comme vous. Ce sont de petits Français. Les autres sont vêtus du burnous blanc. Ce sont de petits Arabes.
> L'instituteur et l'institutrice sont des Français. Ils enseignent aux petits Français et aux petits Arabes tout ce que vous apprenez à l'école. Les Arabes sont de bons petits écoliers. Ils apprennent aussi bien que les petits Français. Ils font d'aussi bons devoirs.
> **La France veut que les petits Arabes soient aussi bien instruits que les petits Français. Cela prouve que notre France est bonne et généreuse pour les peuples qu'elle a soumis.** (CE, 165, 166).

Le paragraphe, qui suit, s'intitule *« La bonté de la France »*. Il montre Brazza au Congo, délivrant les esclaves.

> Dans beaucoup de pays d'Afrique habités par les nègres il y a des marchés où l'on vend des hommes.

L'esclavage est stigmatisé.

> **L'esclavage est donc une chose abominable. Aussi la France ne**

**veut pas qu'il y ait des esclaves dans les pays qu'elle possède.** (CE, 166).

Malheureusement pour la rigueur morale et historique, ni dans le manuel du cours élémentaire, ni dans celui du cours moyen, les élèves n'ont entendu parler de la traite des noirs et de l'esclavage dans les Antilles françaises! Ni, par suite, de la suppression de l'esclavage par la Convention, de son rétablissement par Napoléon, puis de l'action de Schoelcher. *Les Antilles n'existent pas dans l'histoire de Lavisse* et il y a mensonge par omission sur l'esclavagisme français.

La bonté de la France, par la vertu de Brazza le libérateur, claque aux couleurs du drapeau français.

> Brazza fut un homme admirable. Il voyagea dans un grand pays d'Afrique appelé le **Congo**. Il ne fit pas de mal aux habitants. Il leur parlait doucement, et leur demandait d'obéir à la France. Quand ils avaient promis, il plantait par terre une grande perche en haut de laquelle on hissait le drapeau français. Cela voulait dire que ce pays-là appartenait à la France.
> Un jour où le drapeau fut hissé près d'un village du Congo, une troupe d'esclaves passa.
> Brazza la fit arrêter et il dit : « Partout où est le drapeau de la France, il ne doit pas y avoir d'esclaves ».
> Et vous voyez que l'on enlève aux esclaves les colliers qui emprisonnent leur cou et les cordes qui lient leurs jambes.
> Deux de ces pauvres gens qui viennent d'être délivrés sont si joyeux qu'ils font des cabrioles.
> **Cela prouve que la France est bonne et généreuse pour les peuples qu'elle a soumis.** (CE, 166, 167).

La mission humaine de la France réjouit notre bon cœur. Le dernier paragraphe nous mène à une réalité plus égoïste, à la possession, à la grandeur, à la gloire.

> **Les propriétés de la France**. La France possède aujourd'hui hors de l'Europe un grand nombre de pays.
> [...] Les pays que nous possédons sont vingt fois plus vastes que la France. Ils sont habités par cinquante millions d'hommes. Des hommes blancs comme nous dans l'Afrique du Nord, des hommes noirs dans d'autres parties de l'Afrique, des hommes jaunes en Indochine.
> Partout la France enseigne le travail. Elle crée des écoles, des routes, des chemins de fer, des lignes télégraphiques.
> **La France a le droit d'être fière de ses conquêtes. Elle est reconnaissante envers ses marins et ses soldats, dont beaucoup sont morts en combattant dans ces pays lointains.** (CE, 167, 168).

L'exaltation du fait colonial ne disparaît qu'après 1980. Ni la guerre d'Indochine, ni même celle d'Algérie, ni les accords d'Evian ne provoquent une transformation du style et du contenu directement hérités des manuels d'avant 1914. Faut-il y déceler le tabou d'une « mémoire collective » qui ne se résoud pas à remettre en question l'enseignement reçu et intériorisé de la 3ème République ? Est-ce prudence des éditeurs qui par routine et facilités matérielles et intellectuelles évitent les rédactions nouvelles et préfèrent reproduire clichés et stéréotypes ?

Le maintien de la vision traditionnelle de la colonisation est limpide dans tous les manuels. Quelques textes suffiront à le montrer.

Un personnage, non mentionné par Lavisse, surgit dans la quasi-totalité des manuels recensés (à l'exception de Ch et GM) : c'est le brave *général Bugeaud*, dont la casquette masque les dénis aux droits de l'homme perpétrés durant la conquête de l'Algérie.

Les auteurs de manuels des années 1955-1970 ignoraient-ils — ou préférèrent-ils ignorer — les ouvrages qui, durant la guerre d'Algérie, permirent de « réviser » notre connaissance des conditions de la conquête — profanations de maisons, de lieux saints, égorgement de populations entières, « enfumades »... — qu'une commission d'enquête de 1833 avait stigmatisés ? « Nous avons débordé en barbarie les barbares que nous venions civiliser », lit-on dans ce réquisitoire [6].

Deux textes, à seize ans d'intervalle, soulignent l'incroyable force d'inertie qui sous-tend l'écriture des manuels.

| | |
|---|---|
| **DEP 1955, p. 74-75** | **AA 1971, p. 71** |
| Un chef courageux **Abd El-Kader** attaque sans cesse nos troupes. C'est le **général Bugeaud** qui réussit à battre Abd El-Kader. Une nuit, les Arabes attaquent le camp français; ils sont repoussés. Bugeaud s'est élancé le premier au combat. Ses soldats le regardent et rient : « Pourquoi riez-vous ? » demande-t-il. Il s'aperçoit qu'il porte non pas son képi noir mais son bonnet de coton. Et le général rit comme ses soldats. | Pendant sept ans [le général Bugeaud] lutte contre le chef arabe **Abd El-Kader** qui est brave et habile. Mais les soldats français sont très courageux. Ils aiment leur général et ils l'appellent « le père Bugeaud ». Un jour, les Arabes attaquent le camp français. Bugeaud sort de sa tente et se précipite au combat. Tous les soldats rient parce qu'il a oublié d'enlever son bonnet de nuit. Et bientôt ils chantent : « As-tu vu la cas- |

Depuis ce jour, quand le clairon sonne la marche, les zouaves chantent :
L'as-tu vue la casquette, la casquette ? L'as-tu vue la casquette du père Bugeaud ?

quette du père Bugeaud ».
**Résumé du chapitre.**
Le général Bugeaud lutte contre le chef arabe Abd El-Kader et fait la conquête de l'Algérie. Beaucoup de Français vont s'y installer. L'Algérie devient un riche pays agricole.

*La légende de Brazza*, symbole de la « bonté de la France », est transmise jusqu'en 1971. La voici, dans les mêmes manuels.

**DEP 1955, p. 79**

**Brazza** donne à la France un vaste pays, le **Congo**, sans verser une goutte de sang. Il enlève aux esclaves les chaînes et les jougs qui les lient et leur dit : « Voici le drapeau de la France. Partout où il flotte, il n'y a plus d'esclaves. Touchez-le et vous êtes libres ».
Les chefs noirs enterrent à ses pieds les armes de guerre et déclarent : « Vous êtes notre ami; nous sommes à vous et à la France ».

**AA 1971, p. 87**

**Brazza est un grand explorateur.**
Il va en Afrique dans les régions encore inconnues du Congo. Il traverse la brousse et la forêt à pied. Ses chaussures sont usées, son uniforme déchiré. Malgré la fatigue, la fièvre, les bêtes sauvages, il va de tribu en tribu. Il fait partout connaître et aimer la France. Il libère les esclaves qu'il rencontre. Il leur montre le drapeau français et leur dit : « Touchez le drapeau et vous êtes libres ». Les indigènes ont confiance en lui et l'appellent : notre père. Par sa justice et sa douceur, il décide le roi noir **Makoko** à faire don de ses vastes territoires à la France.

Le manuel Chaulanges, cours élémentaire, utilise le *général Galliéni* comme héros positif de la colonisation.

*Texte de l'édition 1967, p. 89*
Le maréchal **Galliéni** est né dans un petit village des Pyrénées appelé Saint-Béat sur Garonne. Il fut un écolier très studieux. Il aimait surtout lire les récits extraordinaires des Français partis aux colonies. Devenu capitaine, il partit lui-même en Afrique, au **Soudan**. C'était un immense pays couvert de grandes herbes et de forêts où les tribus de Noirs se pillaient entre elles, se faisaient continuellement la guerre. Avec une poignée d'hommes, Galliéni fit plus de 600 kilomètres dans des forêts dangereuses. Il faillit mourir de la fièvre jaune, tomba dans une terrible embuscade et resta neuf mois prisonnier. Mais il n'avait peur de rien; les indigènes admiraient son courage et son

habileté. Ils finirent par lui obéir et travailler au lieu de se battre : Galliéni ouvrit des écoles où on leur apprenait le français, des marchés où ils pouvaient acheter des étoffes et de petits objets; il fit construire des routes et des chemins de fer. Il alla ensuite au Tonkin, à Madagascar où il accomplit en neuf ans une œuvre considérable.

**Résumé.— Grâce au général Galliéni; le Soudan, le Tonkin et Madagascar devinrent français.**

*Dans l'édition de 1974,* les « indigènes » ont obtenu le droit de « vendre » et le caractère « humain » de Galliéni est souligné :

Galliéni ouvrit des écoles où on leur apprenait le français, des marchés où ils pouvaient acheter et *vendre.*

Il alla ensuite au Tonkin puis à Madagascar. Il sut se montrer *humain* et accomplit une œuvre considérable.

Jusque dans les années 1970, la France, dans la colonisation, reste le « soldat de l'idéal ».

## Chapitre 4

# REGARD SUR DEUX « TABOUS » HISTORIOGRAPHIQUES : LA RÉVOLUTION, LA GUERRE DE 14-18

La Révolution française, « avènement de la Loi », « résurrection du Droit », « réaction de la Justice », selon la vision mystique de Michelet, la guerre de 14-18 où la France de Clemenceau fut « le soldat de l'idéal » permettent de focaliser le regard en deux points significatifs du tracé de l'histoire scolaire. Dans un cas comme dans l'autre l'absence d'interrogation critique sur les abus du pouvoir d'État ou sur le vécu contradictoire des acteurs de l'événement est patente.

## I. LA RÉVOLUTION

Sur ce thème complexe, on relèvera dans les manuels quelques accents significatifs. Et puisque « la Terreur » est « à l'ordre du jour » comme objet de discussions passionnelles, on donnera un aperçu un peu détaillé de textes la concernant.

### Le miracle ambigu de la liberté

Le récit qui vient de célébrer les rois, leurs conquêtes, qui a parfois, sans réserves, évoqué certaines exactions, qui a invité l'élève à s'identifier au catholicisme naïf et fanatique de la Croisade des « pauvres gens », est soudain confronté au « miracle » de la Révolution. Avec celle-ci il faut intégrer les thèmes de la « liberté » et de l'« égalité » dans le tissu d'une histoire dont l'héroïsme guerrier et la grandeur française ont été la trame.

Dans le Lavisse, hormis quelques mots sur Louis VI, une image de « pauvres gens chassés de la ville de Rennes » au temps de Louis XIV, l'enfant n'est guère préparé à réfléchir sur les problèmes des droits humains. Clovis, Charlemagne, Richelieu, grands hommes de la « France » éternelle — catholique et impérialiste — ne l'incitent pas à vibrer soudain pour Montesquieu, Voltaire et Rousseau. Comment, après avoir admiré tous ces hommes de guerre, intérioriser soudain l'image d'une France représentant dans le monde les « idées de liberté, de justice, d'humanité » qui n'ont jamais servi jusque-là à porter un jugement sur les événements et sur les hommes ?

Nous verrons, dans un instant, qu'en fait la bravoure et le sacrifice restent les valeurs essentielles de la Révolution pour Lavisse et même dans les manuels postérieurs à 1950.

Exclusivement centrée sur la célébration de la France, l'histoire ne peut permettre à l'enfant de comprendre comment peu à peu se sont forgées, en Europe, les idées modernes sur l'homme, comment se sont concrétisées de nouvelles pratiques du Droit. Peut-on parler de « réformes » sans un mot de l'Habeas Corpus anglais, des libertés religieuses hollandaises, de la Déclaration d'indépendance américaine, ce qui est le cas de Lavisse et de tous les manuels de la cuvée soixante * ? Les « philosophes », évoqués par Lavisse, sont une occasion nouvelle de satisfaction chauvine.

> **Ainsi nos écrivains réclamaient la justice, la liberté, l'égalité.**
> **Ils étaient lus et admirés en France et dans les pays étrangers, où les peuples souffraient les mêmes maux que nos pères. La France, depuis ce temps-là, représente dans le monde les idées de liberté, de justice, d'humanité. (CM, 132).**

Un manuel 1950-1970, le Chaulanges CM, évoque brièvement les philosophes, alors que Turenne, Vauban, Dupleix, Montcalm font presque partout l'objet de chapitres particuliers. Un autre manuel consacre un chapitre à *La Fayette en Amérique*. La conclusion en est que « La France a aidé l'Amérique à devenir un pays libre ». Mais, quelques pages précédentes, ce même manuel avait titré un chapitre : *Richelieu veut qu'on obéisse au roi*. La Rochelle et les protestants y apparaissent comme fautifs. « Cette ville française n'est habi-

---

* Un seul des manuels postérieurs à 1980 met en évidence, en un paragraphe, « le vent des libertés anglaises et américaines ». [NPB, 85]

tée que par des protestants. Elle refuse d'obéir au roi ». Après
le siège :

> Le roi et Richelieu rentrent dans La Rochelle. Les gens qu'ils
> y trouvent ont l'air de fantômes, tant ils sont maigres et faibles.
> Le roi leur pardonne et leur permet de garder leur église. Mais
> il fait démolir les murs de la ville, personne ne doit désobéir au
> roi. (GLG, 54, 44-45).

Comment faire réfléchir à l'immense acquis de la tolérance et de la liberté de pensée sans véritable éclairage sur le
fanatisme religieux ? Mais ceci explique peut-être cela : on ne
s'appesantira pas non plus sur l'intolérance des jacobins.

Dans son explication des processus historiques, le Petit
Lavisse a toujours recours à un manichéisme simpliste : il y a
les « bons » et les « méchants ». Les actes répréhensibles sont
d'abord imputables à la barbarie de temps éloignés, puis à des
personnages maléfiques, mauvais génies inspirateurs du mal :
les « méchants seigneurs » n'obéissent pas au roi, se battent les
uns contre les autres (CM, 39). Une « méchante femme nommée Isabeau de Bavière » promet au roi d'Angleterre, Henri
VI, qu'il sera roi de France (CM, 48, 49). Une autre « méchante
femme » Catherine de Médicis demande à son fils Charles IX
« de faire tuer tous les protestants qui se trouvaient à Paris »
(CE, 92).

Ainsi la Révolution s'expliquera-t-elle plus aisément,
après le règne de Louis XV, « le plus mauvais roi qu'ait eu la
France ». Par sa faute, celle-ci « cessa d'être la nation grande
et glorieuse » (CM, 127).

Dans les manuels 1950-1970, où l'image de marque de
Louis XV reste déplorable, celle de Marie-Antoinette est fortement négative : les « mauvais conseils » de Marie-Antoinette
ont influencé le roi. (PBM, 64; AA, 59).

Décidément le rôle des femmes est souvent négatif dans
l'histoire de France. Ne sont-elles pas encore présentes, dans
le Petit Lavisse, quand la Révolution dévie ?

> Souvent des hommes et des femmes venaient à l'Assemblée
> demander qu'elle fît telle ou telle chose. Dans les tribunes qui
> entouraient la salle, le public applaudissait ou sifflait. Des
> femmes venaient s'y installer. Elles travaillaient à des tricots.
> On les appelait les **tricoteuses**. Elles faisaient plus de bruit que
> les hommes. (CM, 158, 159).

Pour en revenir au « miracle de la liberté », il ne s'explique, en fin de compte, que dans l'optique michelétienne d'une

France-Messie. Et l'histoire de Lavisse, qui est celle du bien-fondé de la conquête, débouche, paradoxalement, sur cette affirmation au début du chapitre sur la 3ème République.

> **La liberté.** La République a donné à la France toutes les libertés : liberté de presse, liberté de réunion, liberté d'association.
> **La France est le pays le plus libre du monde ; ce qui est un grand honneur.** CM, 235).

### Révolution et patrie

La prise de la Bastille, la fête de la Fédération, l'origine de la Marseillaise sont dans Lavisse comme dans tous les manuels. La nuit du 4 août également. Mais la *déclaration des droits de l'homme,* qui figure en résumé dans le Lavisse cours moyen, n'est mentionnée dans aucun des manuels recensés de la série 1950-70 *! Par contre Valmy, les soldats de la Révolution, la patrie en danger sont partout en bonne place.

Pour Lavisse, l'amour et l'achèvement de la patrie sont ce qui demeure le plus fort et le plus éclatant dans la Révolution. Le mot « nation » est étranger au vocabulaire, il n'est utilisé que comme adjectif, indispensable à l'explication des faits révolutionnaires (assemblée nationale, fête nationale, défense nationale, etc.). La « patrie » reste l'essence privilégiée. Le « Vive la nation » de Kellerman à Valmy devient un « Vive la France » dans le manuel du cours élémentaire.

> Nos canons tirent, les musiques jouent ; nos soldats crient « Vive la France ». (CE, 140).
> Avec la Révolution, la patrie s'accomplit pleinement.
> **Nos jeunes soldats furent courageux et ils furent victorieux parce qu'ils aimaient de tout leur cœur la France notre patrie. (CE, 142).**
> **Il y eut ce temps-là beaucoup de braves comme Bricard, qui supportèrent toutes les souffrances et bravèrent tous les dangers pour servir la Patrie et la République. (CE, 145).**
> [Les soldats de la Révolution] furent mal armés, mal habillés, et le pain leur manque.
> **Mais ils aimaient la France et la République. Jamais notre patrie n'a été mieux aimée que par ces hommes. (CM, 162).**

Les *réflexions générales* de Lavisse sur la Révolution française concluent :

> C'est après la Révolution française que la France est vraiment une patrie.

---

* Hormis le Chaulanges cours moyen

Car la patrie, c'est la suppression des différences entre les provinces, la suppression des trois ordres « entre lesquels le peuple était divisé », les mêmes lois pour tous les Français. « La France est devenue comme disait nos pères une et indivisible ».

L'éloge de la Révolution est indissociable de l'amour de la patrie et de la supériorité de la France.

> La Révolution a mis dans les âmes françaises l'amour de la justice, de l'égalité, de la liberté. Nos pères ont cru que la France allait délivrer tous les peuples des maux dont ils souffraient. Ils étaient fiers d'être un grand peuple qui doit montrer le chemin aux autres peuples.
> Enfin la guerre, les dangers, les défaites, les victoires ont inspiré à tous les Français « l'amour de la patrie » comme chante la Marseillaise. (CM, 177).

Dans la cuvée 1950-70, *le courage des soldats de la République* est célébré de façon lyrique, sans la réserve qui, par ailleurs, a quelque peu modifié le style patriotique d'avant 1914. La légende et le culte du héros culminent avec la Révolution.

> Les députés de la nation ordonnent que tous les Français prennent les armes et courent aux frontières. Pauvres soldats français! Ils ressemblent parfois à des bandits de grand chemin avec leurs uniformes rapiécés. Beaucoup n'ont pas de souliers et marchent en sabots ou même pieds nus. Bien souvent ils ne mangent pas à leur faim.
> Pourtant ils ne songent pas à se plaindre. Malgré leur misère ils conservent leur bonne humeur [...] Et quand le tambour bat la charge, ils s'élancent au combat avec fureur.
> **Jamais la France n'a eu de meilleurs soldats [...] C'est grâce à ces admirables soldats toujours prêts à donner leur vie pour la Patrie, que la République a pu triompher de ses ennemis.** (GM, 72, 73).

> **Les soldats de la Révolution**
> [...] Mal vêtus, mal équipés, nu-pieds comme des vagabonds, ils marchent fièrement en chantant. Ce sont les soldats de la Révolution. Ils ne se plaignent ni du froid, ni de la faim, ni de la fatigue, ni de leur misère parce qu'ils combattent pour la liberté de la France. Ce sont des héros que nous devons admirer. (PBM, 71).

Ces manuels limitent presque tous le champ historique de la Première République aux guerres révolutionnaires, évitant de parler de la Terreur (cf. *infra*, p. 74). La mémoire de 93 est organisée autour des figures sublimes de Bara, Hoche et Marceau.

## Le petit Bara, Hoche, Marceau

Bara est présent dans les manuels jusqu'en 1970. Marceau le remplace parfois comme symbole héroïco-sentimental.

**Marceau**
Fils d'un modeste employé, devient général à vingt-quatre ans. Au cours d'une bataille, il est atteint d'une balle en pleine poitrine. Ses soldats le transportent au village voisin. Le sachant perdu ils pleurent. « Pourquoi pleurer ? leur dit Marceau, **je suis heureux de mourir pour la Patrie** ». Des généraux ennemis apprennent que Marceau est grièvement blessé. Ils accourent près du mourant et le veillent. Pouvait-on rendre un plus bel hommage au jeune héros ? (GM, 73).

La figure sublime du petit Bara pose le problème historiographique de la *Vendée*, dont nous aurons l'occasion de reparler. Elle est introduite par Lavisse. Bara est à la charnière de la défense de la patrie et de celle de la Révolution. Les Vendéens sont des révoltés, des insurgés. Quel que soit le pouvoir d'État, la logique historiographique de Lavisse cloue les rebelles dans le camp des méchants, de ceux qui « désobéissent ».

Il y avait en France des pays comme la **Bretagne** et la **Vendée** qui regrettaient le roi. Ils se révoltèrent contre la République.
La France eut alors à se défendre contre les rois qui l'attaquaient de tous côtés et contre les révoltés. Elle se trouva en grand danger. (CE, 142).

Dans le cours moyen la réprobation de l'insurrection vendéenne est encore plus nette :

La Vendée, excitée par les royalistes et les prêtres réfractaires, se révolta. (CM, 158).

Elle est renforcée par l'héroïque histoire de l'enfant Bara, qui meurt sous les coups des Vendéens.

L'année d'après, en **1793**, un homme partait de Palaiseau pour se rendre en Vendée à l'armée qui combattait les insurgés. Bara supplia sa mère de lui permettre de le suivre ; elle voulut bien. Pendant plusieurs mois, Bara fut de toutes les batailles, et les soldats admiraient cet enfant qui n'avait pas peur des balles ni des boulets. Mais un jour il fut surpris par une troupe de Vendéens ; il tomba percé de balles en criant : « Vive la République »! (CM, 164).

Voici une version de l'histoire héroïque du petit Bara dans un manuel des années soixante. Les lecteurs âgés de trente à quarante ans pourront la reconnaître!

### La République : Bara

Les enfants eux-mêmes sont des héros. Ainsi à quatorze ans, **Joseph Bara** s'engage dans les armées de la République. Il combat la Vendée, et un jour il fait à lui seul deux prisonniers. Un soir, Bara mène les chevaux à l'abreuvoir. Tout à coup, un groupe de Vendéens l'entoure et veut lui prendre ses chevaux. « Tu n'es qu'un enfant. Crie : Vive le roi! et nous te laisserons la vie ». Alors Bara se dresse et crie fièrement : « Vive la République ». Il tombe percé de coups. (DFP, 69).

Le récit est presque identique dans les autres manuels (BMé, 55. PBM, 70, PV, 75, GM, 73). Même volonté de la part de Lavisse et de ses imitateurs des années 1960 de susciter chez l'élève l'émotion par identification à l'héroïque enfant-soldat. Dans Lavisse le combat de Bara contre les « insurgés » est dans la ligne du devoir patriotique de défense de l'État. Dans les manuels postérieurs à la deuxième guerre mondiale, l'enfant sublime est devenu un militant, dont le dévouement jusqu'à la mort à la République est souligné par le refus de crier « Vive le roi! ».

## La Terreur

Dans une étude sur *La Révolution à l'école*, Mona Ozouf a noté qu'au début des années 1950, l'histoire de la Révolution française est devenue un patrimoine commun à tous les Français. Tous les manuels désormais, à quelque bord qu'ils appartiennent, conçoivent l'épisode de la Révolution française comme un pas décisif non seulement de la nation mais de l'humanité. Mona Ozouf rappelle, d'autre part, comment l'épisode de la Terreur a été progressivement intégré au récit par le gommage des figures des victimes et comment Robespierre a fini par être admis dans le Panthéon républicain [1].

De nos jours où, comme l'a écrit *L'Évènement du Jeudi* du 26 février 1987, « la presse Hersant a décidé de remettre la vieille querelle sur le feu », on doit pouvoir, d'un point de vue de gauche, faire un bilan critique de l'historiographie de la *Terreur* dans les manuels, sans se soucier du *Figaro-Magazine*.

Objet de discussion au XIXème siècle (cf. *supra*, ch. I), le problème des méthodes du Comité de Salut public a été projeté dans l'actualité historiographique récente par le film de Wajda sur *Danton*, assez mal perçu, à l'époque, par les représentants officiels de la gauche. Le malaise que suscite la distanciation critique vis-à-vis de la Révolution est révélateur d'une attitude qui consiste à refuser la banalisation de l'histoire révolution-naire. La capacité de dépasser la révérence passionnelle et de traiter la Révolution en objet historique et non plus en mythe du commencement absolu d'une ère nouvelle, me semble une nécessité vitale pour une Gauche en quête d'elle-même.

Nous avons vu qu'au niveau du cours élémentaire les manuels des années soixante symbolisent 1793 par les soldats de la République. Par contre le Petit Lavisse n'éludait pas la Terreur, qui faisait l'objet d'un chapitre (« La Guerre et la Terreur »). Le paragraphe sur la Terreur se termine ainsi :

> On appelle ce temps-là le temps de la Terreur. Il n'y a pas eu de plus affreux moment dans toute l'histoire de France.

Lavisse annoncerait-il les imprécations de Pierre Chaunu ou de Thierry Ardisson qui font de la Terreur l'épisode le plus abominable de toute l'histoire de France ?

Non! Lavisse, dans son cours moyen, explique :

> La Convention a laissé commettre des fautes et des crimes. Une grande partie de l'Assemblée qui siégeait au-dessous des bancs de la **Montagne** et qu'à cause de cela on appelait la **Plaine** a manqué de courage en bien des circonstances. Elle a laissé durer la tyrannie de Robespierre et la Terreur.
> **Mais pour être juste envers la Convention, il faut se rappeler qu'elle eut à défendre la République contre les royalistes et la France contre l'Europe. La Patrie était en danger, elle a sauvé la patrie**. (CM, 165).

De son point de vue nationaliste et chauvin, Lavisse exalte la grandeur de la Convention qui ajoute « neuf départements » au territoire de la France.

> En trois ans, la République avait fait pour la patrie plus que François Ier, Henri IV, Louis XIII et Louis XIV. (CM, 165).

Et par ailleurs, les louanges du travail considérable de la Convention figurent en bonne place dans le bilan : le Petit Lavisse est plus objectif que les nouveaux croisés de la cause royaliste!

La plupart des manuels de cours moyen des années 1950 gomment le contenu de la Terreur, comme par exemple le Bonifacio-Maréchal de 1964. (Dans un manuel de cours su-périeur de 1957, les mêmes auteurs ignorent totalement la Terreur, dont le mot ne figure pas dans le chapitre sur *l'œuvre des montagnards*) :

BM, 1964 :

**Danton et Robespierre**
Un certain nombre de députés de la Convention gouvernent
ainsi la France par la **Terreur**. **Danton** et **Robespierre** en sont les
principaux chefs.
Puis Danton ayant voulu mettre un terme à la Terreur, Robespierre le fait condamner à mort. Robespierre est arrêté et
exécuté. La Terreur est alors terminée.
**Résumé** : Danton et Robespierre ont été les principaux chefs de
la Terreur, p. 87.

Le Chaulanges n'évacue pas les descriptions critiques ni
les injustices ni les pressions. Mais néanmoins il justifie la
Terreur.

CH, 1963 (réédité en 1981) :

**La Terreur**
Les montagnards conduits par **Robespierre** décident d'employer des moyens terribles. Ils font arrêter et guillotiner les
chefs girondins (2 juin 1793). Ils envoient des armées dans les
régions révoltées : Lyon est repris, la Vendée se soumet après
de longs et pénibles combats.
Le **Comité de Salut public**, composé de quelques chefs montagnards, fait régner la Terreur. Les gens suspects de ne pas être
révolutionnaires sont dénoncés, arrêtés, parfois guillotinés
après un jugement rapide du **Tribunal révolutionnaire**. Les
prisons regorgent, les échafauds ne sèchent plus ; il arrive même
que des innocents soient guillotinés. Personne n'ose plus se dire
ennemi de la Révolution.
Mais l'indignation gronde. Un jour de juillet 1794, Robespierre
lui-même est arrêté et conduit à l'échafaud. Alors les Girondins
et les royalistes se vengent contre les Montagnards et des
milliers de crimes sont encore commis.
La Terreur a été une chose atroce, mais elle a forcé les Français
à l'obéissance ; elle a permis de faire ce qu'il fallait pour tenir
aux frontières.

La théorie des « circonstances », c'est-à-dire l'idée que la
Terreur était indispensable dans la situation où se trouvait la
Révolution, subsiste en filigrane ou explicitement dans les
manuels postérieurs à 1980. Le « rétablissement de la situation », le « salut de la France » ou celui de la République
justifient la Terreur. On doit constater que les interrogations
sur la nature et le bien-fondé de la Terreur sont, dans l'ensemble, éludées. Mais ajoutons que ces mêmes manuels continuent, par ailleurs, de légitimer les conquêtes des rois (cf. *infra*,
ch. 5). Aucun, par exemple ne déplore l'abominable *dévastation
du Palatinat* en 1673, 1674 et 1689 par l'armée française. Le

problème de la Terreur doit être replacé dans une interrogation globale sur l'histoire de France que nous formulerons en conclusion de cette première partie et que nous retrouverons au chapitre 10.

Les cuvées 1981 et 1985 marquent un net infléchissement dans le sens d'une histoire jacobine et parfois même quasiment pro-terroriste!

En 1981 un seul des manuels recensés critique la suspension des libertés.

> Mais la **Constitution n'est plus appliquée** : les libertés sont suspendues; les prix et les salaires sont contrôlés; on ferme les églises. La justice est aux mains des révolutionnaires qui imposent un **régime de terreur**. Des milliers de suspects sont guillotinés.
> Les révolutionnaires se font haïr par la peur qu'ils inspirent. En 1794, **Robespierre et ses amis sont arrêtés et exécutés**. La deuxième Révolution est terminée. (GCW, 95).

Un autre manuel de la même année se contente d'énoncer les mesures sans les commenter en indiquant de façon assez ambiguë l'échec final de Robespierre.

> [...] **La République sera-t-elle sauvée ?**
> Comment combattre à la fois la menace des armées étrangères et les soulèvements organisés par les royalistes et les Girondins ?
> Les Montagnards sous la pression des sans-culottes, mettent la « **Terreur** » à l'ordre du jour : le Tribunal Révolutionnaire fait guillotiner de nombreux citoyens suspectés d'être des « ennemis de la liberté ». Tous les hommes de 18 à 25 ans sont appelés à la guerre : c'est la **levée en masse** (août 1793) .
> [...] Robespierre et les hommes qui l'ont aidé (**les Jacobins**) ont voulu que le gouvernement révolutionnaire ait les moyens de se faire obéir dans toute la France :
> — envoi de représentants en mission dans les départements et aux armées;
> — renforcement de la « Terreur ».
> Robespierre s'est expliqué :
> « La Terreur n'est autre chose que la justice prompte, sévère, inflexible... » Elle doit s'appuyer sur « l'amour de la patrie et de ses lois ».
> [...]**Robespierre et ses partisans ont finalement échoué**. Ils furent accusés des excès de la Terreur. Leur autorité fut mal supportée par les sans-culottes eux-mêmes. Leurs adversaires s'unirent contre eux à la Convention. Ils furent arrêtés et guillotinés **le 9 thermidor an II (27 juillet 1794)**. (W. 97, 98).

Deux manuels de 1981 introduisent la justification explicite par l'usage des mots ou expressions « grâce à », « efficace », « rétablissement », « ennemis de la Révolution » :

**Grâce aux mesures de terreur, la situation se rétablit.** L'ennemi est chassé du territoire, l'insurrection de la Vendée est vaincue, Toulon est repris, les villes favorables aux Girondins se soumettent. Beaucoup de Conventionnels pensent alors que la Terreur n'est plus nécessaire. Ils s'opposent à Robespierre. Celui-ci est arrêté le 27 juillet 1794 (9 thermidor an II) et guillotiné. On renonce alors aux mesures de terreur. (HHSV, 83).

Les rois des pays voisins font coalition contre la France; pendant ce temps, les Vendéens remportent des succès. Face à cette situation, des révolutionnaires de 1794 comme Robespierre et Saint-Just recourent à des moyens impitoyables mais efficaces. Ils font régner la Terreur sur les ennemis de la Révolution.

Ils ont l'appui des gens du peuple : ouvriers, artisans, petits commerçants, tous ceux qu'on appelle les « sans-culottes » parce qu'ils ne portent pas, comme les nobles, culotte et bas de soie, mais de larges pantalons. En fixant un maximum aux prix des denrées et aux salaires, le gouvernement favorise les petites gens, mais dresse contre lui les riches artisans et commerçants.

Dès que le danger est écarté, les bourgeois, inquiets pour leur vie et leurs biens, renversent le gouvernement révolutionnaire (juillet 1794). Robespierre, Saint-Just et leurs amis sont guillotinés.

En cinq années tourmentées, la Révolution donne à tous le sentiment de la Nation Française [...] (DF, 104, 105).

Ce dernier manuel apparaît fortement marqué par une interprétation « sooulienne » de la Révolution *.

Les manuels de la cuvée 1985 paraissent confirmer la tendance à expliquer la Terreur par le « service de la Révolution ».

**Les Montagnards, pour sauver la Révolution, organisent la Terreur.**

La situation est grave; la Vendée est soulevée : des villes comme Lyon et Marseille se révoltent contre la Convention. Il faut effrayer les ennemis de l'intérieur comme ceux de l'extérieur. Sous la direction de Robespierre, le **Comité de Salut public** envoie à la guillotine de nombreux contre-révolutionnaires. **Des représentants en mission** parcourent le pays. Contre les ennemis de l'extérieur **Carnot** fait décréter la levée en masse et organise des armées sans cesse plus nombreuses. Celles-ci, sous la

---

* Albert SOBOUL, successeur d'Albert MATHIEZ et de Georges LEFEBVRE, à la chaire d'Histoire de la Révolution française à la Sorbonne, mort en 1984, peut-être considéré comme le représentant d'une historiographie marxiste et pro-jacobine.

conduite de jeunes généraux comme **Hoche**, battent les Vendéens et conquièrent la rive gauche du Rhin. Les villes soulevées se soumettent. Après la victoire de **Fleurus**, de nombreux Montagnards pensent que les mesures de terreur ne sont plus nécessaires.
Robespierre, attaqué par ses ennemis, est arrêté le **9 thermidor an II** et guillotiné le lendemain. (VSL, 16).
L'acharnement des révolutionnaires sauva la République. Mais la Terreur continua, alors que les ennemis étaient abattus. Le peuple de Paris lassé par tant de violence, abandonna Robespierre et ses amis. Arrêtés, ils furent guillotinés en juillet 1794. La Révolution était terminée.
**Résumé** la République fut proclamée le 22 septembre 1792. Elle était menacée, à l'extérieur par les armées des rois et à l'intérieur par les adversaires de la Révolution. La Terreur permit aux révolutionnaires de triompher de leurs ennemis. (NPB, 89).
[...] **La Terreur**
Pour sauver la France, la Convention que dirige **Robespierre** décide des mesures de **Salut Public** : des mesures énergiques. Elle supprime provisoirement toutes les libertés. Les suspects sont pourchassés et emprisonnés. Un impôt sur les riches est décidé. Un **Tribunal révolutionnaire** envoie à la mort les ennemis de la révolution et même les généraux quand ils se laissent battre par l'ennemi [...].
Il y a des milliers de morts mais grâce à la fermeté de la Convention la France est sauvée. Les ennemis sont repoussés hors du pays. Les soldats français apportent aux autres peuples les idées de la révolution et les aident à installer des républiques en chassant leurs rois.
Alors les Français, pour arrêter la terreur qui n'est plus utile, font condamner à mort Robespierre et ses amis qui voulaient la continuer. (D, 62).

Cependant un manuel consacre un paragraphe au bilan critique des *injustices de la Révolution.*

Les Révolutionnaires avaient voulu que les Français soient libres et égaux : ils oublièrent parfois ces principes.
— Le droit de vote fut réservé aux hommes riches.
— La liberté religieuse, affirmée dans la Déclaration des droits de l'homme et du citoyen, ne fut pas respectée; pour les révolutionnaires, la religion était contraire au progrès.
— Les plus pauvres parmi le peuple ne profitèrent pas du partage des biens que l'État avait confisqués au clergé et à la noblesse. Seuls les plus riches dans les campagnes et les bourgeois aisés des villes purent acheter des terres.
— Les ouvriers, les compagnons, n'eurent plus le droit de se grouper pour se défendre. (NPB, 91).

Mais *Robespierre et la Terreur* font leur apparition au cours élémentaire dans une perspective de justification.

Né à Arras en 1759, Robespierre est un jeune avocat très actif. Il devient très populaire pendant la Révolution, et on le surnomme « l'incorruptible ».

Il organise la lutte contre les armées étrangères qui ont envahi le pays après la chute de Louis XVI. Il décide la « levée en masse » des jeunes Français et constitue ainsi de nouvelles armées. Dans le même temps il établit la « Terreur » : tous les ennemis de la Révolution sont jugés par le « Tribunal révolutionnaire », et beaucoup sont condamnés à mort. A Paris, en quelques mois, 2 700 personnes sont guillotinées.

Grâce à ces mesures, les ennemis sont chassés du territoire. Mais Robespierre veut continuer à appliquer la Terreur. A son tour il est arrêté, le 27 juillet 1794, et guillotiné. La Terreur est terminée. (HS, 30).

Ce texte — destiné à des enfants de sept-huit ans! — m'apparaît comme significatif des caractéristiques (et des impasses) des manuels nouveaux.

1) Plus question de s'adresser à l'imaginaire des enfants, de toucher (pour le meilleur ou pour le pire ?) leur affectivité. L'« incorruptible » Robespierre remplace le petit Bara. On se contente de « faire du cours moyen » simplifié.

2) L'historiographie robespierriste, pro-jacobine, qui justifie la répresion remonte jusqu'au cours élémentaire. Dans ce même manuel, la phrase « beaucoup sont condamnés à mort » du texte précédemment cité est illustrée par une gravure des *noyades de Nantes*, ainsi commentée :

Les Vendéens se soulèvent contre les Républicains au moment où ces derniers recrutent des soldats pour défendre la République menacée par les troupes étrangères. Les Vendéens restent royalistes et très catholiques alors que les Républicains viennent de déclarer que le catholicisme n'est plus religion officielle. La révolte est sévèrement réprimée.

3) Robespierre semble avoir détrôné les autres personnages symboliques de la Révolution. Ainsi s'achèverait, par le triomphe de Robespierre dans les manuels, cette évolution signalée par Mona Ozouf. Robespierre a mis « cent cinquante ans à devenir pour les petits Français l'Incorruptible », écrit-elle [2].

N'est-il pas regrettable que les manuels les plus récents de l'école publique ne se résolvent pas à poser le problème de la Terreur, s'ils tiennent — ce qui est discutable! — à l'introduire dans leur récit, comme une question à la portée de très jeunes enfants ? Ils éviteraient ainsi d'offrir des arguments à la mauvaise foi des chevaliers de la nouvelle contre-révolution, qui dissocient systématiquement les exécutions de la Terreur des exactions antérieures, — sac de Constantinople par les croisés, massacres des Albigeois, dragonnades, etc...

| ICONOGRAPHIE : PORTRAITS INSÉRÉS DANS LES PAGES CITÉES | | | |
|---|---|---|---|
| CH 1963 1981 | Danton | | |
| BM 1964 | Danton | Robespierre | |
| W 1981 | | Robespierre Saint-Just | |
| HHSV 1981 | Danton | Robespierre | Marat |
| GCW 1981 | | Saint-Just | |
| DF 1981 * | | | |
| VSL 1985 | Danton | Robespierre | Marat |
| NPB 1985 | Danton | Robespierre | |
| D 1985 | | Robespierre responsable de la Terreur | |
| HS 1985 | | Robespierre | |

* Illustrations d'accompagnement : 1. En Lorraine, septembre 1972, Valmy. 2. A Paris le peuple en armes : les « Sans Culotte ». 3. Des Chouans menacent d'abattre l'arbre de la liberté, planté en symbole de la Révolution.

## II. LA GRANDE GUERRE

De Lavisse à nos jours, l'iconographie des manuels traduit une certaine évolution de la sensibilisation à la guerre de 14-18. Dans Lavisse (cours moyen), les illustrations guerrières (armement, combat, bataille) sont nombreuses (sept vignettes sur treize), les trois grands maréchaux, Joffre, Foch, Pétain sont réunis en trois médaillons dans une image unique. L'iconographie des manuels des années soixante se présente comme un mémorial de « grands hommes » plutôt qu'un reflet de la vie des « hommes » dans les tranchées. Sur les huit manuels recensés du cours élémentaire, six montrent Clemenceau, Foch, Joffre, (Pétain a disparu!) ou bien le « défilé de la victoire » avec les généraux caracolant en tête. Un manuel culmine dans la juxtaposition de ces quatre images symboliques. Trois seulement consacrent une illustration aux simples soldats dans les tranchées, à Verdun, deux introduisent le symbole du soldat inconnu.

Aussi inimaginable que cela puisse paraître aujourd'hui, l'historiographie des années soixante demeure celle de la gloire des chefs, de la célébration de la victoire et fugitivement une histoire de la boue, de la mort, de la vérité quotidienne des combats. *Six manuels ne font aucune allusion* au bilan meurtrier et se contentent de célébrer dans leur dernier paragraphe les grands chefs, l'héroïsme et le sacrifice des poilus.

> La France a gagné la guerre de 1914-1918. Elle le doit à ses grands chefs : Joffre, Foch et Clemenceau; elle le doit à tous ses alliés; elle le doit surtout à ses soldats. C'est l'héroïsme des « poilus » qui nous a donné la « Victoire ». (PV, 91).
> Les deux généraux en chef qui ont commandé l'armée, **Joffre** et **Foch**, s'avancent à cheval à la tête des troupes. Joffre est à droite, Foch est à gauche. Tous deux tiennent à la main leur bâton de **Maréchal**. (BMé, 69).

Les manuels récents soulignent tous le coût humain de la guerre. Sans doute ne peuvent-ils plus désormais ignorer le témoignage pudique et véridique de Ducasse, Meyer et Perreux, *Vie et mort des Français 1914-1918)* (paru en 1959 après bien d'autres!). Dans l'iconographie, les photographies des tranchées tendent à supplanter les portraits des chefs.

Mais les « tabous » ne sont pas pour autant levés. L'interrogation sur les origines, sur le choc des impérialismes, sur le heurt des nationalismes est éludée. La guerre reste une guerre justifiée, dont les manuels préfèrent souvent escamoter par des lacunes de récit les raisons du déclenchement, au demeurant fort malaisé à exposer aux enfants. Certains manuels, cependant, affrontent la difficulté ou prennent le risque d'effleurer la question du bien-fondé de la guerre.

> [...] Les pays d'Europe se livrent à une **dangereuse compétition** économique, coloniale et surtout **militaire**. (GCW, 124).
> Tous les pays engageaient beaucoup d'argent pour fabriquer des armes et redoutaient de se laisser dépasser par leurs voisins. Malgré les appels à la paix de Jaurès et des syndicats, la haine pour les nations voisines se développait. (NPB, 121).

L'action de Jaurès contre la guerre est évoquée dans quatre manuels (DF, 139; HHSV, 105; VSL, 70; NPB, 121). Un seul (DF) le montre en effigie. Par contre les actions pacifistes, le problème de l'*Union sacrée* qui, en se soudant, efface les précédentes mises en garde contre la guerre de la IIème Internationale et de la CGT, sont hors champ historique. Les tentatives de paix durant la guerre ne sont pas mentionnées. Le nom de *Zimmerwald* * n'apparaît nulle part. Deux manuels font allusion aux mutineries ou à la crise du « moral », mais ce n'est pas pour amorcer une réflexion critique sur l'absurdité du grand massacre mais pour rappeler le rôle salvateur de « chefs énergiques ».

> **La crise de 1917-18**. Des soldats fatigués de cette longue guerre se mutinent et les civils manifestent. Mais des chefs énergiques maintiennent la volonté de vaincre, au front le général **Pétain**, à l'arrière le président du Conseil, **Clemenceau**, que l'on appelle le Tigre. (W, 123).
> Après la défaite de **Nivelle** des soldats français se révoltent. Ils en ont assez de faire la guerre. Le chef du gouvernement, Clemenceau, fait nommer **Foch** général en chef [...] grâce à lui et au matériel américain [...] les Allemands sont repoussés partout et ils arrêtent la guerre. (D, 74).

Les « boucheries » de Nivelle, l'une des causes des mutineries de 1917, ne sont-elles pas encore aujourd'hui « secret-Défense » ?

---

* Rencontre en Suisse de partisans de la paix appartenant au mouvement ouvrier international en septembre 1915.

## Chapitre 5

# QUOI DE NEUF DANS LES MANUELS RÉCENTS ?

Le rétablissement d'un enseignement de l'histoire, d'abord au cours moyen, à la rentrée 1981, puis à tous les niveaux de l'école élémentaire, depuis 1985 a provoqué une floraison de nouveaux manuels, dont nous avons déjà donné un aperçu. Mais quels sont, aujourd'hui, les objectifs de l'enseignement de l'histoire et qu'est-ce qui a changé depuis les débuts de la 3ème République ?

Il s'agit à la fois d'initier à « une science en perpétuel mouvement » [1] et de contribuer « à l'apparition chez l'élève de la conscience nationale » [2]. Les deux objectifs sont-ils conciliables ? La science historique la plus actuelle est-elle compatible avec une étude du passé qui reste officiellement circonscrite à la seule « France » ?

Dans son rapport de 1983, René Girault considérait que la principale « efficacité » de l'enseignement de l'histoire était d'« inculquer le sens critique, développer l'esprit de tolérance, faire comprendre et faire partager les idéaux de la démocratie ».

Ces prescriptions ont-elles conduit à un renouvellement de la manière française d'écrire l'histoire, y a-t-il rupture avec la tradition historiographique, dont le Petit Lavisse nous a dévoilé les caractéristiques ? Certes, les nouveaux manuels ne content plus la légende républicaine. Mais dans ces livres, dont le contenu s'apparente désormais à celui d'un enseignement secondaire édulcoré, la mise en scène du passé n'a pas été modifiée. En conservant les mêmes figures, mais dépouillées de résonnance affective, ils réduisent l'histoire de France à n'être qu'un objet de savoir aseptique et froid.

La sacralisation d'antan s'inverse en sécheresse distante, en laconisme sans âme, sans que pour autant émerge une vision différente du passé. Et l'on se prend, fugitivement, à regretter le patriotisme et le sentimentalisme naïf, qui se voulaient porteurs de valeurs et de sens.

### L'« ordre chronologique naturel »

On se réfère aux mêmes figures, à la même chaîne de grands personnages. Comme le révèle l'avant-propos à destination des parents (car, marketing oblige, on s'adresse d'abord aux parents et aux enseignants, non plus à l'enfant); connaître l'histoire de son pays, c'est pour « votre enfant » savoir « situer les grands événements, les grandes dates, les grands hommes qui, de l'ancienne Gaule à la France moderne, ont fait de la France ce qu'elle est, de nous ce que nous sommes » (VLDS, 2).

Autrement dit, l'essence de la France continue de précéder l'existence de chaque Français et l'histoire de chaque Français n'est que celle de la « France ». La suite des grands hommes, des grands événements et des grandes dates, est ce qu'un autre manuel appelle *« l'ordre chronologique naturel »*. (NPB, 3). Le ton a changé, la légende est morte, le petit Bara est rayé de notre « mémoire collective », Bayard lui-même semble avoir disparu, mais Vercingétorix, Clovis, Charlemagne, Philippe-Auguste, saint Louis, Jeanne d'Arc, Richelieu, Louis XIV, Robespierre, Napoléon, Jules Ferry... sont les personnages-symboles, les premiers repères de la connaissance du passé. Présentés désormais à travers des « documents » iconographiques ou textuels (dont l'origine et la date sont très rarement indiqués), ils ne font plus ni vibrer ni frémir, mais derrière le changement de méthode et de style, se déploie la même organisation du passé des Français : la construction de l'État-Nation France. La « chronologie naturelle », celle des idées reçues, est une représentation du passé mise au point par l'école historique française (l'école méthodique) à la fin du XIXème siècle (cf. *infra*, ch. 9). La légende républicaine n'était que la version « racontée aux enfants » de cette histoire. Celle-ci combine idéologie (nationale) et méthode intellectuelle (réduction du « rationnel », de ce qui est compréhensible, à une logique de la *cause* à *l'effet*,) conception linéaire du temps pensé autour de la nation ou plutôt de l'État, du pouvoir d'État. Le passé, ainsi centré sur un objet unique, appelé « France », repose sur les postulats que le modèle initial a fixés et figés depuis cent ans.

### Confusion entre passé, durée, histoire, histoire de France

« L'histoire », c'est l'histoire de France. Celle des « autres » n'existe pas. Ce n'est là que l'aspect français de la pensée européenne du XIXème siècle. « L'histoire universelle, écrit Marc Ferro, est morte d'avoir été le mirage de l'Europe, qui la mesurait à l'aune de son devenir. Les autres peuples n'y participaient qu'à titre de passagers, quand l'Europe se promenait par là » [3]. L'histoire de France ne conte point l'histoire des Français. Les repères, les événements, l'« ordre chronologique naturel » mettent en scène un personnage, la France, dont la croissance est imaginée comme celle d'un organisme vivant, suite de sketches dans lesquels n'existent que les supposés descendants des Gaulois et des Francs. Les « autres » — Occitans, Basques, Bretons, Béarnais, Corses, Antillais, Juifs... n'existent pas ; ou sont l'ennemi, l'étranger : Arabes de Charles Martel, Saxons de Charlemagne, Turcs des Croisades, Anglais et Bourguignons, Espagnols, Autrichiens, Allemands... La France seule a droit au passé dans toute son étendue. *La France au fil du temps des origines à 1789, de 1789 à nos jours* est le titre d'un des manuels de la cuvée 1985.

### La France n'a pas de commencement

Quoique modifiée par le développement des connaissances sur l'hominisation *, la vision que donnent les manuels des *origines* ne s'est pas vraiment modifiée. Ou plutôt elle est gauchie par la logique d'une historiographie exclusivement française. Dès lors, dans la nuit des temps, *Lucy*, découverte en Afrique se différencie de l'homme de Tautavel, de ceux de Cro-Magnon, dont les restes, trouvés en « *France* », sont « *nos ancêtres directs* » (VLDS, 6 ; cf. *infra*, « Nos lointains ancêtres », p. 203). Lucy est déjà une étrangère ! Cela n'est pas dit explicitement. Mais les migrations humaines, à partir d'un hypothétique lieu unique d'hominisation, qui pourraient faire de Lucy notre « ancêtre » ne sont pas mentionnées dans ce manuel. L'idée qu'avant d'être « français » nous sommes simplement des êtres humains est visualisée dans un autre

---

* Processus de l'évolution des espèces qui a conduit à l'homme. Cf. infra, p. 205.

manuel. Consacrant sa première partie au « commencement »,
il montre sur un planisphère de synthèse *le peuplement de la
Terre par l'homme* (NPB, 8). Pourquoi faut-il, au chapitre
suivant, que soit imprudemment affirmé : « 10 à 15 000 ans
[après l'homme de Néanderthal] l'homme moderne apparut en
France, au cours de la dernière glaciation », et que l'on imagine
l'homme de Cro-Magnon comme le seul qui ait travaillé l'os,
l'ivoire et le bois, et inventé l'art ? « Lascaux est plutôt le chant
du cygne de la peinture préhistorique » que « la naissance de
l'Art », remarque Louis-René Nougier [4].

Dans ce même manuel, la révolution néolithique est
exposée dans le chapitre suivant. Malheureusement l'habitude
invétérée de penser et parler « France » ou d'utiliser l'expression « notre pays » maintient l'ambiguïté d'une France proje-
tée dans la préhistoire.

> Ce sont les hommes qui vivaient au Moyen-Orient et en Grèce
> qui mirent au point les techniques de l'agriculture. Le blé et
> l'orge qu'ils cultivaient n'existaient pas dans nos régions. Mais
> peu à peu, par des échanges le long des côtes méditerranéennes,
> ces deux céréales arrivèrent jusqu'en France. Les **archéologues**
> ont retrouvé les traces d'agriculteurs qui, depuis le Moyen-
> Orient, et remontant la vallée du Danube, ont apporté leur
> méthode jusqu'en Europe. 5 000 ans avant J.-C., ils atteignirent
> la plaine d'Alsace. De là il fallut encore 3 000 ans pour que
> l'agriculture se répandit sur l'ensemble de notre pays. (NPB,
> 13).

Ensuite le champ historique se resserre autour de la *Gaule*.
L'évocation fugitive du passé sans frontière de l'humanité
primitive, enrichie par les nouvelles connaissances en préhistoire et en archéologie, dont ce manuel apporte une version
adaptée aux enfants, achoppe trop vite sur les exigences de
l'historiographie traditionnelle qui impose les origines gauloises. Dès lors on retombe sur le « déroulement » habituel du
temps.

> Grâce à tous ces progrès, le commerce se développa. A côté des
> paysans, apparurent des artisans et des marchands. Les Celtes
> échangeaient les objets avec d'autres peuples plus avancés qui
> connaissaient l'écriture : les Etrusques d'Italie et les Grecs. **Peu
> à peu, la Gaule sortait de la Préhistoire.** (NPB, 15).

Le rideau est enfin levé sur la Gaule, la scène s'éclaire, le
décor s'immobilise, les personnages attendus vont pouvoir
faire leur entrée. *Au commencement* était la *Préhistoire*. Puis,
*Nos racines*, symbolisées par « un chef gaulois sur son char »,

(revêtu d'une tunique à la romaine), sont décrites à travers *quinze millions de Gaulois*. Ces racines coïncident avec *l'Antiquité*. L'historiographie oscille encore entre l'espace de l'Empire romain et celui de la seule « Gaule ». *Le Moyen Age* consacre le finalisme d'une histoire nationale qui n'est en rien celle de la chrétienté : *Mille ans pour faire la France* (NPB, 18-32).

Mais le *mystère du nom de France* n'est toujours pas éclairci. D'un manuel à l'autre, c'est toujours la même confusion. Ainsi, Clovis est « roi des Francs », puis les Arabes en 732 arrivent « en France », mais le résumé parle de « la Gaule » (VLDS, 32-35). Pour un autre manuel, Clovis « roi des Francs » devient « roi de toute la Gaule », mais c'est « la France » qui est menacée par les musulmans, alors que quelques lignes avant « la Gaule se dépeuplait » (NPB, 35). Lors de « l'éclatement féodal », « la France se partageait en de nombreux domaines indépendants » (NPB, 37). Un manuel figure les invasions normandes par un carton qui situe Nantes, Bordeaux, Paris et Rouen dans une *France* parfaitement hexagonale (VLDS, 42)!

### La légitimité des conquêtes n'est pas mise en question

L'historiographie de Charlemagne est immuable. S'il ne visite plus les écoles, il part en guerre chaque année.

> Il conquiert des territoires et convertit leurs habitants à la religion chrétienne.

Il porte secours au pape et « pour le récompenser, le pape le nomme empereur ». VLDS, 38).

*L'histoire reste une annonciation à partir de 987*, « les descendants d'Hugues Capet vont régner sur la France jusqu'en 1792 » (NPB, 37). Tout continue de se dérouler selon un schéma prévu d'avance dans une France qui précède la France. A Bouvines « les communes de France s'unirent derrière leur roi Philippe Auguste », « pour écraser les armées du roi d'Angleterre et de l'empereur allemand : la *nation* française commençait à naître ». (NPB, 37).

Dans un manuel qui expose « la naissance de la France », le finalisme, paradoxalement, est encore plus explicite :

> La troisième « Francie » sera la France à qui *il manque* encore bien des provinces. [...]

> La France se compose de plusieurs petits États que les rois capétiens *allaient devoir reconquérir* à des vassaux plus puissants qu'eux. (D, 24).

Charles le Téméraire demeure ce prince trop puissant que le rusé Louis XI réussit à piéger pour accroître ses propres possessions !

> Il possède la Flandre, la Bourgogne, les Pays-bas et la Franche-Comté et veut encore agrandir son domaine en faisant la conquête de la Lorraine. Louis XI [...] aide en secret ses adversaires [...] Charles le Téméraire est tué à Nancy et Louis XI s'empare de la Bourgogne. (VLDS, 88).

Et le manuel enchaîne sur « une France forte ». La morale de l'histoire reste celle de l'agrandissement de la France, de la création territoriale. L'expansion étatique continue de légitimer les guerres. Celles d'Italie sollicitent la sympathie dans cet encadré.

> **Les guerres d'Italie**
> La France était devenue un État puissant et les rois suivants, Charles VIII et Louis XII voulurent en profiter pour essayer de faire des conquêtes en Italie. Mais ils échouèrent et ne purent conserver le royaume de Naples et le Milanais [...] François Ier eut plus de succès puisqu'il fut victorieux à Marignan en 1515 et reconquit ainsi le Milanais. (D, 34).

L'ambivalence des guerres de Louis XIV — entre le prestige et la misère — ne suscite pas une ferme condamnation, ou, pour le moins, une réflexion sur leur légitimité.

> **Les guerres occupent une bonne partie du règne**
> Au début elles sont victorieuses. Louis XIV enlève à l'Espagne la Flandre en 1668 et la Franche-Comté en 1678. A la fin du règne, vingt ans de guerres difficiles et sans résultat épuisent la France. (VLDS, 112).
> Pendant tout le règne du Roi-Soleil, la France fut la première puissance d'Europe. Cependant les guerres ne cessaient pas ; elles permirent d'agrandir le royaume, mais elles épuisèrent le pays. (NPB, 69).

La transformation des guerres révolutionnaires en guerres de conquête n'est pas expliquée. Les soldats de la République restent les soldats de la liberté.

> La France était en guerre depuis 1792. Les armées de la République avaient repoussé les ennemis de la Révolution. Les **soldats de l'an II** portèrent les principes de 1789 en Belgique, en Hollande et en Italie. (NPB, 95).

Bien que le bilan de l'Empire soit généralement négatif, la brièveté du commentaire de l'étendue de la France en 1811 (soulignée par une carte où « la France » apparaît comme une tache rouge unifiée de la Baltique à la mer Tyrrhénienne) peut chatouiller la fierté nationale.

> Jamais la France n'a atteint une telle étendue : elle comprend maintenant 130 départements. (VSL, 24).

## Raison d'État, absolutisme, gommages

La fonction éminente des guerres est de construire l'État français. La raison d'État est toujours légitime, dès lors l'absolutisme, grâce auquel un État fort se construit, est cautionné. Louis XI et Louis XIV sont de grands rois, — « qui se font obéir », comme disait Lavisse.

> **Louis XI.** Son autorité est sans limite. Ce fut **le premier roi moderne.** Il faisait tuer ou emprisonner dans les oubliettes qui se trouvaient dans les caves de ses châteaux tous ceux qui lui résistaient. (D, 34).
> **L'absolutisme.** Au cours du XVIème et du XVIIème siècle, les rois de France accrurent leur pouvoir. Leur volonté était la loi du royaume. François Ier se faisait obéir en disant : « Car tel est mon bon plaisir »; les rois étaient devenus des souverains absolus; on prit l'habitude de les appeler « Votre Majesté » [...]
> Les rois veillaient à l'unification du pays. L'ordonnance de Villers-Cotterêts (1539) imposa la rédaction des actes officiels du royaume en français. [...]
> Les grands seigneurs supportaient mal l'absolutisme du roi. Ils regrettaient le temps du Moyen Age où leurs ancêtres commandaient seuls sur leurs terres. Plusieurs fois ils se révoltèrent. Mais, toujours la monarchie trouva de grands serviteurs pour la défendre. Ainsi, Richelieu, ministre de Louis XIII, brisa tous ceux qui s'opposaient au pouvoir royal. (NPB, 69).
> **Louis XIV** fut le modèle des rois absolus. Il gouverna seul. Il aurait même dit : « l'État c'est moi! » S'il eut de grands serviteurs, comme Colbert, jamais il n'abandonna ses pouvoirs à un ministre. On l'appela le Roi-Soleil. Il disciplina les grands seigneurs. Il les réunit à la cour du Château de Versailles. Là il les obligeait à respecter l'étiquette et les occupait à des fêtes et des jeux.
> Par souci d'ordre et d'unité, Louis XIV n'acceptait pas la division religieuse de la France. En 1685, il annula l'édit de Nantes, signé par Henri IV. Les protestants durent se convertir. 300 000 d'entre eux préférèrent quitter le royaume. Ceux qui restèrent furent persécutés. Certains se révoltèrent. (NPB, 69).

Les dragonnades ne sont pas mentionnées dans ce manuel.

Le problème de la tolérance, de la liberté religieuse n'est pas examiné. Pas plus que ceux de Lavisse, les manuels de 1985 n'auscultent le passé au crible des « droits de l'homme » et de la liberté d'opinion. La présentation du passé ne permet toujours pas de comprendre le cosmopolitisme européen de l'esprit des *Lumières* et son importance dans l'histoire humaine.

Les gommages signalés dans l'examen du Petit Lavisse se retrouvent dans les manuels de 1985. Compte tenu de l'extension de la matière historique au XXème siècle, de la nécessité de faire bref en restant traditionnel, la *Croisade des Albigeois* est complètement occultée et l'Inquisition n'est pas mentionnée. Les Cathares réapparaissaient dans certains manuels de 1981, qui dénonçaient les atrocités de leur extermination (HHSV, 43). Ils sont à nouveaux exclus de la mémoire collective dans les ouvrages de 1985, qui ne soulignent jamais que l'expansion capétienne s'est faite par le fer et par le sang *.

Bien que, pendant la législature de la Gauche (1981-1986) les problèmes du régionalisme et des langues minoritaires aient été abordés et celui de la pluri-culturalité posé par le *rapport Berque* [5], l'histoire de France continue d'ignorer les diversités culturelles et d'examiner la société française comme une entité abstraite, sans tenir aucun compte de l'intégration forcée ou acceptée d'espaces non « français ». A l'arrière-plan de ces grandes plages homogènes, il n'y a pas la place pour des passés différents.

A l'exception d'un paragraphe de huit lignes dans un « sujet d'études » consacré aux DOM-TOM (VSL, 105), les Antillais et les Antilles sont toujours absents de l'histoire de France. Lucette Michaux-Chevry ** a demandé que les DOM-TOM figurent sur les cartes scolaires de la France (*Le Point*, 23 juin 1986). Mais le vœu peut s'étendre au passé antillais dans toute sa singularité.

Les chapitres sur la découverte de l'Amérique ne sont pas l'occasion d'un aperçu sur les Antilles. La traite des noirs, évoquée par certains manuels de 1981 (W, 79; DF, 98) n'est pas exposée dans ceux de 1985. Un lapsus de style semble faire de l'esclavage une nécessité.

> Les Indiens furent réduits en esclavage. Victimes de mauvais traitements, ils mourraient par milliers. En moins de cent ans,

---

* HHSV 1985, p. 43, identique à HHSV 1981, ne parle pas de l'Inquisition.
** Secrétaire d'Etat à la francophonie dans le gouvernement Chirac de 1986.

la population d'Amérique diminua des trois quarts. Il *fallut* alors faire venir des esclaves d'Afrique. (NPB, 67).

Mais les crimes contre les Indiens sont imputables aux Espagnols. La tendance des nouveaux manuels est plus au gommage qu'au rappel des crimes français. Pascal Bruckert et son « sanglot de l'homme blanc » sont peut-être passés par là. Rien, en tout cas, ne permet de comprendre que les Antillais descendent d'anciens esclaves achetés et vendus par les négociants de Nantes ou de Bordeaux.

Les *Juifs* n'ont toujours aucun passé. Un manuel de 1985 fait allusion, dans un chapitre sur les « Grands Capétiens » à la confiscation des biens des Juifs par *Philippe le Bel.* Mais dans le contexte d'un bilan globalement positif de l'œuvre de ce dernier.

**Sa politique financière est sans scrupule.**
Pour trouver de l'argent, il confisque les biens des **Juifs**, change la valeur des monnaies et s'empare de la fortune des Templiers qu'il condamne à être brûlés vifs.
Pourtant à sa mort, la France agrandie est un pays prospère et bien gouverné.
[Et dans la marge]
**Juifs.** Les Juifs ne reconnaissent pas la divinité de Jésus-Christ. Ils ont été l'objet de persécutions à différents moments du Moyen Age. (VLDS, 72).

Ce condensé lapidaire est l'unique mention du passé des Juifs avant l'holocauste dans tous les manuels examinés. L'historiographie scolaire continue d'exclure la connaissance et la réflexion relatifs à l'enracinement dans le passé des différences de cultures et de traditions.

\*
\* \*

### Le XXème siècle. Amorce d'une histoire critique

La complexité des événements, les grandes mutations récentes portent à l'interrogation. Mais surtout, l'exposé des événements de la deuxième moitié du XXème siècle ne subit pas l'empreinte d'un modèle initial. La seule historiographie de référence est celle des manuels de troisième et de terminale, qui traitent du monde depuis 1945. Bien que le programme de l'école reste exclusivement centré sur la France (la France au

XXème siècle), les auteurs sont conduits à élargir le champ historique et parfois à poser des problèmes.

Nous avons vu que l'historiographie traditionnelle survit dans le traitement de la guerre de 14-18 (cf. *supra* p. 81). Mais l'ébauche d'une histoire critique apparaît en ce qui concerne le pétainisme et la décolonisation.

### Vichy et la collaboration

| | Maréchal Pétain | Gouver. de Vichy ou région de Vichy | Collabor. collabore | Juifs | Exter^on exterminé | Camp de concent^on | Camp de déportation, déporté, déportation |
|---|---|---|---|---|---|---|---|
| **ANNÉES SOIXANTE** | | | | | | | |
| 1963 CH | + | + | | | chambres à gaz | camp de travail | |
| 1964 BM | | | | | | | |
| **MANUELS 1981** | | | | | | | |
| W | + | + | + | | | | |
| GCW | + | | | | | + | |
| DF | | + | + | + | + | + | + |
| HHSV | + | + | | + | + | + | + |
| DHMD | + | | | + | + | + | |
| **MANUELS 1985** | | | | | | | |
| VSL | + | + | + | + | + | + | + |
| NPB | + | + | + | + | | | + |
| D | + | + | | | | | |

Collaboration, déportation, extermination
dans les manuels de cours moyen

L'évolution des manuels est significative du gommage, puis de la prise en compte de la France pétainiste. Les manuels des années soixante escamotent l'existence de Vichy ou minimisent son influence. Les atrocités ne sont imputées qu'aux Allemands.

> Les ennemis occupent notre pays.
> **La Résistance et la victoire.** Un certain nombre de Français ont pu, à ce moment, quitter la France. Ils créent à Londres, en Angleterre, un gouvernement dirigé par le général de Gaulle. Ils organisent en France même, la **Résistance** contre les Allemands. (BM, 119).
> [...] La France est occupée entièrement en novembre 1942. Les Allemands s'emparent des vivres, des objets précieux. Nos ouvriers, nos jeunes gens sont requis pour travailler dans les usines allemandes. La police d'Hitler arrête des milliers et des milliers d'hommes et de femmes : ils sont emprisonnés, tortu-

rés, souvent assassinés. D'autres par trains entiers, sont conduits en Allemagne, dans les atroces camps de travail où on les laisse mourir de faim et de mauvais traitements, où on les asphyxie dans des chambres à gaz.
Cependant la plupart des Français résistent. Peu suivent le conseil du gouvernement de Vichy : s'entendre avec les Allemands et même les aider à faire la guerre. Ils écoutent le général de Gaulle qui a organisé à Londres un gouvernement de « la France libre ». Ils passent en Angleterre ou en Afrique pour rejoindre les troupes françaises « libres ». D'autres se cachent dans les forêts, attaquent les convois allemands, font sauter les voies ferrées, recueillent les Français menacés d'être déportés, se préparent pour l'insurrection finale contre l'Occupant. C'est l'héroïque armée des forces françaises de l'intérieur ou armée du « Maquis ». (CH, 153).

A partir de 1980, la légende d'une France toute gaulliste cède le pas à l'évocation historique qui ne masque plus la Collaboration, tout en ménageant le maréchal Pétain.

**Collaboration et Résistance**
— Le Maréchal accepta de collaborer avec l'Allemagne. Mal conseillé, il laissa les fascistes imposer un ordre nouveau. Les patriotes furent poursuivis, les Juifs persécutés. L'État français conduisait une politique **antisémite**. Une police spéciale, la Milice, créée en 1943, aida les Allemands à asservir notre pays. (NPB, 141).

— Après la défaite, les Français, désemparés, font confiance au maréchal Pétain. Celui-ci, qui croit que la guerre sera longue, essaie, sur les conseils de Laval, d'obtenir pour la France un certain nombre d'avantages. Aucun engagement n'est pris, mais le geste de Montoire a pour résultat d'entraîner un certain nombre de Français dans la voie de la collaboration.

**La politique de collaboration**
Les « collaborateurs » sont peu nombreux mais actifs. Ils se livrent à une propagande en faveur de l'Allemagne. Ils mettent sur pied une milice qui aide les occupants à traquer les résistants. Ils encouragent le départ des travailleurs en Allemagne et arrêtent les Juifs. (VSL, 92).

Le tableau de la p. 92 sur l'utilisation de quelques mots-clefs donne une idée du contenu et de l'auto-censure des manuels.

Quant à **l'extermination des Juifs**, trois manuels, (DF, DHMD, VSL) la mentionnent explicitement. Un seul (VSL) précise : « environ 42 000 [Juifs arrêtés en France] meurent dans des chambres à gaz dès leur arrivée en France ».

### Décolonisation et guerre d'Algérie

Les manuels des années 80 ne peuvent plus ignorer la décolonisation, processus historique, et presque tous y consacrent un chapitre. Mais ils prennent rarement le parti d'une évocation critique de la colonisation française, préférant désormais la noyer dans un chapitre général sur l'expansion européenne : « Les Européens à la conquête du monde » (NPB, 118), « L'Europe domine le monde » (W, 118-119). Ce qui est justifiable au plan historique, mais démontre que l'historiographie exclusivement française, imposée par le programme, n'est pas forcément pertinente.

Les manuels des années 60-70 maintenaient la légende coloniale et occultaient le plus souvent la décolonisation (pourtant achevée en ce qui concerne les livres postérieurs à 1962), ou gommaient ses difficultés.

> Plus tard la France rend leur liberté à ces pays. La plupart font maintenant partie de la **communauté française**. (AA, 87).

On pouvait trouver dans un même manuel un chapitre traditionnel sur la fondation de « la France d'outre-mer » et un paragraphe sur *l'émancipation des peuples colonisés* résumant les événements (CH, 139-141, 151, 157, 158).

La plupart des manuels des années 1980 consacrent un chapitre à la décolonisation. Ne posant jamais le problème de la torture en Algérie, n'évoquant qu'exceptionnellement les répressions de 1945 à Sétif, ils amorcent néanmoins les éléments d'une historiographie critique, n'hésitant plus à rappeler certaines « fautes » de la France comme la non-reconnaissance d'une citoyenneté à « la grande majorité des musulmans » en Algérie, (NPB, 145) ou les hésitations françaises à décoloniser (VSL, 102, 104).

### Paradoxe de « l'histoire de France »

Malgré ces quelques ouvertures, qui ne concernent que la deuxième moitié du XXème siècle, l'histoire à l'école est à réinventer, une histoire qui cesserait d'avoir pour seule logique le processus de construction de l'État-nation.

L'histoire du « pays des droits de l'homme » n'a rien d'une histoire des droits de l'homme : tel est le paradoxe non résolu forgé par l'historiographie républicaine, celle que nous ont léguée, avec seulement des nuances entre eux, les historiens républicains (ou ralliés) de la fin du XIXème siècle et de la première moitié du XXème. Le Petit Lavisse nous a fait percevoir d'une façon quasi-caricaturale une histoire que les Français continuent d'intérioriser : celle d'une suite de conquêtes licites parce qu'elles « font la France », celle d'une France pré-inscrite dans l'espace mais également prédestinée à l'excellence humaine. La légende forgée pour l'école de Jules Ferry, qui devait inscrire dans le cœur de tous les petits Français la religion de la France, confondue avec le culte de l'État à travers ses grands hommes, inspire toujours en filigrane la construction des manuels, donc des programmes et par conséquent survit comme grille exclusive du passé dans l'intellect des concepteurs de programmes.

Or c'est au fond une histoire *totalitaire*, histoire d'un pouvoir où jamais l'on n'entend la voix des vaincus, des annexés, des persécutés, des opposants. Mémoire de l'État, à l'exclusion des autres mémoires qu'elles soient régionales, culturelles, sociales, religieuses, elle occulte ce qui la gêne ou elle l'ignore, mais ces ignorances sont significatives. Elle n'initie qu'à des sociétés transparentes, homogènes, mythiques en fin de compte, Gaule, Moyen Age, Ancien Régime.

Projection dans le passé de l'idée de France une et indivisible, cette histoire n'est jamais, ne peut être pluraliste. Dans la France catholique du « Moyen Age », les Albigeois sont des « hérétiques », dans la France capétienne en expansion, les espaces pré-français n'ont pas d'existence propre, toutes ces périphéries progressivement avalées ne prennent vie qu'en devenant « françaises ». Pas plus que la France de saint Louis ou de la Révocation de l'Edit de Nantes, celle de la Révolution ne laisse place à l'« autre », et l'historien, reconstruisant le passé autour de l'État-France, évacue la différence des points de vue.

Les Juifs, dans leur singularité, sont totalement absents de l'histoire. Ils n'existent pas dans cette pseudo « société médiévale », toujours au programme de 1985, avec son imagerie intemporelle de châteaux-forts, seigneurs, paysans. Ni l'implantation juive dans le monde carolingien, ni le port de la rouelle étendu par saint Louis, ni les expulsions partielles ou totales, ni les massacres commis par les croisés ne sont mentionnés. Et pourtant la logique de l'expansion capétienne est celle de l'aggravation de leurs malheurs, puisque les Juifs du Midi ou de Troyes en Champagne vivaient bien mieux avant les annexions. Leur accès à la citoyenneté en 1791 n'est pas indiquée (cf. *infra*, p. 238-240, 255).

Les musulmans arabes ou turcs sont les ennemis de Charles Martel, des croisés et plus tard du général Bugeaud.

Les protestants sont traités de façon ambiguë. Lavisse, dans ses manuels, ne pose pas nettement le problème de la liberté de conscience. Certes la Saint-Barthélémy est un « grand crime », la persécution des protestants par Louis XIV est illustrée par une image de « galériens ramant ». Mais l'appel à la sensibilité et à l'indignation de l'enfant ne s'accompagne pas d'un éveil de la réflexion sur la liberté de croyance. La Révocation de l'Edit de Nantes est condamnée en une brève formule dans laquelle transparaît le point de vue nationaliste. « Ce fut un acte odieux et très malheureux pour la France » (CM, 85). Et le résumé ne souligne que la faute politique : le départ des protestants « fut une grande perte pour la France et un grand profit pour les étrangers surtout la Prusse ». A peine ébauchée, la réflexion sur la liberté se perd dans les sables maléfiques du Brandebourg (CM, 118). Dans les manuels récents, la logique historiographique ne permet pas de faire porter l'éclairage sur les protestants eux-mêmes : la monarchie — et non les réformés — reste le sujet du chapitre.

La Révolution, la Terreur, la Vendée sont étudiées selon la même logique, celle du pouvoir *. Pierre Nora remarque qu'« à la différence de l'enseignement britannique, Lavisse ne donne jamais raison à deux partis à la fois : il n'a pas le respect de l'opposition [...] Il prend nettement parti en faveur des Girondins puis des Dantonistes et condamne sans appel Robespierre » [6]. Inversement certains manuels, nous l'avons vu, sont aujourd'hui discrètement robespierristes.

Mais c'est ici le cœur de l'historiographie républicaine et pas exclusivement le problème de Lavisse ni celui de la Révolution : dans la logique de sa construction l'histoire de France ignore la pluralité des situations vécues et des points de vue. Mise en forme au lendemain de la défaite, la légende républicaine n'est pas, ne saurait être *dreyfusarde*, puisqu'elle est du côté du pouvoir, du côté de la raison d'État désormais

---

* On ne saurait oublier que les *manuels* catholiques produits sous la 3ème République inversent le manichéisme [6].

incarnée dans la République. Comment imaginer après l'humiliation de 1871, dans une République homogène et parfaite, que l'armée, pilier de la patrie, espoir de la Revanche puisse s'être trompée ? « La question ne sera pas posée » *, ni par Lavisse, ni dans les manuels ultérieurs que nous avons examinés, à l'exception d'un seul (DF, 138). Symboliquement, par cette absence, le problème de la confrontation Vérité-Raison d'État n'est pas abordé à l'école.

Pierre Nora a souligné les affinités de Lavisse avec la droite conservatrice de la fin du XIXème siècle et même les partisans du nationalisme intégral [7]. Mais c'est la grille même de l'histoire de France à l'école qui relève de cette constatation. Quoi d'étonnant si une majorité de Français abasourdis par la défaite, souvent nourris du Petit Lavisse, se soient jetés dans les bras du Maréchal, chef de l'« État français », auréolé de la gloire des drapeaux de 14-18, ayant fait don de sa personne à la France pour atténuer les malheurs dans lesquels l'avait plongée les « mauvais » gouvernants ? Comment comprendre le drame de l'Algérie en dehors d'un enseignement historique qui avait vanté la « bonté de la France » à l'égard des « indigènes » et magnifié la conquête de l'Algérie devenue partie intégrante de la France (comme l'étaient les pays occitans, la Bretagne, la Savoie, la Corse) ? Le refus de reconnaître aux Canaques une identité culturelle spécifique et les réticences face au fait musulman dans l'hexagone ne sont-ils pas aussi un legs de cette histoire ?

---

* Célèbre exclamation du président DELEGORGUE ponctuant le procès de Zola qui eut lieu du 7 au 23 février 1898.

## Deuxième partie

# RECHERCHE DE LA FRANCE

Pourquoi l'auto-célébration de la France constitue-t-elle la trame de l'histoire républicaine ? D'où vient l'histoire de France, comment l'idée de France s'est-elle construite ?

Dans cette deuxième partie, nous verrons que cette histoire s'est fabriquée à partir de sources textuelles destinées à exalter la mémoire des rois des Francs, à inclure les trois dynasties mérovingienne, carolingienne, capétienne dans une continuité mystique remontant à Clovis tout en les parant d'une prestigieuse origine troyennne.

Dans l'ordre symbolique, une image de la France se dessine à deux niveaux. Une élite, lectrice des exploits des rois des Francs devenus roi de « France » au XIIIème siècle, chantés par les poètes et racontés par les historiens, imagine peu à peu une entité France, une « nation » France. Les classes populaires, les masses paysannes illettrées, incorporées progressivement à l'espace du pouvoir du roi très chrétien célébré par l'Église, vont, autour de la personne royale et de la religion qui l'entoure, concevoir l'existence d'un « royaume de France » dans lequel s'insère leur communauté locale, leur paroisse. Pour les peuples le roi symbolise seul l'existence d'une communauté supérieure. Jusqu'en 1789, l'idée de « nation » reste limitée aux classes supérieures, aux milieux intellectuels, aristocratiques et bourgeois.

Au XIXème siècle, l'historiographie post-révolutionnaire, libérale puis républicaine, intègre sans état d'âme la mémoire hagiographique des rois dans le devenir de la nation, dont l'origine immémoriale est désormais gauloise.

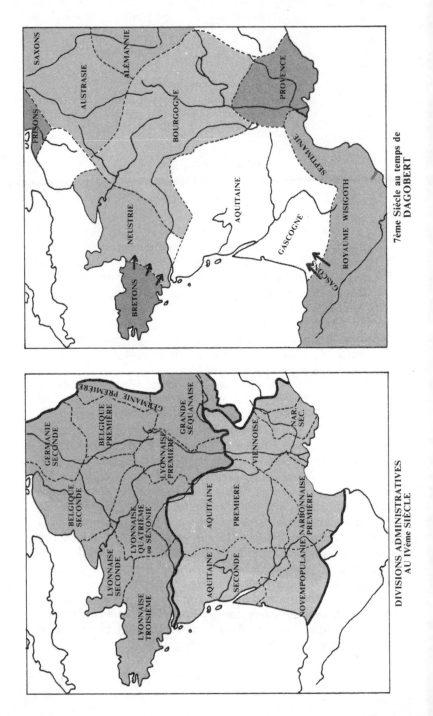

7ème Siècle au temps de
**DAGOBERT**

DIVISIONS ADMINISTRATIVES
AU IVème SIÈCLE

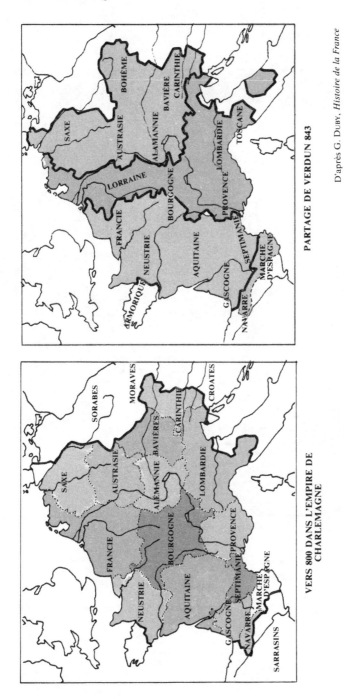

D'après G. DUBY, *Histoire de la France*

**PARTAGE DE VERDUN 843**

**VERS 800 DANS L'EMPIRE DE CHARLEMAGNE**

**À L'AVÈNEMENT D'HUGUES CAPET 987**

——— Limites de la « Francia » occidentalis.

▓▓▓ Domaine royal.

## Chapitre 6

# LA MÉMOIRE FRANQUE

Parce que les révolutionnaires haïssaient les Francs, ancêtres supposés des nobles, parce que leur culture inspirée par l'Antiquité, les considérait comme des « barbares » germains (cf. p. 145-146), l'historiographie républicaine eut tendance à gommer le fait que France et Francs appartiennent à la même famille de mots. Le Petit Lavisse suspendait son récit au « mystère du nom » de France (cf. *supra,* ch. 2, p. 31). Il est pourtant indéniable que la France n'existerait pas sans les Francs. Il est surtout remarquable que le processus de construction de l'histoire de France commence avec l'élaboration et l'organisation d'une mémoire franque, suite de textes emboîtés à partir du VIème siècle. Cette mémoire, en partie mythique a soudé la conscience de groupe d'une élite « franque » qui, par glissement du langage, aux alentours du XIIème-XIIIème siècle, est devenue « française ». La *Chanson de Roland,* du XIIème siècle, évoque tantôt les Francs, tantôt les *Franceis,* parfois, à quelques lignes de distance [1]. *La conscience historique des « Français » s'adosse ainsi à la mémoire d'une seule ethnie, parmi l'ensemble des groupes et des cultures constitutifs de la France d'aujourd'hui.*

Les innombrables populations qui, durant des centaines de milliers d'années, ont occupé des morceaux de l'espace de l'hexagone, ne possédant pas l'écriture, n'ont même pas laissé un nom. Seule l'archéologie pré-historique récente a pu, en les « nommant », conférer une existence à leurs traces.

Mais les Gaulois ? Quoiqu'appartenant à une brillante civilisation celtique, ils ne se sont pas soucié de leurs origines. En tout cas, remarque Karl Werner, les élites intellectuelles gallo-romaines semblent n'y avoir attaché aucun intérêt [2]. *Il n'y a pas de mémoire gauloise.* Et nous verrons que l'origine gauloise des Français est une élaboration intellectuelle, au-

jourd'hui parfaitement repérable, qui accompagna les connaissances nouvelles liées à l'humanisme des XV-XVIèmes siècles
et s'imposa comme « vérité » dans le cadre de l'histoire nationaliste et libérale du XIXème siècle. En fait les « Gaulois »
n'existent qu'à travers les Romains, car la « Gaule » est une
invention des Romains.

## La « Gaule », notion romaine

« Gallia » — mot et notion —, a été créée et transmise par
les Romains. César, au début de la guerre des Gaules écrit : « la
troisième partie de la Gaule est habitée par ceux qui, dans leur
propre langue s'appellent *Celta*, mais qui, dans notre langue
sont appelés *Galli*[3] ». La *Gallia* désigna d'abord pour les
Romains, l'ethnie, l'ensemble des tribus qui, occupant le nord
de la péninsule italique, avait menacé les Romains à partir du
IVème siècle avant J.-C. Au fur et à mesure que ces derniers
poursuivirent la conquête, ils distinguèrent une *Gallia cisalpina*
en Italie, puis une *Gallia transalpina*, qui s'étendait jusqu'à
l'océan et à la Manche. Lorsque César parvint au Rhin, premier
des Romains à atteindre le fleuve, il écrivit que le Rhin était
la frontière entre *Gallia* et *Germania* et il créa deux espaces
géographiques qui n'auraient pas existé sans lui![4] Le concept
de Gaule fut dès l'abord ambigu : les populations habitant le
territoire ainsi délimité n'étaient pas toutes « celtes », et d'autre part l'aire de civilisation celtique débordait largement cet
espace puisqu'elle s'étendait des îles Britanniques au Danube
et aux plaines de Pannonie. Ainsi tous les habitants de la Gaule
n'étaient pas gaulois-celtes mais inversement tous les Celtes,
cousins des « Gaulois », n'étaient pas cantonés en « Gaule ».
Devenus romains, les descendants des « Gaulois » de Gaule ne
cherchèrent pas à se pencher sur leurs « ancêtres ». Ils laissèrent aux auteurs grecs et romains le soin de formuler des
hypothèses. Cela tend à prouver, suggère Karl Werner, qu'ils
ne regrettèrent pas trop d'être « ployés sous le joug des
Romains ». Le sentiment communautaire des Celtes qui com-
battirent contre César ne devait pas dépasser le cadre de la
tribu, dont les subdivisions servirent de base aux « cités »
romaines et se retrouveront ultérieurement dans les *pagi*
mérovingiens et carolingiens. Ainsi, bien des noms actuels de
régions ou de leurs villes principales conservent-ils le souvenir
de tribus celtiques ou celtisées. Mais *l'image d'une nation*

*gauloise, préfiguration de la nation française dans son espace hexagonal, est une illusion* (tout autant que celle d'une nation des « Germains ») [5].

Peut-être les Gaulois des hautes classes furent-ils si profondément romanisés qu'ils en perdirent toute mémoire antérieure de groupe. En toute cas l'idée que la France est déjà inscrite dans la Gaule n'est qu'un mythe de l'historiographie républicaine.

De fait, dans l'espace géographique délimité par César, *les Gaules* ont toujours été multiples, et il serait plus juste de discerner, dans le passé romain, l'origine ou la consolidation non d'une structure « nationale » mais d'ensembles régionaux. Entre le Ier et le IVème siècle, *les* Gaules sont des entités administratives, dont les délimitations varient au cours de la période. Au IVème siècle l'empereur Dioclétien réorganise la partie occidentale de l'empire romain. Il crée quatre grands *diocèses* : *Hispania, Britania, diocèse des Gaules, diocèse des Sept Provinces*. Au nord, le *diocèse des Gaules*, dont la limite Sud était la Loire et le coude du Rhône, était subdivisé en quatre *Lyonnaises*, deux *Belgiques*, deux *Germanies* et une *Grande Séquanaise*. Au sud, le *diocèse des Sept Provinces* comprenait *Alpes maritimes, Narbonnaises*, seconde et première, *Viennoise, Aquitaines* première et seconde, *Novempopulanie* (cf. carte p. 100).

Ces précisions ne sont pas superflues, car l'existence de ces deux grands ensembles, au sud et au nord de la Loire, aura des prolongements à longue échéance. Leur division coïncide à peu près avec le futur partage entre langue d'oc et d'oïl. Au IXème siècle, des évêques du Nord parleront encore de leurs confrères des « Sept Provinces ». L'organisation provinciale de la Gaule devait en effet survivre très concrètement dans l'Église et dans l'État carolingien fondé sur l'Église [6]. L'union des provinces du Sud-Est (l'ancienne *Provincia*, « province romaine ») avec les provinces aquitaines a renforcé le caractère romain de ces dernières. On peut y lire ainsi l'approfondissement de la dualité culturelle entre le Nord et le Midi de la future France qui sera créée par la main-mise du Nord sur le Sud.

L'idée que la nation française prolonge une très lointaine « nation » gauloise est donc contredite par les historiens d'aujourd'hui. Par contre l'empreinte des données spatiales et administratives, liées à la romanisation, ne saurait être négligée dans une relecture du passé pluriel des Français. D'autres données doivent être aujourd'hui mises en avant et réinterprétées : la formation, dans ce cadre, de *royaumes romano-barbares*, leur évolution ultérieure et la genèse, durant un demi-millénaire, de « nations » nouvelles, territorialisées, mêlant aux populations romanisées durant quatre cents ans les nouvelles ethnies venues de l'Est incorporées dans l'Empire romain : enfin, notion capitale, la manière dont les Francs superposent à ces nations une domination supérieure — *regnum Francorum* — et construisent, autour de ce pouvoir une mémoire largement mythique qui, durant des siècles, gomme, par son prestige, l'existence d'autres mémoires « nationales », puis réussit à s'imposer comme mémoire unique des « Français ».

### Espaces politiques et « nations » entre le Vème et le VIème siècle

Par l'existence de l'empire romain, la notion d'*État* a été introduite dans le devenir historique des pays situés à l'ouest du Rhin, précédemment en partie *celtisés*, c'est-à-dire modelés par une civilisation de type tribal, originaire d'Europe centrale, qui s'était étendue en Europe occidentale jusqu'à la Garonne, avait atteint une partie de la péninsule ibérique occidentale et la partie sud-est de la (Grande) Bretagne.

La romanisation unifie l'espace géographique occidental par un réseau de routes, modèle l'espace politique par un semis de villes et des divisions administratives uniformes, crée une aristocratie indigéno-romaine de gouvernants, grands propriétaires, grands bénéficiaires du système. L'écriture est généralisée dans ces hautes couches sociales gestionnaires, le latin devient langue commune et véhicule la culture d'une élite. Les Romains créent la nomenclature géographique destinée à traverser les siècles : *Britania, Hispania, Gallia* (ou plutôt *Galiae*, les Gaules, toujours plurielles administrativement comme nous l'avons vu) en deçà du Rhin et *Germania* au-delà du *limes*, la frontière Rhin-Danube. Certaines divisions de la Gaule — la *Provincia*, romanisée dès la fin du IIème siècle av. J.-C., l'*Aquitania* seront la base des grandes configurations géopolitiques des siècles suivants.

Les grandes migrations de peuples à travers l'Europe orientale et centrale qui atteignent l'empire romain à partir du IIIème siècle ap. J.-C. ne font que prolonger les déplacements antérieurs, dont l'expansion des Celtes, durant le premier millénaire av. J.-C., avait été l'une des manifestations. Dès la fin du IIème siècle ap. J.-C., l'empire romain connaissait des difficultés intérieures : contrairement à une idée encore reçue, il ne s'est pas effondré soudainemennt sous les coups des « barbares ». Les peuples d'outre-Rhin et d'outre-Danube sont restés plusieurs siècles en contact avec la romanité, notamment les Francs, installés en plusieurs tribus sur la rive droite du Rhin inférieur ou les Goths, les plus « civilisés » des barbares, partis de Scandinavie (comme les Burgondes et les Vandales) et parvenus par la Dalmatie sur le flanc nord-est de l'Italie.

S'intégrant dans l'empire romain (chrétien depuis le IVème siècle) non sans guerres dévastatrices, les nouvelles ethnies se mélangent aux populations romanisées. Parce que leur tradition les regroupait autour d'un « roi », elles vont constituer aux Vème et VIème siècles des royaumes, dont les aristocraties dirigeantes ne récuseront pas l'appartenance à l'orbite romaine et pour certaines (burgondes, franques, ostrogothiques) l'hommage à l'empereur de Constantinople. Les *Visigoths*, entrés en Gaule comme auxiliaires de l'armée impériale, pillent l'Aquitaine occidentale, puis reçoivent, en 418, le statut de peuple fédéré. Un royaume visigoth se crée avec Toulouse comme capitale, et, pendant quelque temps, la Gaule méridionale a deux centres politiques, Toulouse et Arles, restée capitale romaine. Le royaume visigoth d'*Aquitaine* va durer près d'un siècle (418-508), durant lequel les Visigoths s'emparent de l'Espagne, occupent Narbonne et la *Septimanie* (l'ancienne Narbonnaise).

A l'est du Rhône, la partie orientale de l'ancienne *Provincia*, dominée trente ans par les Ostrogoths, est tiraillée entre les convoitises de l'empereur, des Visigoths et des Francs. Arles devient un moment la seconde capitale du royaume visigoth qui contrôle Marseille. En 536, la Provence est théoriquement rattachée à la domination franque puis retrouve une autonomie avec la désagrégation du pouvoir mérovingien.

Les *Burgondes* installés de Bâle à Avignon, dans un vaste espace adossé à l'arc alpin occidental, créent un royaume dans lequel la hiérarchie sénatoriale romaine coexiste pacifiquement avec l'aristocratie burgonde, sous l'autorité d'un roi reconnu par Constantinople.

Au sud-ouest, la *Novempopulanie* (ancienne division romaine), qui échappe aux Francs, est envahie par les *Vascons*, population des montagnes du nord-ouest de l'Espagne. Après des dévastations jusqu'à la Garonne, les Vascons s'installent en Novempopulanie, adoptant le parler roman en usage, tout en le modifiant : ainsi apparaît le gascon. Leur langue originelle se maintient dans les Pyrénées atlantiques : c'est le basque.

### « Francies » initiales et genèse de la domination franque

Dans le contexte complexe et fluide des royaumes romano-barbares se produit l'événement des conquêtes franques et surtout intervient l'appui que l'Église va assurer à leur domination « supérieure ».

« Francs », *Franci* en latin, pourrait venir de *frank*, qui, en langue « germanique » (parlée par ceux qui, pour les Romains, habitent au-delà du Rhin) signifie « libre ». Les *Franci* seraient ainsi les peuples de la rive droite du Rhin inférieur restés libres de la domination romaine et qui, installés depuis longtemps dans cette région frontalière, sont, vers le IIIème siècle après J.-C., unis en ligue. Le nom de *Franci* apparaît avec cette ligue, au reste peu contraignante. Ils sont divisés en multiples groupes. D'après le témoignage de saint Jérôme (vers 348-420) *Francia* désigne originellement l'espace occupé par ces *Franci*[7]. Ces derniers sont donc depuis longtemps en contact avec la romanité, nombre de Francs, individuellement, servent dans l'armée romaine. Vers le IIIème siècle, les petites tribus se fondent en plus grandes communautés. Le phénomène concerne d'autres peuples « germains », notamment les Alamans, dans le contexte des grands mouvements de migrations.

Pour comprendre les événements qui vont amener les Francs au premier plan et modifier leur rôle et la conception qu'ils vont se faire de ce rôle, de leur pouvoir — et donc de la « francité » —, il est nécessaire de préciser quelques points de la situation à la fin du Vème siècle, quand Clovis va conquérir une grande partie de l'espace entre Rhin et Océan.

1. Dès le IIIème siècle, des peuples originaires d'au-delà du Rhin sont installés à l'intérieur de l'Empire romain, Francs et Alamans principalement. Des nobles francs sont peu à peu incorporés dans l'armée romaine et dans la société romaine de la partie septentrionale des Gaules.

2. Malgré les heurts et les malheurs des IVème et Vème siècles, la conception romaine du pouvoir et de son organisation subsiste, contrairement aux représentations traditionnelles

d'un écroulement complet du monde romain sous les coups des
« barbares ». De plus en plus intégrées au monde et aux
concepts romains, de grandes familles franques créent de petits
royaumes alliés aux Romains, qui vont aider les empereurs à
combattre les envahisseurs du Vème siècle : Vandales, Suèves,
Visigoths. Ainsi d'une part des nobles francs sont de véritables
généraux reconnus par les Romains, d'autre part leur prestige
de défenseurs de l'ordre romain et chrétien grandit en Occident [8].

3. Depuis l'édit de Milan, proclamé en 313 par l'empereur
Constantin, le christianisme est officiellement reconnu. Le
monde romain devient un monde chrétien et les événements
qui surviennent dans l'espace occidental aux IVème et Vème
siècles doivent être pensés dans le cadre de la domination
religieuse des conciles réunis par les empereurs et de la
domination civile et militaire des sénateurs et des comman-
dants en chef des armées largement pénétrées par les « barbares » [9]. Derrière les changements dans l'organisation du
pouvoir, la notion d'*Empire*, de pouvoir unique survit. De
grandes familles sénatoriales, comme les Apollinaires en
Narbonnaise, aux grandes facultés d'adaptation, ont pu jouer
un rôle dans cette transmission de la culture politique romaine [10]. Celle-ci a pris une coloration religieuse avec le
développement du culte de l'empereur, qui siège désormais à
Constantinople. Seule source de légitimité et d'autorité, l'empereur est devenu, pour l'Église, le sauveur envoyé par Dieu
dans les malheurs des temps. Sur la base d'un culte solaire
d'origine païenne, il condense dans sa personne la légitimité
de Dieu. A l'antique *Res publica* s'est substituée la majesté de
l'élu de Dieu.

4. Dans ce contexte, un nouveau statut de pouvoir apparaît celui de *roi* délégué des Romains au service de la défense
commune, roi fédéré, *rex*. Allié des Romains, il bénéficie en
partie de la sacralité du pouvoir, d'autant plus que, même
païen, il assure la défense des chrétiens. Childéric, le père de
Clovis, est dans cette situation. Reconnu comme *rex* fédéré, il
est aussi le chef de tribus franques, qui, à partir de la *Francia*
primitive, se sont avancées progressivement jusqu'au
Pas-de-Calais. Son fils Clovis lui succède comme *rex*. Les
véritables événements qui marquent son avancée en Gaule sont
très mal connus derrière la légende. Les successeurs de Clovis
s'intituleront « roi des Francs », *rex Francorum*, et le pouvoir

qui s'assortit à ce titre, le *regnum Francorum*, va être la base constitutive de la saga des Francs [11].

Entre-temps, une deuxième *Francia* s'est individualisée, un autre espace typiquement franc. On la trouve mentionnée dans un texte ultérieur, une description géographique de date incertaine (entre le VIème et le VIIème siècle), qui désigne une « Francie » rhénane gouvernée par un roi établi à Cologne, également allié des Romains. Au milieu du Vème siècle, ces Francs de Cologne sont beaucoup plus puissants que ceux de Tournai groupés autour de Childéric. Clovis réussit à unir tous les Francs sous une seule royauté, la sienne.

L'événement, au début du VIème siècle, est la réunion, autour du petit roi de Tournai, de tous les Francs et de toutes leurs conquêtes dans une seule domination. Clovis reçoit l'appui de l'Église. Il est salué, avant même sa conversion, par l'évêque saint Rémi de Reims, comme prédestiné par sa famille « à prendre en main l'administration de la Belgique seconde » [12].

A la tête de l'armée franque, *exercitus Francorum*, Clovis étend sa domination sur la région entre Somme et Loire, sur le royaume burgonde établi de part et d'autre d'un axe Saône-Rhône, et (théoriquement tout au moins) sur l'Aquitaine.

Ainsi naît une nouvelle réalité géo-politique, qui se super-pose aux entités forgées depuis un siècle sans réellement les modifier, le *regnum Francorum*, la « domination des Francs ». Ce royaume des Francs, est une notion initialement distincte de celle de *Francia*, espace de la stricte implantation territoriale et culturelle des Francs, comme la Burgondie l'était des Burgondes.

### Regnum Francorum et « Francies » du VIème au Xème siècle

Pour Karl Werner, les Mérovingiens ont été non les destructeurs mais les continuateurs de la romanité chrétienne du Bas-Empire, et les rois des Francs, *reges Francorum*, ont été intégrés dans le monde hiérarchique de l'Empire, échangeant des correspondances avec les empereurs de Constantinople et avec le pape Grégoire le Grand. Ainsi le *regnum Francorum*, considéré comme la première puissance occidentale par les empereurs « romains » de Constantinople, se trouve-t-il paré du prestige et de la mémoire de l'empire romain d'Occident et les Francs s'assimilent vite. Pour l'historien Agathias (VIème siècle), les Francs « sont assez civilisés et cultivés pour un peuple barbare. Ils ne se distinguent vraiment des Romains que par leur langue et leurs vêtements » [13]. Pierre Riché a souligné la complexité des VIème et VIIème siècles, ces temps de fusion des apports « barbares », du christianisme et de la romanité [14].

Entre le VIème et le Xème siècle la domination franque va conserver un caractère paradoxal. Le *regnum Francorum* est à la fois *un* et *divisible*. Héritier de la romanité, il est un pouvoir supérieur et unique, une unité dans l'imaginaire. Patrimoine familial, propriété d'un lignage, il obéit à la coutume franque des partages entre les héritiers. Cette ambivalence du *regnum Francorum*, unité d'un pouvoir royal, puis impérial, incarné dans une famille et divisions territoriales entre collatéraux, au prix d'incessantes guerres anarchiques, dépose sa marque sur les processus de luttes de pouvoir. D'un côté se concrétise et se transmet l'idée d'un pouvoir supérieur exercé par un lignage royal authentifié par les Grands, — clercs et guerriers francs —, et la mémoire de ce pouvoir s'enracine dans le souvenir de la romanité occidentale, réactivée par le *regnum Francorum*. D'un autre côté le pouvoir effectif se dilue, l'espace géopolitique reste fractionné, de nouvelles entités relaient plus ou moins des configurations anciennes, parmi lesquelles des royaumes strictement francs au sens d'une implantation ethnique et culturelle. Entre ces espaces, les délimitations demeurent floues, fluctuantes. Nous ne devons jamais oublier, quand nous évoquons les entités géo-politiques des temps mérovingiens et carolingiens, qu'elles n'eurent jamais pour leurs contemporains, pour lesquels n'existait pas de représentation cartographique, la précision linéaire des reconstitutions à travers lesquelles nous les « voyons »!

Il n'est pas question de suivre dans le détail ces fluctuations politico-spatiales à travers lesquelles se prolonge l'existence des anciens royaumes romano-barbares. Au temps de Dagobert, dans la première moitié du VIIème siècle, de grandes unités se sont redessinées. L'*Aquitaine*, anciennement visigothique, est confirmée dans son individualité sous une pseudo-domination franque. Un royaume de *Bourgogne*, plus au moins soumis aux Francs, occupe le fragment septentrional de l'ancien royaume des Burgondes. La *Septimanie* rattachée au royaume visigoth d'outre-Pyrénées, la *Provence* et le pays des *Vascons* sont extérieurs à la domination franque. La

péninsule armorique de l'extrême-ouest, occupée depuis le
Vème siècle par les *Bretons* venus de (Grande) Bretagne n'a
jamais été conquise par les Francs.

Qu'en est-il alors des pays strictement « francs » ? Le
dualisme originel de la «Francie» (cf. *supra*, p. 110) a engendré
au cours des VIème-VIIème siècles l'émergence de deux
royaumes, *Austrasie* à l'est, *Neustrie* à l'ouest. Pour les couches
dirigeantes issues de la fusion gallo-romano-franque, la *Neustrie*, entre Somme et Loire est devenue le vrai pays des Francs,
nouveau territoire d'implantation de ceux qui se considèrent
comme les véritables héritiers des Francs. Grâce, notamment
au prestige de Dagobert — ou plutôt, comme l'a relevé Laurent
Theis, parce que la mémoire de ce roi, fortuitement enterré à
Saint-Denis, fut magnifiée par les évêques du VIIème siècle —,
la Neustrie devient le creuset d'une nouvelle « francité ». Une
aristocratie orgueilleuse, issue d'une symbiose culturelle unissant l'héritage sénatorial romain, les influences chrétiennes et
des traditions d'origine franque, se prévaut de sa supériorité [15].
Marquées par des souverainetés royales spécifiques, Neustrie,
Austrasie, Bourgogne s'inscrivent comme entités dans la longue durée, « ancrées plus fortement dans le sol que les grands
empires », écrit Werner [16].

La prise de pouvoir par les Pipinides — futurs Carolingiens — (cf. p. 116) est une revanche des Austrasiens sur les
Neustriens. L'Austrasie rhénane devient alors, avec la capitale
d'Aix-la-Chapelle, la base politique et stratégique du grand
*regnum* de Charlemagne, formellement héritier de l'Empire
romain après le couronnement de 800. Cependant Pépin, fils
de Charles Martel et père de Charlemagne, avait été éduqué
dans la basilique de Saint-Denis, dont Dagobert, ce roi poly-
game (comme Charlemagne), lié aux saints les plus prestigieux,
est désormais célébré comme le bienfaiteur. Dès lors une
symbiose nouvelle se réalise au temps des grands Carolingiens,
mêlant Austriens et Neustriens. Elle s'incarne dans l'existence
d'une nouvelle entité géographique, une nouvelle « Francie »,
entre Seine et Escaut, flanquée au sud-ouest d'une Neustrie
entre Seine et Loire et au nord-est d'une Austrasie traversée par
le Rhin. Cette « Francie » individualisée administrativement
dans l'empire de Charlemagne allait survivre en idée aux
désordres des partages carolingiens des IXème-Xème siècles.
L'espace compris entre Loire et Escaut restera, aux XIème-
XIIème siècles le pays franc par excellence, théâtre de la

primitive expansion territoriale des Robertiens, futurs « Capétiens », forts des titres prestigieux de marquis de Neustrie (vers 890) et de « duc des Francs » (en 936). Nous préciserons dans la troisième partie quelques épisodes de leur ascension vers le pouvoir (cf. p. 207-211).

### Du « Regnum Francorum » à la « Francia occidentalis »

La mémoire franque présente ainsi deux faces. Mémoire ethnico-culturelle d'une couche dirigeante de prélats et de guerriers (appartenant aux mêmes grandes familles), elle a désormais pour assise territoriale l'espace compris entre Loire et Escaut. Dans la mesure où, depuis Charlemagne, les évêques jouent un rôle décisif, les évêchés de Reims, Cambrai, Laon sont devenus le cœur priviligié du « pays franc » au Xème siècle [17].

C'est en même temps la mémoire d'un *pouvoir*. Fondé par Clovis, démesurément étendu par le grand Charlemagne, le *regnum Francorum* prolonge le souvenir de la romanité.

Mais voici que le *regnum* se fractionne solennellement, par traité, en trois dominations franques : occidentale, orientale, centrale. Nous verrons que le fameux traité de Verdun ne fut qu'un texte parmi d'autres mais réactualisé par les historiens au service des Robertiens-Capétiens (cf. p. 126). L'essentiel est que le partage entraîne une nouvelle notion de la *Francia*, un nouvel usage du mot, incarnant le fractionnement de la souveraineté globale des Francs : *Francia* occidentalis, *Francia* media, *Francia* orientalis.

Telle que délimitée par le traité de 843, la *Francia occidentalis* ou *Francia Tota* était bordée à l'est par les quatre fleuves Escaut, Meuse, Saône, Rhône, à l'ouest par la péninsule armorique restée extérieure au monde franc. Elle comprenait une partie du royaume de Bourgogne et englobait théoriquement l'Aquitaine qui avait eu pour roi un fils de Louis le Pieux (lui-même fils de Charlemagne) mais qui était pratiquement restée indépendante.

Ainsi dans l'imaginaire des couches dirigeantes, façonné par le lent écoulement des siècles, le mot *Francia* à l'ouest va connoter désormais deux significations : celle d'un espace territorial, réellement contrôlé par une aristocratie orgueilleuse se considérant comme franque, celle de la souveraineté supérieure (théorique dans les faits) du *regnum Francorum* conférée

solennellement au roi des Francs par cette même aristocratie.
Or, à l'est, la *Francia media* se décompose et sa partie septentrionale, la « Lotharingie » est absorbée, avec le titre impérial
par le royaume oriental. Mais paradoxalement, la notion de
*Francia* disparaît à l'est. Dans la deuxième moitié du XIème
siècle, on utilise désormais l'expression, de *regnum Teutonicum*,
par suite de déformation abusive du mot  *Tiutschi* (Deutche),
par lequel se désignaient les groupes ethniques parlant une
même langue populaire, la langue du peuple (tiut), la *theotisca
lingua* rapprochée arbitrairement du latin *Teutonici* désignant
un peuple de Germanie [18].

Le mot *Francia* au sens de la souveraineté héritée des
grands rois des Francs ne reste en usage qu'à l'ouest. Désormais des souverains non Carolingiens règnent à l'est (les
Otoniens) comme à l'ouest (les Robertiens-Capétiens). Cela
facilitera les manipulations du passé par les historiographes
dévoués à ces derniers. Ils pourront présenter les usurpateurs
capétiens comme descendants de Charlemagne, jouer sur le
double sens du mot *Francia*, et leur roi pourra s'approprier la
mémoire toponymique des Francs qui, à l'est, ne subsistera
qu'en « Franconie » !

### Des rois élus de Dieu

La chance historique des rois francs fut, sans aucun doute
d'avoir été reconnus et privilégiés par l'Église comme les
meilleurs défenseurs de l'ordre chétien menacé au Vème siècle
par les envahisseurs païens et les hérétiques visigoths ariens.
Ces derniers, qui avaient réussi à créer un royaume à cheval
sur l'Espagne et l'Aquitaine, étaient aux yeux de l'Église, les
plus menaçants pour la Gaule chrétienne. Clovis fut, pour les
prélats gallo-romains, l'instrument du salut.

#### CLOVIS LE PREMIER ROI CHRÉTIEN

Longtemps basée sur les récits plus ou moins fantaisistes
de Grégoire de Tours, l'histoire de Clovis, remarque K.
Werner, est difficile à dégager de sa version « poétique » [19].
L'essentiel, pour notre propos, est d'indiquer quelques repères
nous permettant de comprendre comment le « légendaire »,
intimement lié au rôle historique des rois francs, s'est construit
à partir du règne de Clovis. Dans l'enjeu d'une hégémonie, les
Visigoths étaient les ennemis inévitables des Francs. Mais ils

étaient hérétiques, ariens, et la victoire de Clovis, premier roi franc converti au christianisme, fit de lui, aux yeux des évêques, une réplique de l'empereur Constantin : instrument de Dieu pour la conversion des Barbares, comme Constantin l'avait été pour la conversion des Romains, même si l'évangélisation en Gaule demandera encore des générations.

Grégoire, évêque de Tours dans le dernier quart du VIème siècle, d'origine sénatoriale romaine, historien des luttes de l'Église contre les hérétiques, se fait le chantre du premier roi chrétien. Il jette les bases de ce qui deviendra la saga des rois francs, puis l'histoire des rois de France et enfin l'histoire de France. Obsédé par le danger que représente l'Espagne visigothique, Grégoire célèbre le nouveau Constantin, brode sur les souvenirs de Clotilde, invente la légende selon laquelle Dieu aurait promis la victoire à Clovis, menacé par les Alamans, à condition qu'avec son peuple il se convertisse au Christ [20].

Les historiographes des Carolingiens puis des Capétiens vont enjoliver, pour les besoins de leur cause, les récits de Grégoire. Et Clovis, dont les vertus guerrières n'avaient jamais été mises en doute, deviendra, au XIVème siècle, l'archétype du roi très-chrétien, « saint Clovis » (cf. *infra,* ch. 7, p. 131) [21].

## CONSÉCRATION DES CAROLINGIENS

Entre le VIème et le Xème siècle, trois dynasties, trois familles de rois francs se succèdent dans l'héritage de Clovis, la domination sur le *regnum Francorum,* puis l'exercice de la royauté sur la *Francia occidentalis.* Mais chaque changement de lignage est une usurpation et il faut des subterfuges, des arguments pour justifier la nouvelle famille royale. C'est à quoi s'emploient les conseillers et les supporters (généralement ecclésiastiques) des bénéficiaires — carolingiens puis robertiens — de l'usurpation. Par leur plume ils vont construire un corps d'affirmations, de traditions et de récits qui convergent dans le même sens : le caractère exceptionnel des rois francs, la divinité de leur mission, la supériorité de leur pouvoir, la *continuité* imaginaire du lignage.

Quand les Pippinides se substituent aux Mérovingiens, le roi, héritier de la conception romaine, est *princeps,* « prince », source de tout pouvoir. Roi franc, il doit être élu par les Grands, porté sur le pavois. Protecteur des chrétiens, il doit être reconnu par l'Église, les grands seigneurs ecclésiastiques qui appartiennent à l'aristocratie gallo-franque singularisée par plusieurs siècles de mélanges inter-culturels. Dans le contexte

précédemment évoqué des grandes entités régionales (cf.
p. 106-108, 111-112), le remplacement des Mérovingiens par les
Carolingiens consacre le triomphe momentané des Austrasiens
sur les Neustriens. Mais les Pippinides vont surtout triompher
par un audacieux renforcement de la symbolisation chrétienne
du pouvoir.

C'est par un véritable « coup d'État » que Pépin, fils de
Charles Martel, lui-même bâtard du maire du palais d'Austrasie Pépin de Herstal, se fait élire *roi des Francs* à la place du
dernier représentant des Mérovingiens. Il convoque l'assemblée des Grands à Soissons en novembre 751. Fort de l'appui
du pape, par une cérémonie jusque-là inconnue en Gaule, il se
fait *sacrer* avec de l'huile sainte par les évêques présents à
Soissons, conduits par saint Boniface.

L'appui décisif de l'Église à la nouvelle monarchie fut
confirmé, après négociation avec le pape Etienne II, par la
venue de ce dernier dans l'église abbatiale de Saint-Denis. Il
renouvela le sacre de Pépin et procéda à celui de ses fils
Charles, futur Charlemagne, et Carloman. « La royauté de
droit divin était née. Celui qui, aux yeux des autres familles
aristocratiques du royaume, avait pu apparaître comme un
usurpateur, se montrait désormais, et ses descendants en même
temps que lui, comme l'élu du Dieu des chrétiens » [22].

L'Église créait ainsi une nouvelle race royale et sainte. Son
berceau était l'Austrasie, mais Pépin, en 768, se fit transporter
à Saint-Denis pour y mourir et y être inhumé. Il ordonna à ses
fils de construire une église plus belle et plus grande que celle
de Dagobert. Ainsi se noua, autour des premiers Carolingiens,
la symbolique des tombeaux des rois à Saint-Denis, qui devait
favoriser le mélange entre Austrasiens et Neustriens, contribuer au développement d'une seule « Francie » entre Seine et
Rhin et consolider saint Denis comme patron des rois francs.
Il le restera jusqu'au XVème siècle. (cf. p. 129) [23]

Les Carolingiens doivent leur prestige à l'idée de la
mission confiée par Dieu à la royauté franque dans le contexte
du monde catholique latin. Le mythe franc d'une mission
divine par le miracle du sacre et d'une origine immémoriale
aux sources de la plus haute Antiquité — l'origine troyenne —
s'organise autour de leur dynastie. Salué par Alcuin en 795,
Charlemagne est le nouveau David choisi par Dieu : « Un
autre David est maintenant notre chef. Il inspire la terreur aux
nations païennes. Il est un guide dont la dévotion ne cesse de

fortifier, par sa fermeté évangélique, la foi catholique contre les adeptes de l'hérésie ». Les rois des Francs désormais seront représentés de façon symbolique par les rois de l'Ancien Testament et les Francs eux-mêmes vont y gagner l'auréole d'un peuple élu [24].

Alors intervient de façon décisive, dans le processus historique, la mémoire qui s'écrit et s'organise autour de ce pouvoir miraculeux. L'ancienneté, la continuité et la grandeur des exploits et de la mission divine du roi des Francs deviennent le socle imaginaire de leur légitimité. Et le nouvel usurpateur, le Robertien-Capétien, justifiera sa prise de pouvoir en l'inscrivant dans la continuité mystique de l'héritage de Clovis et de Charlemagne.

### De Grégoire de Tours aux Grandes Chroniques de France : *le corpus légendaire des rois de France*

Dans son beau livre *Histoire et culture historique dans l'Occident médiéval*, Bernard Guénée a souligné la relation entre le développement d'un pouvoir et l'existence d'un support, d'une culture historique exaltant ce pouvoir. La présence ou non de centres historiographiques, généralement monastères chargés de collationner et compiler les textes, est un facteur non négligeable dans la croissance ou le déclin d'une aire culturelle et dans l'avènement d'une nation au sens moderne d'une communauté consciente et organisée autour d'un État et d'un territoire. Le déclin du midi aquitain et plus particulièrement d'une culture historique aquitaine pourraît être lié au fait qu'au XIIème siècle le réseau des centres historiographiques y était moins dense qu'au nord de la Loire et surtout de la Seine. Au contraire la montée de la puissance capétienne ne peut être dissociée de la migration, en ce même XIIème siècle, de la grande tradition historiographique forgée autour de la mémoire franque, de Fleury à Sens, puis de Sens à Saint-Denis [25].

Nous touchons ici à l'intime complexité du rapport qui s'est progressivement construit entre le pouvoir exercé par les rois francs et les récits et gloses qu'en ont établi leurs serviteurs, généralement ecclésiastiques, les seuls capables d'écrire, donc d'écrire l'histoire, durant les sept siècles qui séparent les *Histoires* de Grégoire de Tours des *Grandes Chroniques de France* en langue vulgaire du XIIIème siècle.

Et ce rapport nous concerne directement, car les *Grandes Chroniques* inspirèrent largement les annales, chroniques et abrégés des siècles ultérieurs, à travers lesquels se concrétisa une « matière » de France indissolublement liée à l'histoire des rois. Cette dernière, nous le verrons, sera intégrée à la mise en perspective du passé par les historiens libéraux du XIXème siècle, piliers de la légende nationale popularisée par l'école républicaine (cf. schéma, p. 160).

Comment s'est constitué ce corpus, comment s'est élaborée cette mémoire des rois des Francs, socle primitif et exclusif de l'imaginaire du passé « français » ?

Les *Grandes Chroniques de France* sont la traduction, en langue vulgaire de Paris, d'un ensemble de textes antérieurs rédigés en latin. Elle fut réalisée dans l'abbaye de Saint-Denis à partir de 1274. La plupart des textes provenaient du monastère de Fleury (aujourd'hui Saint-Benoît-sur-Loire). Le rôle de l'*abbaye de Fleury* est inséparable de l'avènement de ces nouveaux usurpateurs que furent les Robertiens-Capétiens [26].

Ayant substitué leur royauté à celle des Carolingiens descendants de l'inoubliable Charlemagne, les usurpateurs capétiens (ou plutôt leurs conseillers) sentirent le besoin d'inspirer des histoires qui démontraient que, par delà les Carolingiens, la légitimité des Robertiens remontait à Clovis. Tel fut l'objet des travaux de Richer, moine de Saint-Rémi de Reims et surtout d'Aimoin, abbé de Fleury et féal de Robert II le Pieux, le fils d'Hugues Capet. Le monastère se situait dans la mouvance des terres dominées par les Robertiens depuis un siècle (cf. *infra*, p. 209-211).

Sous la direction des abbés de Fleury, les moines se livrèrent à de longs travaux de compilation et d'écriture dans leur *scriptorium* que l'on peut imaginer analogues à celui que décrit Umberto Ecco dans *Le Nom de la rose* et — pourquoi pas ? — à l'image qu'en donne Jean-Jacques Annaud dans son film! Il en résulta, autour de l'an mille, une *Historia Francorum* inspirée par Aimoin de Fleury. Elle rassemblait tous les éléments des textes antérieurs démontrant que, depuis Clovis, les rois francs étaient investis d'une mission supérieure de défenseurs de la chrétienté.

Les prédécesseurs des abbés de Fleury, au service des Carolingiens, dont ils avaient voulu assurer la légitimité comme successeurs des Mérovingiens, avaient affirmé que le saint chrême qui servait au sacre des nouveaux élus de Dieu était celui du baptême de Clovis. Ils avaient aussi rehaussé le prestige des Francs par la légende de leurs origines troyennes (ce qui indique que la culture antique restait une référence prestigieuse). Les grands textes amalgamés par les moines de Fleury réactualisèrent, pour la gloire des rois capétiens, les grands mythes de la mémoire franque.

— Les *Histoires* de Grégoire de Tours, rédigées pendant la deuxième moitié du VIème siècle, inspiraient le récit de la promesse par Clovis de se convertir s'il triomphait des Alamans en 496, situaient le baptême à Reims et célébraient la victoire du « nouveau Constantin » sur les Visigoths hérétiques à Vouillé.

— La *Vie de saint Rémi* par Hincmar, archevêque de Reims, mort en 882, avait transformé le baptême de Clovis en sacre royal : une colombe aurait apporté du ciel le saint chrême nécessaire à l'onction. Hincmar faisait d'une pierre deux coups : il instituait son église de Reims comme lieu du sacre; il enracinait la pratique carolingienne du sacre dans un passé mystique, jetant ainsi les bases de la future religion royale autour des prérogatives sacrées des rois de France [27].

— Une *chronique du VIIème siècle*, dite aujourd'hui du *pseudo-Frédégaire*, avait introduit la légende de l'« Origine troyenne des Francs », sous couvert d'une « histoire des Francs ». Priam y était décrit comme le premier roi des Francs. Partis après la destruction de leur ville, sous la direction de leur chef Friga, frère d'Enée, les Troyens s'étaient réfugiés en Macédoine. La chronique introduisait le personnage de *Francion*, fils de Friga, fondateur d'un puissant royaume entre Rhin et Danube. Son ardeur au combat l'aurait fait désigner comme *franc*, « féroce ».

Vers 727 une autre chronique, *Gesta regum Francorum*, parlait de la fondation du royaume de *Sycambria* sur le Danube. Dans cette chronique les Francs, après avoir refusé de payer un tribut aux Romains, s'étaient installés en Germanie, et *franc* signifiait « libre de tout tribut ».

La légende de l'origine troyenne des Francs, profondément implantée, ne sera véritablement ébranlée qu'au XVIème siècle (cf. *infra*, ch. 8). Elle s'enjolivera au fil des siècles de nombreux détails. Le personnage de Francion, fils de Friga, fut retenu par Aimoin de Fleury et passa dans les *Grandes Chroniques*, aux côtés du légendaire *Pharamond*, premier roi des Francs [28], qui figure encore dans une réédition de 1838 de l'*Histoire de France* de Le Ragois (cf. chronologie en annexe)

— L'*Histoire des Francs* d'Aimoin de Fleury, un moment abandonnée fut continuée à la fin du XIème siècle dans l'abbaye de Saint-Germain-des-Prés, puis dans celle de Saint-Denis par les bons offices de Suger. Entre-temps Helgaud de Fleury avait rédigé une *Vie de Robert le Pieux* qui se voulait hagiographique. Suger sut faire comprendre au roi Louis VI l'importance de l'histoire. Il « fonda pour la plus grande gloire de Dieu, de saint Denis et du roi capétien l'école historiographique dyonisienne, qui prit, sous le règne de Philippe-Auguste, un essor décisif » [29].

— Une fois traduites en langue vulgaire, *Les Grandes Chroniques de France* allaient fortement contribuer à rassembler les élites se considérant comme « françaises » dans l'imaginaire d'une mémoire commune, la mémoire des rois des Francs, devenus officiellement « rois de France » en 1254. (cf. p. 127).

Dans le roi, Suger, l'abbé de Saint-Denis, voyait non seulement l'héritier de la grandeur et de l'unité carolingienne, mais un foyer d'amour divin, un être supérieur à tous les autres, véritable incarnation de Dieu [30]. Les temps étaient mûrs, parallèlement à l'accroissement du pouvoir royal, pour une religion de la personne sacrée du roi et de ses emblèmes.

A l'appel de l'Église partout présente, les habitants du royaume, du plus humble au plus noble, vont, par la prière, unir dans le ciel invisible Dieu, Jésus, le roi et ses saints.

## Chapitre 7

# LA RELIGION ROYALE. LA « DOUCE FRANCE »

Le découpage classique de l'histoire de France — Antiquité, Moyen Age, Temps modernes, Époque contemporaine, avec, en amont, la « préhistoire » — raboute en une ligne du temps soi-disant continue des durées parfaitement hétérogènes : centaines de milliers d'années pour la préhistoire, milliers d'années pour l'Antiquité, dix siècles de Moyen Age (si on le fait commencer au VIème siècle), trois siècles pour les Temps modernes, deux pour l'époque contemporaine! Ce découpage est absurde; il contredit le sens courant des adjectifs « moderne » et « contemporain ». Mais surtout il bloque la compréhension des évolutions qui ne peuvent s'expliquer dans ce mélange des durées.

On apprend à l'école à distinguer les grammes et les tonnes. Mais on continue, en histoire, à mélanger les étalons du temps dans les évocations du passé. Et pourtant, de même que les cartes figurent des réalités différentes selon leur échelle, le passé ne se lit pas de la même façon quand varie l'unité de temps à travers laquelle on le saisit. Les phénomènes de longue durée, comme tous ceux qui concernent le domaine de l'imaginaire, nécessitent, pour être clarifiés, un rigoureux étalonnage du temps. La mesure du *siècle* semble pertinente pour comprendre le processus d'« invention de la France ».

A travers les textes qui l'ont portée et amplifiée, la mémoire mythique des rois des Francs s'est déployée du VIème au XIIème siècle, enracinant en elle la « continuité » des trois dynasties. Le XIIIème siècle apparaît comme une charnière dans la transformation de l'imaginaire franc en imaginaire de la France.

Parallèlement à l'extension de sa domination territoriale et politique, le roi, désormais, condense dans sa personne des pouvoirs miraculeux, que célèbre une religion royale. Ce siècle est aussi celui du changement de titre du roi, qui cessant d'être roi des Francs, devient officiellement « roi de France », ce qui permet l'amalgame des deux notions de la *Francia* — territoire des Francs; espace de pouvoir des rois des Francs —. Tandis que, par leur succès, les *Grandes Chroniques* popularisent dans les milieux instruits une « matière de France », l'usage de plus en plus répandu à l'écrit des langues vernaculaires (langues parlées) à la place du latin banalise les mots « France », « Franceis ». Et la mémoire des exploits guerriers des Francs que les croisades réactualisent est transférée sur les « Franceis », qui s'écriront « François » au XVIème et jusqu'au XVIIIème siècle (prononcé *françoué* puis *francè* dans la langue de Paris) *.

### Les Francs agents de Dieu

Les croisades sont un tournant dans l'image que les Francs ont d'eux-mêmes. La littérature les berce de leurs hauts faits au service de Dieu et de la vraie foi.

Les croisades ont fait l'objet de récits en latin exaltant à travers les « Francs » la chrétienté toute entière. Même si les *Gesta Dei per Francos* de Guibert de Nogent n'ont pas connu, en leur temps, de succès notoire [1], l'idée s'est répandue au XIIème siècle que les *Franci* l'emportaient par la foi sur les autres peuples. Mûs par le doigt de Dieu, les Francs sont un peuple saint auquel est réservé un rôle à part. La nation franque est « élue par Dieu et séparée de toutes les autres nations tant pour l'agrément de son site que pour la ferveur de sa foi et sa dévotion à l'Église » [2].

Mais ces *Franci,* ces Francs, qui désignent-ils ? Les croisades ont entraîné une confusion entre les croisés et les Francs, ou plutôt les guerriers francs. Bien que juxtaposant des corps de chevaliers d'origine diverse, Normands de Sicile, Tarentais,

---

* L'écriture du mot fit l'objet de débats aux XVIIème et XVIIIème siècles. Racine tenait pour le maintien de *françois*. D'Alembert pensait que *francès* était l'écriture la plus conforme à la prononciation. Voltaire insiste pour *français* (*Dictionnaire* LITTRÉ, p. 1767). Quoiqu'il en soit, les écrivains du XVIème et XVIIème siècle désignaient ceux que nous appelons les « Francs », par le mot « François », que les textes imprimés d'aujourd'hui transposent généralement en « Français » : ce double télescopage d'une évolution à la fois politique et sémantique est révélateur de la confusion historique!

Aquitains, Bavarois, etc.. — Godefroy de Bouillon lui-même n'était-il pas duc d'une Basse Lorraine extérieure à la *Francia occidentalis* ? — les expéditions en Terre sainte furent globalement imputées aux « Francs ». Les Arabes les nomment ainsi dans leurs chroniques. Dès juillet 1096, le jeune sultan turc Kilij Arslan craignait le pire en apprenant qu'une immense foule de *Franj* était en route vers Constantinople. « Regardez les Franj! Voyez comme ils se battent pour leur religion, alors que nous, les musulmans, nous ne montrons aucune ardeur à mener la guerre sainte » s'exclamait plus tard Saladin [3].

Parmi les récits épiques qui, alimentés par les croisades, chantent les exploits des Francs contre les Infidèles, la *Chanson de Roland* contribua fortement, par sa célébrité, à façonner cette mémoire guerrière des Francs qui se glorifient de leurs combats.

Francs ou « Français » ? Rappelons en passant que le manuscrit le plus anciennement connu de la *Chanson de Roland* — un manuscrit d'Oxford du dernier quart du XIIème siècle — est écrit en *anglo-normand*. C'est donc par un franco-centrisme abusif, qu'un manuel la désigne comme « la plus ancienne et la plus belle de nos chansons de geste », premier texte des « grands auteurs français » [4]. Dans le texte les mots « Francs », « Franceis », « France » alternent. « Charles empereur de la douce France est venu nous écraser dans notre propre pays » déplore dès la 17ème ligne l'empereur Marsile de Saragosse.

> Li empere Carles de France dulce
> En cest païs est venu cunfundre.

Et Blancandrin, « l'un des plus sages parmi les païens », d'une ligne à l'autre confond Francs et Franceis.

> L'ost des Franceis verrez sempres desfere
> Francs s'en irunt en France la lur tere * [5]

Quant au mot « France », il mêle anachroniquement, dans ce texte du XIIème siècle qui évoque le temps de Charlemagne, « le pays des Francs à Aix-la-Chapelle »,

> — En France ad Ais s'en deit ben repairer —

---

* « Vous verrez tout aussitôt l'armée des Français se disloquer. Ils s'en iront en France, leur véritable pays ».

et l'image que les contemporains se font de la « France ». Les historiens eux-mêmes, et les auteurs de récits sur les croisades, ne se privaient pas de mélanger termes anciens et nouveaux, préférant projeter dans le passé les mots en usage au présent. Ainsi, évoquant des temps antérieurs, ils disaient Turcs pour Parthes, Normandie pour Neustrie, Lorraine pour Austrasie * [6]. Les déplacements de signification du mot *Francia-France* rendent ambiguë la « France » de la Chanson de Roland.

Ainsi, au tournant du XIIème et du XIIIème siècle, quand les langues parlées cristallisent dans des textes, « Franc » tend à être remplacé par « Franceis », l'usage du mot FRANCE se répand, mais les significations sont indécises. Et les auteurs des siècles ultérieurs ne contribueront pas à la clarification. Les textes du XVIème et du XVIIème siècle désignent les anciens Francs par le mot « François » [7]. « Étant donc les François arrivés dans les Gaules et s'en étant fait maîtres et patrons », écrit en 1560 Étienne Pasquier [8].

### Langues « françaises » et « France » au XIIIème siècle

Le XIIIème siècle est aussi celui qui, avec le développement de la prééminence capétienne voit se répandre la langue parlée à Paris, le « français » de Paris. Paradoxalement son emploi international précède son extension dans le royaume. Comme la plupart des configurations politiques de la chrétienté, la *Francia occidentalis* est multilingue. A la périphérie, on parle le breton, le flamand, le basque qui mordent à l'intérieur de la *Francia*, à partir de territoires qui lui sont extérieurs. Une ligne partage le reste en deux grands domaines linguistiques d'oc et d'oïl. Elle part de l'estuaire de la Gironde, contourne le nord du massif Central, redescend sur le Rhône vers Tournon. Dans chaque domaine se différencient de multiples parlers comme le montre la carte ci-après.

Les parlers du sud-ouest du domaine d'oïl (Poitou, Angoumois, Saintonge) portent la marque d'une forte influence occitane et semblent avoir été conquis par la langue du Nord entre le Xème et le XIIIème siècle. La langue d'oïl se diversifie en wallon, picard, champenois, normand... [9].

---

* La projection cartographique de la « France » du XXème siècle dans un passé lointain procède de la même démarche.

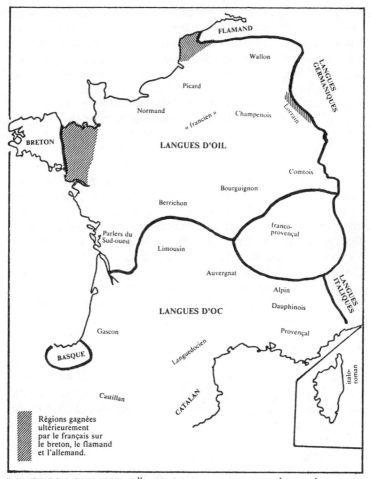

LANGUES ROMANES (OÏL ET OC) ET LANGUES PÉRIPHÉRIQUES
AUX XIème et XIIème SIÈCLES

Mais qu'est-ce que le « français » proprement dit ? C'est la langue dérivée du « francien * », le dialecte qui s'est différencié dans l'espace de la petite « Francie », plus particulière-

---

* Terme inventé par les linguistes du XIXème siècle.

ment entre Somme et Loire et plus précisément aux Xe-XIèmes siècles dans les terres passées sous la domination robertienne. En un temps où les codes de langues ne sont nulle part rigoureusement fixés, les productions littéraires elles-mêmes se font en dialectes variés, que l'impérialisme culturel du français-francien a eu tendance à s'annexer ultérieurement (de même que nous appelons et cartographions « françaises » toutes les régions actuelles de l'hexagone dans un passé où cela ne rime à rien). Ainsi la production littéraire apparaît-elle comme principalement anglo-normande aux XIème et XIIème siècles, picarde autour d'Arras au XIIIème siècle avec le *Roman de Renart*, les écrits de Jean Bodel, Adam de la Halle, champenoise, au XIIème siècle encore, avec Chrétien de Troyes, Thibaut de Champagne, Villehardouin, bourguignonne à la cour des ducs et même wallone dans le duché de Bourgogne du XVème siècle [10]. Le dialecte « francien » ne s'impose que lentement comme langue de Paris, langue du roi. Il lui fallut, dit Colette Beaune, être fortement valorisé pour pouvoir envisager de devenir langue commune [11]. Dans les pays du Sud la langue de l'administration royale reste le latin, celle des registres urbains et des actes privés est d'oc.

La métamorphose des « Francs » en « François » n'est donc pas aisée à saisir. Et la manière dont le « francien » s'est peu à peu substitué aux autres dialectes de langue d'oïl dans les textes littéraires a été masquée par l'impérialisme culturel qui a accompagné le développement de la monarchie absolue au XVIème siècle et qu'ont relayé la conception centralisatrice et l'impérialisme linguistique « républicains ».

Par contre la consécration d'un *royaume de France* issu de la fusion des deux *Franciae*, la « Francie »-territoire de l'ethnie franque, espace d'occupation ancienne des Francs, et la grande *Francia*, royaume occidental issu du partage de l'ancien *regnum Francorum* se lit clairement dans les textes. D'après Colette Beaune, la *Francia* au sens de la *Francia occidentalis* n'apparaît que dans la deuxième moitié du XIème siècle. L'idée que celle-ci est née dans le partage de 843 serait une assertion de l'abbé de Fleury, Hugues, dans une *Chronique universelle* des environs de 1100. L'affirmation que, depuis 843, « existe » une grande *Francia occidentalis*,serait donc encore la projection d'une conception ultérieure formulée aux XIe-

XIIème siècles, destinée à renforcer la légitimité des Capétiens ! Quoiqu'il en soit, au XIIème siècle, *Francia* désigne encore rarement l'ensemble du royaume, on emploie dans ce sens l'expression *Francia tota*. A partir du règne de Philippe Auguste, ajoute Colette Beaune, *Francia* tend à désigner l'ensemble du royaume. En 1254, le *rex Francorum* devient officiellement *rex Franciae* [12].

Entre-temps le domaine royal, domaine de « France » au sens restreint, s'est considérablement étendu au sein de la *Francia tota*. Ainsi l'espace plus ou moins imaginaire de la domination des rois francs, enracinée dans la mémoire du *regnum* de Clovis et Charlemagne, est-il définitivement relayé par un espace réel, le « royaume de France ». Au milieu du XIIIème siècle, le « royaume de France » a donc pris un sens nouveau qui superpose l'espace géographique et l'espace du pouvoir.

N'imaginons pas cependant que les rois eux-mêmes aient eu une claire vision de la géographie de leur royaume. Au début du XIVème siècle « le roi de France est dans l'impossibilité de se représenter l'étendue et les limites exactes de son domaine comme de son royaume, inextricable enchevêtrement de terres et de droits » [13]. Il ne dispose en effet toujours pas de cartes mais de listes de terres et de propriétés. La notion de frontière reste celle de région et non pas de ligne. Nos modernes cartes historiques sont anachroniques par rapport à la vision des hommes de ce passé.

Pourtant le roi poursuit inlassablement l'extension de son royaume. Son image de roi très chrétien le sert et s'en trouve grandie tout à la fois.

### Le roi très chrétien et ses symboles

En même temps qu'il devient roi de France, le souverain capétien s'emploie à ajouter de nouveaux symboles à ceux que les siècles antérieurs ont créés et qui font de lui le continuateur de Clovis et de Charlemagne. La sainteté de son lignage, la supériorité de son élection divine vont apparaître dans une multiplicité de signes, dont l'ensemble constitue la religion royale [14].

#### — LE SANG ROYAL

Les Carolingiens avaient eu à cœur de démontrer qu'ils descendaient d'une sœur imaginaire de Dagobert. Les Capétiens éprouvèrent le même besoin de se légitimer par rapport aux Carolingiens. On a vu que, dès la fin du Xème siècle, Aimoin de Fleury s'était chargé de récapituler l'histoire des rois des Francs de Clovis aux Robertiens. Au XIIIème siècle les mariages de Louis VII avec Adèle de Champagne et de Philippe Auguste avec Isabelle de Hainaut permettent d'introduire le thème du retour du royaume à la race de Charlemagne, qui triompha au milieu du XIIIème siècle. « Ainsi les rois qui règnent aujourd'hui descendent à la fois du sang d'Hugues Capet, comte de Paris et du sang de Charlemagne » dit un texte de la fin du XIVème siècle. Au XVème siècle le problème se compliqua, lorsque les Valois, voulant prouver leur légitimité face aux prétentions anglaises manipulèrent d'anciens textes germaniques pour fabriquer la « loi salique », excluant les femmes de la succession et proclamée loi constitutive du royaume. Au XVème siècle on se réfugia dans des formules vagues : « Ensuite vinrent au trône les Capétiens qui étaient apparentés aux Carolingiens ».

Le thème d'un sang royal, unique et sacré, — « une théologie du sang de France », selon l'expression de Colette Beaune —, fut popularisé. Coïncidant avec le développement parallèle d'un culte du sang du Christ dans toute la chrétienté latine, l'idée que le sang des rois est saint et miraculeux sert plus ou moins consciemment les desseins politiques des rois de France face à l'empereur ou au pape. Elle coïncide avec le moment où Philippe Auguste ne juge pas utile de faire sacrer son fils de son vivant et où il se fait reconnaître comme Carolingien. La *Carolide*, texte dédié à l'enfant royal, célèbre « l'héritier du sang, ce sang dont la vertu te fera roi, rejeton d'une race sainte qui comme le bon arbre donnera de bons fruits ». Le sang royal est tabou, comme le sang du Christ, nul ne doit le toucher. Il est saint. A partir de Louis VIII, la plupart des rois de France et leur lignée, sont considérés comme saints, tendance qu'accentue la canonisation de Louis IX.

Le sacre reste jusqu'au XVème siècle la plus significative des manifestations symboliques de l'élection divine du roi très chrétien [15].

## — LE SACRE ET LES REGALIA

Inauguré par Pépin, le sacre, signe par excellence de la main de Dieu, baigne dans un halo de plus en plus merveilleux. Le saint chrême qui sert à l'onction royale est conservé dans une ampoule de l'église de Reims. On se souvient de la manière dont Hincmar, évêque de Reims, avait, au IXème siècle, transformé en sacre le baptême de Clovis (cf. *supra,* ch. 6, p. 119). Dans l'ampoule conservée à Reims le niveau du saint chrême ne baisse jamais. Le miracle est admis par tous et même les clercs étrangers doivent constater que l'onction du roi de France est une cérémonie pas comme les autres, « car en toutes autres régions, les rois doivent leur fonction acheter en la mercerie » ! [16]

Le sacre a conféré à Reims une importance symbolique, qui se manifestera dans celui de Charles VII conduit par la Pucelle. Il se déroule dans un réseau de symboles et il se règle par tout un cérémonial, l'*ordo*, qui définit les conditions du sacre, l'organisation du festin auquel les habitants de Reims et la population voisine doivent contribuer par des dons de nourriture.

Les *regalia* sont les accessoires royaux indispensables au sacre : oriflamme, couronnes, sceptres, mains de justice, conservés dans l'abbaye de Saint-Denis. Autour de ces objets la légende tisse ses mystères. Colette Beaune donne des exemples des enjeux qui se glissent autour de la conservation à Saint-Denis des couronnes des rois et des reines enterrés. Les supercheries ne manquent pas, car le choix de la couronne mêle le politique et le sacré. A partir de 1300, les rois choisissent entre une couronne attribuée à saint Louis (et qu'il a sans doute portée) et une couronne que Charlemagne est supposé avoir laissée à l'abbaye de Saint-Denis, en vertu d'un faux capitulaire de 813, fabriqué à Saint-Denis vers 1160! La couronne de « Charlemagne » l'emporte fin XVème-début XVIème siècle, quand les rois de France ont des ambitions impériales [17].

## — SAINT DENIS PATRON DE LA COURONNE

L'abbaye de Saint-Denis sert de nécropole aux rois. Dagobert, Pépin le Bref, Charles le Chauve y sont enterrés. Et du début du IXème au début du XVème, saint Denis est le patron des rois [18]. On s'interroge sur son identité. Est-il ou non ce Denys l'Aréopagite que saint Paul lui-même a converti à Athènes ? Il est en tout cas l'évangélisateur des Gaules. A partir du XIème siècle, l'abbaye, devenue grand centre historiographique, s'identifie avec la royauté et, malgré les doutes, saint Denis est officiellement confondu avec l'Aréopagite.

Patron du roi, il le protège contre les blessures et la maladie. Au moment de sa mort, il aide son âme à gagner le ciel. Les visions de Dagobert, Charles Martel, Charlemagne, Charles le Chauve, Philippe Auguste témoignent de la manière dont il leur a évité l'enfer. Patron du peuple franc, quelle a été l'étendue de son action évangélisatrice ? Est-ce seulement la petite « France », correspondant à la réalité du domaine royal, du temps de Suger et Louis VI, quand l'abbaye s'associe intimement à la royauté ? Mais au début du XIVème siècle, quand le royaume s'est étendu à la *Francia tota*, on invente des subterfuges pour couvrir l'ensemble de la France : soit on adjoint à saint Denis de nombreux compagnons, soit on affirme que, de Paris, la foi a dérivé dans tout le royaume.

Mais saint Denis ne se relèvera pas de sa « trahison », lorsqu'entre 1418 et 1435, il se rallie au duc de Bedford et au roi Henri VI d'Angleterre. Charles VII est sacré à Reims, sans les *regalia* de Saint-Denis. L'abbaye paye ses sympathies anglo-bourguignonnes : le royaume de Bourges avait prouvé que la royauté pouvait créer ses *regalia* en dehors d'elle. L'oriflamme qu'avait arboré Louis VI en 1124 et qui était le drapeau de l'abbaye de Saint-Denis fut définitivement remplacée par le drapeau à croix blanche. Le roi n'avait plus besoin de l'abbaye. Les liens entre le roi et son saint patron se distendirent. Les saints de rechange ne manquaient pas. Saint Clovis, saint Charlemagne, saint Louis entourèrent le roi, patronages d'autant plus prestigieux qu'ils le précédaient dans la lignée royale.

Marqué du sceau de Dieu par le sacre, accompagné d'une pléiade de saints personnages, célébré en toute occasion par l'Église, vénéré dans de nombreux sanctuaires, le roi de France est l'objet d'une véritable religion, la religion royale. Celle-ci se mêle intimement à la foi catholique. C'est elle — et non pas le « patriotisme » —, qui explique Jeanne d'Arc [19].

### *Jeanne et ses saints* [20]

Comment comprendre, en effet, les mobiles et l'inspiration de Jeanne d'Arc dans son dessein d'aller vers le Dauphin et de le mener se faire sacrer à Reims ? Entre le roi et la population du royaume, en très grande majorité illettrée et donc de culture orale et visuelle, des liens se sont tissés par des symboles, des fêtes, des sanctuaires, inséparables de la foi chrétienne. L'Église joue le rôle de *media* pour tous les hommes et femmes qui se pressent aux porches des églises, sur lesquels est sculptée la merveilleuse histoire de Dieu et de ses saints. « Le principal moyen d'atteindre le plus grand nombre au Moyen Age, écrit Colette Beaune, est incontestablement la religion. Seule l'Église pouvait fournir à la royauté des moyens de diffusion gratuits, répartis sur tout le territoire, media religieux d'un sentiment national qui était très proche d'une théologie et d'une mystique ».

Dans chaque village, il y a un représentant de Dieu — le prêtre —, un sermon hebdomadaire, des statues des saints patrons des rois. L'amour du roi s'intensifie et se resserre autour d'objets symboliques comme les lys de France, qui jouent un rôle éminent à partir du XIIème siècle, en même temps que se développe le culte de la sainte Vierge. Les lys ornent les armoiries des rois de France, — les armoiries sont utilisées en Occident à partir du XIIème siècle. La fleur de lys apparaît très progressivement sur l'or et l'azur des couleurs royales.

Aux XIème-XIIèmes siècles, la théologie mariale répand l'idée de la Vierge-lys dispensatrice de grâce. Parallèlement les rois développent une dévotion à la Vierge et mêlent leur fonction d'intercesseur auprès de Dieu à celle de la mère de Jésus. Les lys de la Vierge et les lys royaux s'interpénètrent, fusionnent les symboliques politique et religieuse. Blanche est la virginité de Marie, le blanc est la couleur royale : les lys royaux or et azur proviennent des lys blancs que les exploits guerriers des rois francs ont dorés. Au XVème siècle le lys royal et le lys marial sont confondus dans une même louange. Satan (l'Anglais) s'attaque au lys, Vierge et Roi, que Dieu a fait croître. Le lys est à la fois la Vierge que tous doivent prier et le Roi qui, par ses vertus, accèdera à la béatitude. La piété de Jeanne d'Arc ne pouvait les séparer.

Aux XIVème et XVème siècles, les saints se sont multipliés. La symbolique des lys a renforcé la dévotion à « saint Clovis », dont le personnage s'est idéalisé et apuré pour devenir saint à la fin du XIVème siècle. Nul ne doute plus du miracle de son baptême, il est le premier à avoir porté les insignes sacrés de la royauté, oriflamme et lys. Les sanctuaires où son culte est célébré sont nombreux, mais pas toujours discernables aujourd'hui, car saint Clovis est souvent confondu avec saint Louis, qui jouit d'un culte officiel depuis le début du XIVème siècle. Au XVème, le culte de Clovis, suit le déplacement du roi chassé de la région parisienne et émigre dans le Sud, à Moissac, Sainte-Marthe-de-Tarascon et dans le centre, à la frontière du Limousin, à Saint-Pierre-du-Dorat. Grands lieux de pélerinage, ces sanctuaires, dit Colette Beaune, ont comme caractère commun de rassembler une population illettrée. Ainsi, dans les régions méridionales ou dans les régions frontières, les lieux où se célèbre le culte du saint roi Clovis, fondateur de la monarchie, ont pu contribuer à diffuser le sentiment d'appartenance à la communauté élargie du royaume.

Avant l'assaut d'Orléans, Jeanne d'Arc vit « saint Louis et saint Charlemagne qui priaient Dieu pour le salut du roi et de la cité ». Canonisé en Allemagne, en 1165, par un antipape, Charlemagne n'a jamais été officiellement reconnu comme saint en France. Son personnage légendaire d'empereur à la barbe fleurie est popularisé par les chansons de geste du XIIème siècle. L'ambiguïté de ce roi-empereur aurait limité sa reconnaissance aux périodes de bons rapports entre le roi de France et l'empereur.

La canonisation de saint Louis ne posait pas ce genre de problèmes; elle se fit dès 1297. Au début du XIVème siècle, le culte reste limité aux anciennes régions de domination capétienne : région parisienne, vallée de la Seine, Orléans, Normandie. Au XVème siècle, avec le royaume de Bourges, même déplacement vers le Sud que le culte de saint Clovis : on prie saint Louis autour du dauphin Charles. Cependant il faudra attendre les règnes d'Henri IV et de Louis XIV pour que saint Louis soit réellement reconnu comme patron de la monarchie. Certains détails de sa vie, banalisés par l'histoire républicaine, notamment l'image du roi justicier, ont extrêmement varié dans le temps. Par exemple le chêne de Vincennes : Joinville indique en une ligne que le roi, à la sortie de la messe, rendait justice sous un chêne. « Les premières allusions au chêne de saint Louis, écrit Colette Beaune, datent du milieu du XVIIème siècle et l'image devient populaire au XVIIIème siècle où le contact direct entre le roi et le peuple s'amenuise et où le fait que le roi rende justice personnellement à tout venant est impossible. Le chêne de saint Louis est un rêve écologique et patriarcal que le Moyen Age a ignoré. Les trois-quarts des représentations de cette scène datent du XIXème siècle ».

Un autre saint de Jeanne d'Arc est saint Michel qui joue un rôle important dans ses visions et la soutient dans son action. L'archange saint Michel est un personnage biblique. Ange du peuple chrétien, il devient le protecteur des armées de l'empereur Constantin luttant contre les barbares. Quelque peu oublié en Occident, sauf en terres celtiques, le culte de saint Michel est rétabli par Charlemagne qui impose sa fête dans tout l'Empire. Les sanctuaires dédiés à Charlemagne se multiplient en *Francia occidentalis*. Dès le VIIIème siècle, saint Aubert, l'évêque d'Avranches, ayant vu l'archange en songe, lui avait dédié une église. Sur le mont déjà consacré à saint Etienne et saint Symphorin, il apporta des reliques de saint Michel qu'il s'en était allé chercher au mont Gargano, en Italie du sud, lieu de l'apparition de l'archange. Un pélerinage s'organisa autour de l'église du mont Saint-Michel. Le mont fut troublé par les rivalités entre Normands et Bretons. Passé sous contrôle des ducs de Normandie, ceux-ci y installent un couvent bénédictin et l'abbaye connaît un essor remarquable. Lorsque Philippe Auguste conquiert la Normandie, il établit au Mont la frontière du royaume. Jusque-là protecteur de l'Empereur et des Plantagenet, saint Michel n'est guère prisé par les rois capétiens protégés par saint Denis. Saint Michel conquiert son rôle de protecteur royal dans les drames du XVème siècle, quand saint Denis trahit les rois de France. En 1418, le dauphin Charles, âgé de treize ans, fait mettre sur ses étendards un saint Michel terrassant le dragon qui l'accompagne lors de ses entrées royales. Saint Michel devient l'unique défenseur du roi de Bourges, dont la bannière est celle de saint Michel. L'archange accomplit plusieurs miracles en faveur du roi. Menacé par les Anglais qui occupaient toute la Normandie, le Mont résiste héroïquement en 1427. Les Anglais eux-mêmes virent saint Michel dans le ciel excitant la tempête contre leur flotte!

L'écho de la résistance, soigneusement amplifié par la propagande du roi de Bourges, fut énorme dans tout le royaume. Jeanne, paysanne lorraine, dut en entendre parler. « Il n'est pas étonnant, écrit Colette Beaune, de voir saint Michel jouer un rôle décisif dans la mission de Jeanne d'Arc ». L'ange lui apparut, l'instruisit, la guida et elle l'invoqua dans ses derniers moments pour qu'il la conduise en paradis.

Sainte Catherine était apparue à Jeanne d'Arc aux côtés de saint Michel. Elle avait son principal sanctuaire à Fierbois. Jusqu'au XIIIème siècle, cette sainte exotique, qui avait vécu à Alexandrie et avait refusé la main de l'empereur romain, était vénérée pour sa virginité. Mariée au Christ-enfant par un anneau mystique, elle était la patronne des vierges. Au XIVème siècle son image se modifie, elle devient la providence des enfermés, nombreux en ces temps de guerre. Elle est aussi l'homologue féminine de saint Michel et porte l'épée, patronne des sergents d'armes du roi.

Cette transformation coïncide avec l'importance de Fierbois, le seul des lieux de culte dédiés à sainte Catherine qui ne soit pas tombé aux mains des Anglo-bourguignons. Le sanctuaire est devenu un centre de pélerinage pour les hommes d'armes car les anneaux de la sainte leur évitent blessures et mort au combat.

On y vient de France anglo-bourguignonne. Après l'emprisonnement de la Pucelle, sa popularité s'étend à tout le royaume. Jeanne, dès son enfance, eut une dévotion pour la sainte, très populaire dans le Barrois. Elle portait un anneau de sainte Catherine. Elle vint chercher à Fierbois une épée enfoncée en terre derrière l'autel, que les voix lui avaient promises. La rouille s'en détacha miraculeusement et Jeanne la porta dans toutes les batailles. Une légende postérieure en fit l'épée de Charles Martel à Poitiers!

Ainsi l'histoire de Jeanne montre comment se mêlent intimement les ingrédients de la religion chrétienne et de la religion royale. Par-delà l'horizon du petit pays, le sentiment d'appartenance à une communauté plus large, le royaume de France, ne se dissocie pas du culte de la personne royale. Le royaume de France comme espace imaginaire pour le peuple illettré, c'est le roi, symbole vivant, être de chair auréolé de merveilleux, que ses « entrées » dans les villes aux portes parées de lys donnent à voir au peuple rassemblé. En toutes églises on prie pour son âme; une pléiade de saints, royaux ou non, le précèdent en paradis.


## La France des chevaliers, des poètes, des historiens

Dans la piété populaire, Dieu, le roi, les saints, les miracles inspirent la vision du royaume. Dans la culture écrite, littéraire ou savante, — épopée, poésie, histoire —, s'élabore une image de la France progressivement autonome par rapport à celle du roi. Le nom de *France*, désormais incorporé au titre des rois, est chanté par les poètes et glorifié par les historiens.

Déjà la « France » de la chanson de Roland évoquait douceur et sainteté. C'est la France des chevaliers, que la mort des preux baigne de tragique et d'émotion. Sentant les affres

de la mort, Olivier confesse ses péchés et prie Dieu de bénir
la douce France.

> Cuntre le ciel ambesdous ses mains juintes
> Si priet Deu que pareïs li dunget
> Ebeneïst Karlun e France dulce
> Sun cumpaignun Rollant sur tuz humes *.

Et Roland, rassemblant ses dernières forces, dédie Durandal à la France.

> Ne vos ait hume ki pur altre fuiet
> Mult bon vassal vos ad lung tens tenue
> Jamais n'ezt tel en France l'absolue...** [21].

Les images et les vertus de la France se multiplient, qui
la font accéder au statut de personne. La France des chevaliers
est aussi celle de l'amour courtois. La France des clercs, celle
de l'abbé Suger, est reine des pays, *domina terrarum*, reflet de
la mission divine des rois. Au XIIIème siècle, dit Colette
Beaune, la conscience de l'existence d'une *Domina Francia*,
d'une Dame France, est beaucoup plus accentuée qu'un siècle
plus tôt. Un « orgueil national » commence à se justifier par
l'idée que la France est à la fois douce, guerrière, chrétienne
et supérieure par la culture. La supériorité culturelle repose sur
le thème de la *translatio studii*, le transfert du patrimoine
intellectuel d'Athènes à Rome et de Rome à Paris. Néanmoins
la France avec une majuscule ne s'individualise que par des
étapes graduelles. Au XVème siècle dans le contexte de la
guerre de Cent ans une France guerrière est exaltée.

Mais le XVème siècle est aussi celui où la France devient
vraiment une personne, terre, mère, dame, princesse ornée de
lys. Les miniaturistes la peignent, princesse blonde au long
manteau de lys, fleurs et fruits au début du siècle; puis dans
la deuxième moitié, vêtue de robe blanche, couleur royale,
portant parfois un manteau bleu à fleurs de lys, entourée de ses
enfants (les États et les rois). Au XVIème siècle une France en
drapé antique, guerrière ou reine, s'agenouille devant le roi.

---

* « Les deux mains jointes et tournées vers le ciel, il prie Dieu de lui donner
le paradis, de bénir Charles, la douce France, et plus que tous les hommes,
Roland son ami. »
* « Ne tombez jamais aux mains d'un guerrier capable de fuir devant un autre.
** ous avez appartenu longtemps à un vaillant seigneur. Jamais on ne reverra
pareille épée dans la sainte France ».

Celui-ci cessant d'être fils, devient père de la nation, bientôt monarque absolu.

A côté des peintres et des sculpteurs, les poètes contribuent à enrichir l'image de la France. Le « jardin de France » apparaît au début du XIVème siècle et devient très populaire. Gerson en développe le thème dans ses sermons. D'abord jardin de Dieu qui évoque le paradis, le jardin de France se laïcise au XVème siècle pour figurer la diversité des richesses du royaume. La supériorité française y trouve un nouvel argument. « France est parement de la terre ». L'orgueil des dirigeants n'a pas de borne : « La beauté du pays, la fertilité du sol et la salubrité de l'air effacent toutes les autres contrées de la terre », écrit en 1483 le chancelier de France.

Le rôle des historiens est tout aussi essentiel que celui des poètes et des artistes pour dessiner une image positive de la France. Au XIIIème siècle l'historien Primat présente la France dans les *Grandes Chroniques* : « Et quoique cette nation soit fière et cruelle contre ses ennemis, elle est miséricordieuse envers ses sujets et ceux qu'elle soumet » [22]. La « bonté de la France » vient de loin !

Les *Grandes Chroniques de France* sont un texte fondamental dans le développement d'une conscience historique française autour d'une entité dénommée « France ». Du XIIIème au XVème siècle elles furent, aux yeux de ceux qui les lisaient, la plus authentique des histoires. Mais elles concernent essentiellement les Français du Nord. Les *Grandes Chroniques*, précise Bernard Guénée, ne descendent guère au sud de Poitiers ou de Moulins et n'atteignent donc pas les pays de langue d'oc peu soucieux vraisemblablement des « perspectives de cette histoire venue du Nord ». Par contre, dans la France du Nord, chez les laïques instruits, la « matière de France » connaît le plus franc succès dès le milieu du XIIIème siècle. « Sous le règne de Philippe Auguste, les victoires du roi aidant, à Saint-Denis et dans d'autres monastères bénédictins comme Anchin ou Marchiennes, proches de la limite septentrionale du royaume, l'histoire de la France "moderne", c'est-à-dire la France postérieure au partage de Verdun (843) commença d'être étudiée avec passion », dans la continuité de ses trois dynasties mérovingienne, carolingienne et capétienne. Tout au long du XIIIème siècle ces travaux érudits furent mis à la portée des laïques. Et dans les châteaux et les villes du Nord, où souvent menaçait la guerre, on eut tendance plus tôt qu'ailleurs à voir la France comme une personne [23].

Puis au XIVème et au XVème siècles l'histoire de France devint une passion commune à tous les Français instruits. Les Français qui les lurent crurent aux *Grandes Chroniques* comme à la Bible, dit encore Bernard Guénée. Les religieux de Saint-Denis avaient réussi à convaincre que leurs écrits avaient un caractère officiel, ce qui, pour les contemporains, en assurait l'authenticité. Au XVème siècle d'autres histoires furent écrites qui progressivement supplantèrent les *Grandes Chroniques de France* : *Annales et croniques de France* de Nicole Gilles en 1492, *Grandes Croniques* de Robert Gaguin en 1495. Mais elles s'en inspiraient largement et portèrent à la connaissance de leurs lecteurs le *corpus* traditionnel de l'« histoire des rois des Francs » [24].

La représentation des origines allait être mise en cause au XVIème siècle dans le contexte de l'humanisme et l'image de la France affrontée à la crise révolutionnaire de la fin du XVIIIème s'inscrira dans une nouvelle religion : celle de la nation.

Chapitre 8

# LA NATION

Aux XVIème, XVIIème, XVIIIème siècles, une lente évolution culturelle transforme les manières de penser de l'élite. Certes, la Réforme qui brise l'unité de la chrétienté occidentale, concerne toutes les couches de la population. Mais l'humanisme qui, diffusé par les textes imprimés, renouvelle la connaissance de l'Antiquité, la pensée scientifique moderne qui bouleverse la représentation de l'univers et met en question les vieilles croyances enseignées par l'Église, affectent au premier chef les milieux intellectuels, aristocratiques ou bourgeois.

En France les Lumières du XVIIIème siècle débouchent sur la Révolution. Les historiens discutent aujourd'hui des raisons de l'éclatement révolutionnaire et prennent leur distance avec les schémas de leurs prédécesseurs, républicains nationalistes, radicaux ou marxistes, pour lesquels la « crise de l'Ancien Régime » débouchait fatalement sur la Révolution. Quoiqu'il en soit, dans la France du XVIIIème siècle, les nouvelles connaissances se répercutent sur les symbolisations du temps, des origines, du pouvoir. Les « ancêtres troyens » ont été les premières victimes de l'élargissement du champ historique par l'érudition humaniste. Et, dans l'imaginaire du pouvoir, le roi, jusque-là centre unique, voit grandir, face à lui, la nation.

## I. LA NATION GAULOISE

Dès la fin du XVème siècle, dans les milieux un peu érudits, on s'interroge sur l'origine : franque, troyenne ou gauloise ?

> Muse l'honneur des sommets de Parnasse,
> Guide ma langue, et me chante la race
> Des rois François yssus de Francion
> Enfant d'Hector, Troyen de nation,
> Qu'on appelait en sa jeunesse tendre
> Astyanax, et du nom de Scamandre :
> De ce Troyen conte moy les travaux,
> Guerres, desseins, et combiens sur les eaux
> Il a de fois (en despit de Neptune
> Et de Junon) surmonté la Fortune,
> Et sur la terre eschappé de peris,
> Ains que bastir les grands murs de Pâris.

Ainsi débute le premier livre de la *Franciade* dédiée par Ronsard au « Roy Tres-Chrestien » Charles IX. Ce long poème inachevé, publié en 1572, chante l'origine troyenne des rois « françois », à travers les personnages de la tradition, Francion-Francus, fils d'Hector, Marcomir, Pharamond et les sites de Troie et de Sicambre. Ronsard croyait-il encore au mythe troyen ? Dans sa préface de 1587 il avertit le lecteur : le poète n'est point un historiographe, il jette toujours le fondement de son ouvrage « sur quelques vieilles Annales du passé ». Ainsi, précise-t-il, « j'y basti ma *Franciade*, sans me soucier si cela est vray ou non, ou sy nos Rois sont Troyens, ou Germains, Scythes ou Arabes : si Francus est venu en France ou non : car il y pouvait venir, me servant du possible : et non de la vérité » [1].

Les humanistes italiens, dès le XVème siècle avaient en effet semé le doute sur les origines troyennes des rois Francs.

### Origine gauloise des Francs

Le souvenir exalté de Rome, les plongées dans les textes antiques réactualisaient le concept de « barbares », avec sa connotation péjorative que symbolisa la notion de « Moyen Age », *medium aevum*, création humaniste, temps de recul de l'humanité entre la chute de l'empire romain et la « Renaissance ». Surgis au IVème siècle, les Francs étaient des envahisseurs qui avaient contribué à l'effondrement du monde antique.

Jusque-là, la connaissance de la Gaule provenait surtout de compilations en langue vulgaire, et les textes latins de Justin, Tite-Live, César, qui parlaient des Gaulois, n'étaient pas traduits. Jusqu'au milieu du XIVème siècle les ouvrages traitant de la « matière de France » ne soufflaient mot des Gaulois, qui n'existaient pratiquement pas pour un lettré ou un officier royal [2].

La Gaule était une notion géographique, désignant les pays entre Pyrénées et Rhin, comme la Germanie ceux d'outre-Rhin. Sous les Mérovingiens et les Carolingiens, on l'a vu, l'usage du mot Gaule était surtout ecclésiastique. Les humanistes actualisent les notions de Gaule et de Germanie en leur prêtant celles, qui leur sont contemporaines, de « France » et d'« Allemagne » [3].

Entre le XIVème et le XVème siècles la vision de la Gaule historique se précise avec la traduction de la *Cité de Dieu* de saint Augustin et des études poussées de la *guerre des Gaules* de César. En un siècle, explique Colette Beaune, l'ensemble de l'histoire de Gaule, telle que les Romains la virent, est à peu près connu. Les références à la Gaule se multiplient, grâce à la redécouverte des textes antiques après 1450. « En 1480, un Français [lettré] a, à coup sûr, des ancêtres gaulois qu'il ne possédait pas en 1400 » [4].

Cependant, pour les écrivains français du XVIème et du XVIIème siècle, l'histoire reste bâtie autour des trois dynasties royales, première, deuxième, troisième « races ». Les humanistes français récusent le terme de « Moyen Age », avec son sous-entendu péjoratif pour les Francs. Il faudra la Révolution, admiratrice du modèle romain et hostile aux Francs « aristocrates » pour en accepter la notion [5]. Conjointement Pharamond le païen et Clovis le chrétien symbolisent l'origine et la continuité du pouvoir royal. Comment concilier ancêtres francs et ancêtres gaulois ?

Vers 1510, Jean Lemaire de Belges, historiographe de Marguerite de Bourgogne, poète humaniste, publie *Illustrations de Gaule et singularités de Troie*. Il amalgame des traductions d'Homère, Caton, César, y ajoute des fragments d'histoire antique qu'un italien, Anius de Viterbe, venait de « découvrir » (c'était en réalité un faux). Les Gaulois ont une ancienneté immémoriale, par leurs ancêtres bibliques. Ils sont les descendants de Samothés, (quatrième fils de Japhet, un fils de Noé), qui a fondé une lignée de rois des Gaules. Ils sont instruits, ont créé des universités; pré-chrétiens, ils croient à l'immortalité de l'âme. Un membre de la famille royale, proscrit, s'est enfui en Asie, a fondé Troie, apportant la civilisation gauloise à la Grèce, puis à Rome. Les origines troyennes ne sont plus qu'une péripétie des origines gauloises. Francus, fils d'Hector, s'en retourne au pays de ses pères après la chute de Troie. Les autres Troyens en fuite fondent le grand empire de Sycambria puis, séduits par la bonté d'Octave, émigrent en Germanie et pénètrent progressivement en Gaule où les attendent les descendants de Francus [6]. Les Francs sont d'origine gauloise!

Lemaire de Belges cherchait à faire passer un message politique. Il s'inquiétait des querelles princières opposant le roi de France et l'Empereur d'Allemagne : Alesia, — *Alexia* — fondée par Hercule « signifie conjunctive et copulative, parce que le très noble sang des deux diverses nations y fut conjoint ». Par la grandeur des Gaules, les Français sont assurés d'un passé glorieux. Ils doivent se réconcilier avec les Allemands, puisque Gaulois et Germains descendent d'une même lignée de Noé [7]. Malheureusement ce précurseur de Robert Schuman ne fut entendu ni de François Ier ni de son successeur.

Les Gaulois, au contraire, vont, par d'autres plumes, cautionner le nationalisme conquérant et batailleur de François Ier. Pour Guillaume Postel, théoricien féru de Cabbale, le désordre du monde provient de la dispersion des fils de Noé. Les Européens, descendant de Japhet, sont supérieurs aux Asiatiques issus de Sem le contemplatif et aux Africains dont l'ancêtre est Cham le magicien. La France peut légitimement dominer les autres nations européennes, puisque Gomer le fils aîné de Japhet s'est installé en Gaule. Cependant l'Allemagne pourra remplacer la France dans sa mission de rétablir l'ordre originel si cette dernière vient à faillir. Elle tire ce droit d'Askenaz, fils aîné de Gomer qui s'est installé en Germanie. Une guerre est juste quand elle vise à rétablir l'ordre instauré par Noé. Dans l'état actuel de l'histoire, le désordre vient des prétentions du pape à cumuler le spirituel et le temporel et des nations européennes qui prétendent entrer en compétition avec l'héritier de Noé par les « *Gomérites* » gaulois : les entreprise du roi de France sont justes qui tendent à rétablir ses droits contre le Pape et l'Empereur. Ainsi l'*Histoire mémorable des expéditions faites par les Gaulois ou François* suggère-t-elle au roi de suivre, pour la réunification de l'Europe, la voie des anciennes expéditions gauloises. La prédestination de la France est marquée par des signes astrologiques, la protection de l'archange saint Michel, l'élection divine de Jeanne d'Arc.

Pendant les guerres de religion les Gaulois sont revendiqués comme modèles par les protestants. François Hotman dans sa *Franco-Gallia*, en 1573, dresse le tableau d'une Gaule idéale, démocratique, qui, grâce à l'alliance avec les Germains (princes protestants d'Allemagne!) réussit à secouer le joug d'une Rome corrompue. Leçon de politique extérieure destinée à Charles IX [8].

Ainsi naît au XVIème siècle un courant gallophile. Il peut aussi être mis en rapport avec le besoin d'affirmation nationale des érudits français, face aux modes italianisantes de la Cour et à l'impérialisme culturel des humanistes italiens. Dans ses *Recherches de France*, publiées en 1560, Étienne Pasquier authentifie l'identité gauloise de la France. Reconnaissant que « notre Gaule a été nommée France par la multitude des Français qui y vinrent de Germanie », il affirme que les Francs sont des Gaulois qui ont quitté leur patrie conquise par les Romains et sont revenus libérer le pays. Ainsi se trouve préservée l'idée d'une origine « nationale » unique et point trop « barbare ». Cette thèse, souligne Karl Werner, connut un incroyable succès. Elle est pleinement développée, en 1579, par Claude Belleforest dans *Les grandes annales et histoire générale de France*. Elle permet de faire d'Hugues Capet un « Gaulois naturel » de naissance. L'idée du retour de Germanie des Gaulois-Francs reste vivante à la fin du XVIIème siècle, au cours duquel apparaissent des expressions comme « esprit gaulois », « histoires gauloises » [9].

Dom Jacques Martin, dans la première moitié du XVIIIème siècle, intègre les Gaulois à sa vision générale de l'univers. Tous les peuples descendent du couple créé par Dieu en Palestine. L'Europe s'est peuplée à partir de l'Asie, les Gaulois, très proches des origines, ont entièrement colonisé l'Occident. De tous les peuples païens, ils sont les seuls à avoir gardé en eux la mémoire de la vraie religion voulue par Dieu. Dom Martin inscrit les origines gauloises de la France dans la chronologie biblique héritée des laborieux calculs du Moyen Age. L'histoire de l'humanité commence en 4050 av. J.C. L'Asie se peuple durant deux mille ans, et en 2050 av. J.C., des

colons arrivent dans le sud de la Gaule. Ils sont appelés
Aborigènes, puis Celtes (du nom d'un de leurs rois) et enfin
Gaulois à l'époque romaine. L'œuvre de Dom Martin aboutit
à « un gallo-centrisme » intégral. Un mythe du commencement
absolu s'incarne dans le peuple gaulois qui s'est fait lui-même
et qui a été l'*initiateur* de tous les autres. Il est vrai que ce
peuple est venu d'ailleurs; mais cet ailleurs étant le lieu de la
création des hommes par Dieu, cela ne peut que mettre en
lumière davantage son destin exceptionnel [10].

### « Deux races d'hommes dans le pays »

Cependant une partie du monde érudit conteste la thèse
de l'origine gauloise des Francs. Dès le XVIIème siècle, certains idéologues, pour justifier les privilèges de la noblesse,
faisaient des Francs des conquérants à part entière : ancêtres
des nobles, ils avaient asservi les Gaulois. « Nos Français,
quand ils conquirent les Gaules, écrit en 1638 Charles Loyseau
dans son *Traité des seigneuries*, c'est chose certaine qu'ils se
firent seigneurs des personnes et des biens d'icelles... Quant
aux personnes ils firent les naturels du pays serfs... Mais quant
au peuple vainqueur il demeura franc de ces espèces de
servitudes et exempt de toute seigneurie privée ». Entre les
Francs, maîtres héréditaires, et les Gaulois asservis, l'histoire
a établi la distance qui sépare les nobles privilégiés du Tiers-
état soumis à l'impôt. Thèse biaisée, puisqu'une noblesse de
robe s'était constituée à côté de la noblesse de « sang », elle
n'en suscite pas moins une ardente polémique au XVIIIème
siècle.

Deux livres clefs s'opposent l'un à l'autre. Henri de
Boulainvilliers, comte de Saint-Saire, plaide dans un ouvrage
paru en 1722, *Histoire de l'Ancien gouvernement de la France* la
thèse de l'aristocratie et donc la dualité fondamentale de la
société française. Depuis des siècles l'imagination des clercs et
des lettrés s'était ancrée dans l'idée d'une origine unificatrice
des Francs, puis des Français, qu'elle soit troyenne ou gau-
loise-franque. Mais Boulainvilliers affirme : « Il y a deux races
d'hommes dans le pays ». L'abbé du Bos, un fils de bourgeoisie
aisée, se fait le porte-parole de la frange supérieure du
Tiers-état menacée par les prétentions des descendants des
« Francs conquérants ». En 1734 dans son *Histoire critique de
l'établissement de la monarchie*, il réplique qu'il n' y a eu ni

conquête par les Francs, ni soumission des Gaulois. Les Francs, alliés des Romains en Gaule, gardèrent nombre de leurs institutions et le roi franc fut le successeur du prince romain [11].

Entre l'extrême des thèses romanistes et germanistes, opposant le Tiers-état d'origine gauloise et romaine et la noblesse d'épée d'origine franque, l'*Encyclopédie* apporte une vision nuancée et sereine. Jean Ehrard souligne « la fraîcheur historiographique » qui ressort des articles *France, François ou Français, Gaule ou les Gaules, Gaulois,* fraîcheur remarque-t-il « que l'histoire officielle d'aujourd'hui a perdue depuis longtemps ». Pour Jaucourt, pour Voltaire, écrit Ehrard, « la France est une création récente, produit moderne d'un long travail effectué au cours des siècles, à partir des invasions franques et de la décomposition de l'Empire romain. Cette vision de l'histoire est exempte de tout finalisme : la France n'était pas prédéterminée dans la Gaule, une Gaule dont il convient de parler de préférence au pluriel tant en raison des conquêtes des Gaulois que de leurs divisions ». Les Gaulois, avant la conquête de César ne formaient pas une entité politique mais « un grand nombre de peuples indépendants les uns des autres ». L'article consacré à Gergovie ne dit mot de Vercingétorix [12].

Ce dernier est une création de l'historiographie du XIXème siècle qui consacre le triomphe de la nation gauloise.

#### « *Les Gaulois triomphent* »
(Balzac, *le Cabinet des Antiques*).

Lorsqu'en juin 1789 les représentants du Tiers-état proclamèrent une et indivisible la représentation nationale et par suite la nation, par le triomphe du Tiers, la Révolution clôtura le débat entre Gaulois et Francs. Dans *Qu'est-ce que le Tiers-État ?* l'abbé Sieyès, fustigeant les prétentions des nobles, avait invité les « étrangers » à retourner « dans les forêts de Franconie ». Les révolutionnaires, dont la culture est imprégnée du culte de l'Antiquité romaine, s'affichent gaulois à part entière dans le conflit entre les « deux races ». En sacralisant la nation ils retrouvent l'unité originelle qui hantait depuis des siècles la culture historique issue des Francs.

Mais cette origine sera gauloise. L'aversion contre les Francs étrangers s'inscrit dans la vision humaniste des Barba-

res germains. « Ah, malheureux peuple, s'apitoie J.A. Delaure
dans son *Histoire critique de la noblesse* (1790), vous étiez au
pied des Barbares, dont les aïeux ont massacré vos ancêtres. Ils
sont tous des étrangers, des sauvages échappés des forêts de la
Germanie, des glaces de la Saxe [...]. Je suis de race gauloise » [13].
La haine des brigands de Franconie est telle qu'en ces jours
d'enthousiasme où triomphe la nation gauloise, certains pro-
posent de changer le nom du pays, d'abolir celui de France!
« Jusques à quand souffrirez-vous que nous portions encore le
nom de Français ? [...] Nous sommes du sang pur des Gaulois », motion du citoyen Ducalle du département de Paris
dans *Les Mystères du Peuple* d'Eugène Sue! [14]

Il appartenait à Amédée Thierry, le frère d'Augustin, de
jeter les bases de l'historiographie post-révolutionnaire qui
allait consacrer les origines gauloises des Français. La cause
n'était pas gagnée : en 1803, l'abbé Louis-Pierre Anquetil
publiait une *Histoire de France depuis les temps les plus reculés
jusqu'à la Révolution de 1789*. Répandue à plus de quarante
mille exemplaires en 1833, elle n'accordait qu'une place restreinte aux Gaulois. Leur histoire, indiquait l'auteur, ne doit
servir que de « préliminaire » à celle des Français [15].

En 1828, Amédée Thierry fait paraître l'*Histoire des
Gaulois, depuis les temps les plus reculés jusqu'à l'entière soumission de la Gaule à la domination romaine*, qui connaît sa
dixième édition en 1877. Comme son frère Augustin, Amédée
construit l'histoire sur la notion de race, clef du devenir
humain. L'ouvrage, dit-il dans son introduction, a pour but

> de mettre l'histoire narrative des Gaulois en harmonie avec les
> progrès récents de la critique historique, et de restituer, autant
> que possible, dans la peinture des événements, à la race prise
> en masse dans sa couleur générale, aux subdivisions de la race
> leurs nuances propres et leurs caractères distinctifs.

Le livre s'ouvre sur cette affirmation :

> Aussi loin qu'on puisse remonter dans l'histoire de l'Occident,
> on trouve la race des Galls occupant le territoire continental
> compris entre le Rhin et les Pyrénées.

Les Gaulois ne sont pas originaires d'Europe mais d'Asie,
le sang gaulois se divise en deux branches, les Galls à l'Est et
au Midi, les Kimris à l'Ouest et au Nord. Cette « division de
la famille gauloise en deux races » est fondamentale pour

expliquer les événements. En un temps où règne une conception très biologique de l'anthropologie, Amédée Thierry s'attache à dépeindre physiquement les Gaulois : robustes, de haute stature, le teint blanc, les yeux bleus, la chevelure abondante blonde ou châtain. Ils ont le goût des parures voyantes. Des traits constants les différencient des autres « familles » : bravoure, impétuosité, intelligence, mais mobilité, répugnance à la discipline et à l'ordre, désunion perpétuelle : les stéréotypes sont en place [16].

Le livre apportera aux Français un éclairage nouveau sur leur appartenance ethnique.

> Un sentiment de justice et presque de piété a déterminé et soutenu [l'auteur]. Français, il a voulu connaître et faire connaître une race de laquelle descendent les dix-neuf vingtièmes d'entre nous. Français c'est avec un soin religieux qu'il a recueilli ces vieilles reliques dispersées, qu'il a été puiser dans les annales de vingt peuples les titres d'une famille qui est la nôtre [17].

Amédée Thierry, qui a fait accéder au statut de héros « Vercingétorix », personnage jusque-là absent de notre histoire, est le père de l'historiographie nationaliste et libérale (au sens du XIXème siècle) transmise jusqu'à nous par l'école républicaine : il ancre l'identité française dans l'origine gauloise, perçue par lui comme raciale. La revendication, par l'extrême-droite actuelle, d'une identité « gauloise » face au danger des contaminations étrangères est un produit logique de cette historiographie.

Dans le Livre premier de son *Histoire de France* — (Celtes, Ibères, Romains) — Michelet reprend à son compte la distinction d'une « Gaule kymrique » et d'une Gaule « gallique », citant en note Amédée Thierry. Hanté peut-être par le mythe troyen, il imagine les Gaulois envahissant l'Asie des successeurs d'Alexandre et préfigurant les croisés.

> Voilà nos Gaulois retournés au berceau des Kymris, non loin du Bosphore cimmérien ; les voilà établis sur les ruines de Troie et dans les montagnes de l'Asie Mineure, où les Français mèneront la croisade tant de siècles après, sous le drapeau de Godefroi de Bouillon et de Louis le Jeune [18].

Michelet accorde aux Celtes une attention soutenue. Il se reconnaît en eux, il les ressent comme « ancêtres » : il dit « notre Gaule », « nos Celtes », mais jamais « nos Germains », ou « nos Francs » dans son Livre II intitulé *Les Allemands*! [19].

Cependant Michelet n'est pas le précurseur de l'historiographie scolaire célébrant Vercingétorix comme le premier héros national. Admiratif de César, il critique la légèreté gauloise. Pour lui Vercingétorix n'est pas le nom d'une personne, mais un nom commun désignant le général gaulois, « le vercingétorix [qui] déclare aux siens qu'il n'y a point de salut s'ils ne parviennent à affamer l'armée romaine » en brûlant leurs propres villes [20]. Michelet est plutôt l'inspirateur des chapitres de nos manuels qui font l'éloge de l'influence romaine sur les Gaulois [21].

L'assomption (définitive ?) de nos ancêtres gaulois est l'œuvre d'Henri Martin. Auteur d'une *Histoire de France* savante, d'une pièce de théâtre sur Vercingétorix, puis d'une *Histoire de France populaire*, publiée à partir de 1875, lui aussi construit le mythe gaulois sur la race : « grands et larges hommes du Nord, à la peau blanche, aux crins blonds ou verdâtres, guerriers terribles à l'attaque mais facilement rebutés par les fatigues et les longs travaux », les Gaulois sont des Nordiques opposés aux Latins.

Non seulement les Gaulois représentent le début de l'histoire de France, mais ils la structurent toute entière. « Ils participent à la totalité de cette histoire comme référence, comme un thème qui revient au-delà de la stricte chronologie des événements ». Vercingétorix devient l'archétype de nos héros nationaux (valeur personnelle, générosité, courage, intrépidité). Il est définitivement personnalisé.

> Il y avait alors en Arvernie un jeune homme qui attirait tous les regards par ses qualités personnelles bien plus encore que par l'illustration de sa famille.
> Sa haute stature, sa beauté, sa vigueur et son adresse sous les armes, le belliqueux génie qui brillait dans ses regards, tout produisait en lui ce mélange d'admiration et de crainte qui était l'idéal d'un Gaulois.

Alors que l'*Histoire de France*, plus savante, élargissait le champ historique à l'épopée celtique d'Irlande, l'*Histoire populaire* publiée après la défaite, qui avait traumatisé l'auteur, comme tant de ses pairs, se replie sur la France. Le caractère gaulois de nos ancêtres est renforcé. Ce sont toujours des aryens (grands blonds aux yeux bleus), mais leur race s'est mêlée à des populations plus anciennes, « et c'est apparemment à cause de cela que nous sommes aujourd'hui moins grands qu'eux et châtains, et non plus blonds ». L'*Histoire populaire,* remarque Rémi Mallet, « nous montre comment fonctionne un mythe historiographique ». Quoiqu'ayant des prédécesseurs sur notre sol, les Gaulois, nos ancêtres, ont civilisé la France et même l'Europe. Malgré des usages barbares (les sacrifices humains) « leur âme était grande ». Des écrivains comme Rabelais, Descartes, Voltaire, Béranger, Victor Hugo sont fidèles au génie gaulois. Jeanne Darc [sic] est une héroïne gauloise annoncée par « les obscures prédictions attribuées au vieux prophète celtique Merlin », selon lesquelles une vierge devait sauver la France.

Par la langue des Bas-Bretons, l'héritage gaulois s'est transmis jusqu'à nous et

> le caractère gaulois a subsisté chez nous tous, comme leur sang a passé de génération en génération dans nos veines [22].

La théologie du sang pur des rois s'est muée en mythe génétique du sang gaulois des Français. Le mythe troyen avait permis aux rois francs d'assurer la continuité des trois dynasties, ancrée dans une origine commune. Le mythe gaulois donne à la nation une et indivisible son homogénéïté raciale et sa cohérence culturelle.

## II. LA NATION UNE ET INDIVISIBLE

A la fin du XVème et au début du XVIème siècles, l'image et la fonction du roi se transforment, évolution commencée avec les légistes de Philippe le Bel, mais qui s'accélère à partir de François Ier et s'accomplit avec Louis XIV

La monarchie cesse d'être cette royauté nimbée de symbolique chrétienne, diluée dans un réseau d'images pieuses et d'actions de grâce, présente au peuple par les voyages, les « entrées » solennelles dans les villes. Elle se transforme en monarchie absolue dans laquelle la présence divine se condense dans la seule personne royale. « Le Roi est l'image visible de Dieu sur la terre » proclame en 1715 le Parlement de Paris. Enfermé dans ses châteaux, le roi devient un quasi-dieu, coupé de ses peuples. Tandis qu'en Angleterre, la Révolution de 1689 a consacré la dualité des sources du pouvoir, d'un côté le roi, de l'autre la société civile représentée par le Parlement, en France cette source est unique. Dieu, le roi, la loi se confondent en une seule personne, celle du roi. « Tout l'État est en lui, la volonté du peuple est enfermée dans la sienne [23] ». La société civile n'existe pas en droit.

Or, dans la première moitié du XVIIIème siècle, l'*Essai sur la véritable étendue et la fin du pouvoir civil* de John Locke est traduit en France. Il devient la référence doctrinale de l'opposition à la monarchie absolue. Écrivains, philosophes actualisent leur pensée politique. Depuis le XVème siècle, la perception d'une France existant à côté du roi s'était précisée. Tantôt reine, tantôt jardin, Mère des Arts, objet de chroniques, l'image de la France s'était peu à peu autonomisée par la plume des poètes, des historiens et des penseurs (cf. p. 134-137).

Au fur et à mesure que le royaume de France se confond avec l'espace conquis par le pouvoir royal et que les officiers du roi font sentir dans tout le pays la présence de l'administration, les notions d'« État » et de « Nation » évoluent. Au XVIIIème siècle — mais est-ce plus clair aujourd'hui ? — on ne distingue pas toujours entre pays, État, nation. L'*État* désigne le gouvernement, les institutions de gouvernement, il se confond avec la notion de pays administré.

### Nation et patrie

Mais surtout, et c'est l'essentiel, un mouvement d'opinion dans la seconde moitié du XVIIIème siècle valorise la notion de patrie et substitue peu à peu au sentiment monarchique un sentiment patriotique. La *Dissertation sur le vieux mot de patrie* publiée par l'abbé Coyer en 1754 est caractéristique de ce mouvement. « L'on observe, écrit le marquis d'Argenson, que jamais l'on n'avait répété les noms de *nation* et d'*État* comme aujourd'hui. Ces deux noms ne se prononçaient jamais sous Louis XIV, et l'on n'en avait pas seulement l'idée » [24].

Le sens de *nation* s'est élargi. Au XIIème siècle, nation vient du latin *natio*, naissance, apparenté à *gens*, famille, clan. Dans l'Université de Paris au XIIIème siècle, la Faculté des Arts était organisée autour des quatre « nations », picarde, normande, française, allemande. Dans le dictionnaire de l'Académie française (1694), nation, présenté comme dérivatif du mot « naître », est défini comme « un terme collectif. Tous les habitants d'un même État, d'un même pays, qui vivent sous les mêmes lois, et usent de la même langue » [25]. Dans le Richelet (1732), « nation », placée sous « natif », désigne « tous les gens d'un certain pays ». La notion d'une langue commune est privilégiée dans l'édition de 1740 du dictionnaire de l'Académie : « Quoique l'Italie soit partagée en divers États et en divers gouvernements, on ne laisse pas de dire la *nation italienne* ». La nation est distincte de l'État monarchique. Voltaire, dans sa *Philosophie de l'histoire* (1765) met l'accent sur la durée des temps nécessaire à sa gestation : « Pour qu'une nation soit rassemblée en corps de peuple, qu'elle soit puissante, aguerrie, savante, il est certain qu'il faut un temps prodigieux ». Il faut aussi « un concours de circonstances favorables pendant des siècles pour qu'il se forme une grande société d'hommes rassemblés sous les mêmes lois. Il en faut de même pour former un langage ».

Cependant, à la veille de la Révolution, à côté de la désignation de la grande communauté française, « nation » continue d'être employé dans son sens restreint, preuve sans doute de la conscience d'une appartenance « provinciale » chez les futurs Constituants. Mirabeau publie à Aix *L'Appel à la nation provençale*, Robespierre à Arras, *L'Appel à la nation artésienne*.

Dans les mois d'effervescence qui précèdent la réunion

des États généraux, on nomme indifféremment *parti national*
ou *parti patriote* la nébuleuse de groupes qui prennent position
contre la monarchie absolue et pour le doublement du Tiers [26].
Quel est alors le sens de Patrie ? Le mot est d'usage plus récent
que nation. *Patria* et les valeurs d'amour et de sacrifice qui lui
étaient attachées dans l'Antiquité disparurent dans le haut
Moyen Age. Patrie signifia le petit pays local, la contrée
d'origine, mais aussi le ciel. « C'est au ciel qu'est ta patrie »,
prêchait Gerson devant Charles VI. L'*amor patriae*, amour du
chrétien pour la chose publique, fait l'objet de méditations aux
XIIIème-XVème siècles. La mort pour la patrie redevient une
éventualité. Cependant, dit Colette Beaune, ni la mort du
Grand Ferré, ni celle de Duguesclin ne sont obligations de
« patriotes ». Le premier défend son village contre les Anglais
et meurt, pleuré par les villageois et les gens de la région de
Compiègne. Duguesclin tombe en preux, fidèle à son roi,
modèle de chevalier et non de patriote [27]. Quoiqu'au XVIIIème
siècle, « patrie » ne soit pas toujours clairement distinct de
« nation », il s'y glisse une signification plus concrète de
rapport à un territoire et à une possession. Et surtout un
rapport affectif : en 1755, l'abbé Coyer reprend l'analogie entre
la patrie et la mère, « nourrice qui donne son lait avec autant
de plaisir qu'on le reçoit », « mère qui chérit tous ses enfants » [28]. Michelet n'est pas loin. Coyer insiste sur le dévouement aux intérêts communs, le sacrifice, le dépassement de soi.
Il annonce Mme Roland qui exaltera dans ses mémoires « le
véritable amour de la patrie, qui ne doit être que celui de
l'humanité porté au plus haut degré pour ceux qui vivent sous
les mêmes lois et sublimisé par l'oubli de soi-même dans la
nécessité rare, mais quelquefois urgente, de plus grands sacrifices ».

   L'idée de patrie est associée à celle de bien, de dévouement au bien du peuple, comme le suggère, dans la littérature
« patriotique » de la deuxième moitié du XVIIIème siècle, la
référence fréquente à Trajan, père de la patrie. Parallèlement,
les sentiments de fraternité, la sensiblerie se répandent dans la
société aristocratique et bourgeoise. Celle-ci reprend à son
compte, contre l'Église, les valeurs évangéliques (non sans
paternalisme). L'usage du mot patrie se propage, inséparable
de l'« amour » qu'on lui porte. Et toute l'affectivité qui était
en suspens dans les images antérieures de la France, et dans
celle de nation comprise comme la grande communauté sont

« sublimisées », pour reprendre le mot de Manon Roland, dans la patrie.

Cette vision messianique de la patrie sous-tend le courant le plus utopique de la Révolution, celui qui assigne à la France révolutionnaire une mission de salut non seulement du peuple français, mais de la totalité du genre humain. Ce courant est porté à son extrême par les étrangers qui participent à la Révolution, comme Anacharsis Cloots.

Celui-ci, qui, à la fête de la Fédération, avait conduit une délégation d'étrangers représentant le « genre humain », déclare le 24 avril 1793 que « les dénominations de *Français* et d'*universel* vont devenir synonymes », que « la république du genre humain n'aura jamais de disputes avec personne » et que « l'Assemblée nationale française est un résumé de la mappemonde des philanthropes » [29]. Robespierre, de son côté, au cours du même débat sur la Constitution, juxtapose, dans ses propositions, l'inspiration universaliste héritée du mouvement patriotique et le manichéisme cautionné par la guerre et la contre-révolution : fraternité entre tous les hommes et toutes les nations, horreur absolue des rois.

> **Art. Ier.—** Les hommes de tous les pays sont frères, et les différents peuples doivent s'entr'aider selon leur pouvoir, comme les citoyens du même État.
> **Art. II.—** Celui qui opprime une nation se déclare l'ennemi de toutes.
> **Art. III.—** Ceux qui font la guerre à un peuple pour arrêter les progrès de la liberté, et anéantir les droits de l'homme, doivent être poursuivis par tous, non comme des ennemis ordinaires, mais comme des assassins et des brigands rebelles.
> **Art. IV.—** Les rois, les aristocrates, les tyrans, quels qu'ils soient, sont des esclaves révoltés contre le souverain de la terre qui est le genre humain, et contre le législateur de l'univers qui est la nature [30].

Les rois, tyrans par nature, sont exclus du « genre humain ». L'universalisme, sous-tendu par une conception abstraite du genre humain, n'accorde pas la qualité d'« homme » à ceux qu'il décrète ses « ennemis ». Pas de patrie pour les rois.

### Frontières naturelles, territorialisation de la nation

Mais la Révolution infléchit également la vision territoriale de la patrie. Ou plutôt elle invente la nation territoriale et les frontières naturelles. L'image de la France se spatialise : espace homogène qui doit absorber les particularismes hérités du passé, espace prédestiné par l'histoire (l'ancienne Gaule) et par la géographie (les bornes naturelles). Le point de départ de l'inflexion qui allait conduire aux « frontières naturelles » et par là-même contredire par la justification théorique d'un nationalisme en expansion, l'image d'une libre alliance fédérative entre les peuples, fut le débat sur l'annexion de la Savoie. L'abbé Grégoire, de tendance montagnarde, fit pencher la balance, du plateau de la fraternité universelle à celui de « l'ordre de la nature ».

Dans son rapport sur l'incorporation de la Savoie à la France, le 27 novembre 1792, après un exorde obligé sur « l'esprit humain, [qui] depuis trois ans, a franchi un intervalle immense » et dont « les efforts soutenus ont fait reculer le fanatisme et la tyrannie », il invite au réalisme : « Après avoir soufflé sur des chimères, rentrons dans l'ordre du réel et de l'utile ».

> Si, la république universelle n'était pas un être de raison, c'est sans doute en se fédérant que les grandes corporations du genre humain communiqueraient entre elles; mais si l'on voulait ensuite appliquer ce système à notre gouvernement; si, au lieu de former un tout indivisible, on bornait ses fractions à des points de contact, ce serait le comble de la démence; *le système fédératif serait l'arrêt de mort de la République française.*

Il examine donc les arguments qui militent en faveur de la réunion, de l'incorporation pure et simple de la Savoie. Arguments historiques : tout « rappelle » les Savoisiens « dans le sein d'un peuple qui est leur ancienne famille ». Arguments physiques et politiques : « vainement on a voulu au Piémont lier la Savoie. Sans cesse les Alpes repoussent celle-ci dans les domaines de la France, et *l'ordre de la nature serait contrarié si leur gouvernement n'était pas identique* » (souligné par moi, S.C.). Arguments stratégiques : « l'incorporation de la Savoie raccourcit notre ligne de défense. La France n'aura plus à garder que trois défilés ». Arguments financiers et économiques : le Rhône et l'Isère « nous donneront la facilité de tirer d'excellentes matières qui alimenteront les chantiers de nos ports du Midi ». La Savoie, de son côté, y gagnera. Former un État à part l'engagerait dans des dépenses énormes. « Dès lors la générosité commande de lui ouvrir notre sein ».

Les arguments de l'abbé Grégoire rejoignent ceux de

Brissot écrivant à Dumouriez le 24 novembre 1792 que « la République française ne doit avoir pour borne que le Rhin ». Ils s'inscrivent dans la mode des origines gauloises, correspondent à l'idéologie et à la culture antiquisante des représentants bourgeois. Les Savoisiens sont qualifiés d'« Allobroges », référence, comme celle du Rhin, à la Gaule de César [31].

Ainsi, contrairement à ce que le Malet-Isaac apprenait aux plus anciens d'entre nous, et comme le rappelle Fernand Braudel dans *L'Identité de la France* [32], le testament de Richelieu est apocryphe et la théorie des frontières naturelles est une justification de l'époque révolutionnaire. A la suite de l'abbé Grégoire, Danton, le 31 janvier 1793 cautionne l'annexion pure et simple de la Belgique : « Les limites de la France sont marquées par la nature. Nous les atteindrons dans leur quatre points à l'Océan, au Rhin, aux Alpes, aux Pyrénées » [33].

Alors que, durant des siècles, l'espace était resté flou dans les esprits, faute de figuration, la révolution cartographique, au XVIIème siècle, est une étape capitale dans la représentation géographique de la France, à laquelle, hexagone oblige, nous sommes tellement familiarisés, que nous imaginons mal qu'il en soit autrement! Par la théorie des frontières naturelles, la Révolution, contredisant sa vocation universelle, renforce la conception territoriale de la nation, semant par là quelques graines des nationalismes qui, en 1914, mettront l'Europe en feu.

### Le transfert idéologique

Avant que n'éclate la Révolution, la conscience d'une communauté distincte du roi, équivalent de la société civile de Locke, s'était renforcée à travers les signifiants « nation » et « patrie ». Dans un climat passionnel et revendicatif, lié aux frustrations d'une intelligentsia et d'une classe d'hommes de loi aspirant à l'exercice d'un pouvoir, puis grisées par celui-ci, la transposition en France de la pensée politique anglaise va avorter. *La Révolution transfère dans ce qu'elle appellera la nation l'unicité du pouvoir jusque-là incarné dans le roi.* Les siècles antérieurs avaient forgé l'imaginaire collectif autour du corps unique du roi, oint de Dieu, jadis Roi-prêtre investi par le sacre, guérisseur d'écrouelles, plus récemment Roi-Dieu, Roi-Soleil, source absolue du pouvoir, centre de tout. La

nation des révolutionnaires hérite de ces attributs : elle est,
dans son essence, totalitaire.

L'abbé Sieyès, transfuge de son ordre, fut l'énonciateur et
le grand opérateur de cette alchimie. En février 1789, dans
*Qu'est-ce-que le Tiers État*, il affirme le caractère inné de la
nation : « Une nation ne peut décider qu'elle ne sera pas la
nation ou qu'elle ne le sera que d'une manière; car ce serait
dire qu'elle ne l'est point de toute autre. De même une nation
ne peut statuer que sa volonté commune cessera d'être sa
volonté commune » [34]. Mais surtout, définissant les objectifs
des « patriotes » avant la réunion des États Généraux, il
distingue entre le gouvernement qui doit être subordonné à une
constitution et la nation, entité préexistante, source de tout
pouvoir : « *La nation existe avant tout, elle est l'origine de
tout* ».

Ainsi Sieyès, du point de vue patriotique, tranchait-il le
débat sur l'« origine » qui, de siècle en siècle avait attisé le rêve,
la méditation ou l'érudition des poètes et des historiens dans
la double perspective d'une culture chrétienne et d'une mémoire chargée de réminiscences antiques. Ni troyenne, ni
franque, bientôt gauloise, la nation, être incréé, préexistait à
tout.

Jean-Yves Guiomar a souligné le rôle de Sieyès. Dans les
jours qui précédèrent le 17 juin 1789, on discuta du titre que
pourraient se donner les représentants du Tiers, auxquels les
autres ordres ne voulaient se joindre pour la vérification des
pouvoirs. Des suggestions furent lancées : « Assemblée des
représentants connus et vérifiés de la nation française »,
« Assemblée légitime des représentants de la majeure partie de
la nation agissant en l'absence de la mineure partie », etc...
Mais Sieyès ne partageait pas les scrupules de ses collègues. Il
avait écrit dans sa brochure : « Le Tiers seul, dira-t-on, ne peut
former les *États Généraux*. Eh! tant mieux! Il composera une
*Assemblée nationale* ». Le 16 juin, il reprit dans une motion la
proposition d'un député demandant que l'on s'appelle « Assemblée nationale ». Le 17, il déclara : « Cette dénomination
est la seule qui convienne dans l'état actuel des choses, soit
parce que les membres qui la composent sont les seuls représentants légitimement *connus* et *vérifiés*, soit enfin parce que la
représentation nationale étant une et indivisible, aucun des
députés, dans quelqu'ordre qu'il soit choisi n'a le droit
d'exercer ses fonctions séparément de la présente assemblée ».

Et Jean-Yves Guiomar remarque que le principe de l'*unité et de l'indivisibilité*, qui deviendra trois ans plus tard le dogme de la nation française, a d'abord été appliqué, non à la nation, mais à la représentation nationale, considérée comme le « corps » des représentants de la nation [35].

Mais qui, dans ce corps unique aux multiples têtes, détient la vérité jadis incarnée dans le seul roi ? Quels en sont les critères, au nom de quoi ? Le transfert, dans la représentation nationale, de l'unité symbolique du pouvoir du roi engage la révolution dans une logique d'exclusion. En faisant de l'indivisibilité la charte suprême de la République, la Convention nationale déclenche l'engrenage totalitaire ancré dans la monarchie absolue. A la nation proclamée être originel, Sieyès avait conféré les attributs divins, annonçant la mort symbolique du roi, image de Dieu. La mort effective de ce dernier entraîne, dans la représentation nationale, le processus mortel des factions. La vérité unique est l'ultime illumination de Robespierre : seul il en détient la vertu contre les « fripons » ligués. Mais elle ne le conduit qu'à la mort, « car que peut-on objecter à un homme qui a raison et qui sait mourir pour son pays. Je suis fait pour combattre le crime, non pour le gouverner. Le temps n'est point arrivé où les hommes de bien peuvent servir impunément la patrie ; les défenseurs de la liberté ne seront que des proscrits, tant que la horde des fripons dominera ». (Dernières paroles de Robespierre à la Convention, 8 thermidor an II, 26 juillet 1793) [36].

### La déchirure symbolique

La religion royale avait tissé entre des peuples divers, regroupés par la conquête capétienne autour de la couronne, les liens d'un imaginaire commun. La monarchie absolue, voulant imposer la divinisation du roi, se heurte à la « crise de conscience » des élites intellectuelles françaises. La Révolution, enfant dévoyé de l'empirisme des Lumières, retrouve l'absolu et substitue la nation sublimée au roi.

Convaincus que l'humanité entre dans une ère nouvelle, les révolutionnaires recomposent l'espace et le temps. Par le découpage départemental, les Constituants pensent abolir « tout souvenir d'histoire ». Car, affirme Barère, « tout doit être nouveau en France et nous ne voulons dater que d'aujourd'hui » [37]. Les Conventionnels de l'an I inventent le calendrier décennal, dont ils cherchent à imposer les fêtes, espérant gommer à jamais le symbolisme séculaire des fêtes liturgiques.

Métaphysiquement une et indivisible, la première République succombe dans la réalité des luttes de factions. Par-delà les apaisements et les aventures de l'Empire, l'imaginaire français, au XIXème siècle, oscille entre l'ordre symbolique ancien, celui du roi et de l'Église, et le nouveau, celui de la nation et de la République. Les historiens libéraux et celtomanes réussissent cependant à unifier les Français dans une commune origine gauloise.

Les créateurs de la Troisième République voulurent continuer la Révolution, perçue comme un bloc. Elle fut la source des symboles du nouveau régime (Marseillaise, 14 juillet). La République s'identifia à la gauche contre la droite monarchiste. Mais par cette identification, sans distance, à la Révolution, la gauche française s'enferma dans une double contradiction.

1°) D'un côté les libertés républicaines, droits individuels, droits de l'homme ; de l'autre la République une et indivisible, l'État et sa Raison, seule voix licite de la France. Le dreyfusisme contre l'État républicain.

2°) D'un côté la liberté d'opinion, la pluralité des points de vue ; de l'autre un combat politique pensé comme une lutte entre la vérité et l'erreur, simulant trop souvent — Terreur en moins — les imprécations des géants de quatre-vingt-treize.

## Chapitre 9

# DEUX FRANCE,
# UNE SEULE HISTORIOGRAPHIE

Mais cette déchirure, cet affrontement entre deux France, ne remontent-ils pas au fond des âges ? En projetant la nation dans le passé, l'historiographie républicaine a banalisé l'idée que les « Français » n'ont jamais cessé de s'entre-déchirer. La propension à la « guerre civile », l'incapacité à s'entendre serait, depuis Vercingétorix, la caractéristique de notre identité gauloise. Eduens contre Arvernes, Armagnacs contre Bourguignons, protestants contre catholiques, frondes diverses, girondins et montagnards, monarchistes contre républicains, défenseurs et pourfendeurs de Dreyfus, droite et gauche enfin, toutes ces luttes seraient les épisodes d'un même schéma historique, notre propension congénitale à la guerre « franco-française ».

## La continuité

Les historiens du XIXème siècle, sans en être réellement conscients, n'ont cessé de plaquer dans leurs analyses du passé les normes du présent. Décryptant la « nation » dans les temps les plus reculés, ils procèdent à des comparaisons instinctives, et téléscopent des époques profondément différentes dans lesquelles un même phénomène, l'usage de la force des armes, ne peut être défini en termes identiques. Jusques (et y compris) la guerre de Cent ans, la nature des conflits reste féodale, les ressorts en sont les liens de fidélité vassalique et les appétits de pouvoir et de territoire. Rois, princes et ducs, depuis des siècles, s'affrontent dans des espaces flottants, des territoires aux délimitations floues, qu'il s'agit d'acquérir par mariage, de conquérir ou de défendre pour soi, son seigneur, pour ou contre un membre de sa famille. La conception du pouvoir,

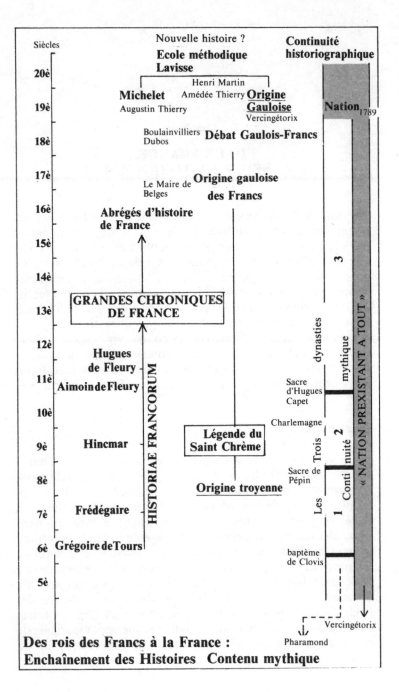

Des rois des Francs à la France :
Enchaînement des Histoires  Contenu mythique

dans la haute aristocratie de qui dépendent guerre et paix, reste celle du clan : le lignage est la référence du jeu politique. Les partages et les guerres aux temps mérovingiens, puis carolingiens ont obéi à ces normes. Elles restent celles des premiers siècles capétiens.

A partir du XIVème siècle, la notion d'État se surimpose progressivement par le développement de l'administration du roi. La religion royale, nous l'avons dit, est le lien symbolique d'un imaginaire commun autour duquel se tisse un sentiment d'appartenance à une collectivité élargie. La « nation », comme concept séparé, s'élabore lentement et ne prend forme moderne qu'au XVIIIème siècle, dans l'intelligentsia.

Projeter dans le passé la notion de « guerre civile » apparaît donc comme un abus de langage, puisque celle-ci requiert, dans sa définition, le sentiment de la communauté nationale ou de la patrie commune. L'historien américain Eugen Weber a montré qu'en ce qui concerne la population rurale, majoritaire au milieu du XIXème siècle, il faut attendre l'école — et le service militaire — pour que se développe réellement un sentiment unitaire de la France. « La patrie, un beau mot »... constate, en 1885, un prêtre corrézien, « qui fait tressaillir chacun, excepté le paysan » [1]. Ce témoignage, cité entre bien d'autres, nous ramène à la légende républicaine. C'est elle qui inculquera avec succès l'image de la nation et remplira le vide symbolique creusé par l'effacement de la religion royale.

Mais les deux France, celle du roi et celle de la nation sont-elles inconciliables ou deux images d'une même figure qui s'enracine dans un passé commun ? Depuis qu'existe une « histoire de France », celle-ci s'articule autour de deux notions complémentaires : l'origine immémoriale, la continuité. Le passé est une substance qui transcende la réalité historique. Loin d'innover l'histoire républicaine a pris le relais de l'histoire des rois, en l'intégrant à celle de la nation qui la déborde de toutes parts.

Les *Grandes Chroniques de France* avaient ancré l'origine des rois francs dans le mythe et affirmé la continuité de leur pouvoir à travers les trois dynasties, par des légendes, des inventions *a posteriori*, destinées à légitimer les usurpateurs carolingiens, puis capétiens. La continuité mystique, l'élection divine étaient fondées sur la légende du saint chrême. La continuité du pouvoir, le *regnum francorum,* et celle de son espace avait été assurée par Hugues de Fleury — repris dans les *Grandes Chroniques* — fixant au partage de 843 les limites du royaume de Robert le Pieux (cf. p. 126).

L'histoire libérale et nationale du XIXème siècle incorpore l'imaginaire construit autour des rois francs : Clovis, Charlemagne (annexé), Hugues Capet, c'est déjà la « France ». Substitué au mythe troyen, le mythe de l'origine gauloise spatialise la continuité (qui, dans les anciennes histoires était celle du pouvoir symbolisé dans la personne des rois). La prédestination de la France s'inscrit dans le sol, elle est géographique. Parallèlement le concept à la fois flou et absolu de « nation » lui confère une identité transcendante. La France est un être imaginaire extra-historique qui existe « des origines à nos jours ».

### *« Race » et peuple*

Augustin Thierry et Michelet nous font saisir sur le vif comment l'histoire des rois devient celle de la nation. Jusqu'au XIXème siècle, les abrégés, les manuels scolaires reconstruisaient l'histoire de France autour des trois dynasties mérovingienne, carolingienne, capétienne. Rédigé pour le duc du Maine, réédité une centaine de fois entre 1687 et 1877, le manuel de l'abbé Le Ragois présente, en 1838, un tableau synoptique des rois de France depuis Pharamond jusqu'à Louis Philippe (cf. annexe).

Dans ses *Lettres sur l'histoire de France* (1827), Augustin Thierry, qui parle plus volontiers de « race » que de dynastie, transforme ce schéma : la troisième « race » assure le triomphe d'une royauté réellement « nationale », la lutte entre les Carolingiens et les Capets pour la royauté a opposé un parti « allemand » à un « parti qu'on peut nommer français ». Eudes, le fils de Robert le Fort, est le candidat des « Français », seigneurs du Nord de la Gaule qui cherchent à former un État. On perçoit dans l'interprétation d'Augustin Thierry l'écho des débats historico-idéologiques du XVIIIème siècle sur la lutte des Francs et des Gaulois. Il dénomme « Français » (au IXème siècle!) une population « indigène », hostile aux descendants de Charles le Grand, « cette race toute germanique, se rattachant par le lien des souvenirs et des affections de parenté aux pays de langue tudesque, ne pouvait être regardée

par les Français que comme un obstacle à la séparation sur
laquelle venait se fonder leur existence indépendante ». Car
« la restauration de la race indigène s'opérait en quelque sorte
depuis le démembrement de l'Empire ». D'où le caractère
décisif de l'avènement des Capétiens. La nation préexiste à
travers cette « race indigène », célébrée au XVIIIème siècle par
l'abbé du Bos, ces Gaulois typés, dont Amédée, le frère
d'Augustin, crée l'image.

> L'avènement de la troisième race, est, dans notre histoire
> nationale, d'une bien autre importance que celui de la seconde ;
> c'est à proprement parler la fin du règne des Francs et la
> substitution d'une royauté nationale au gouvernement fondé
> sur la conquête. Dès lors notre histoire devient simple ; c'est
> toujours le même peuple qu'on suit et qu'on reconnaît malgré
> les changements qui surviennent dans les mœurs et la civilisa-
> tion. L'identité nationale est le fondement sur lequel repose,
> depuis tant de siècles, l'identité de la dynastie.

Michelet, dans le livre II de l'*Histoire de France* cite ce
texte, encadré de longs extraits des *Lettres sur l'histoire de
France* [2]. Il considère que l'on peut, à partir du serment de
Strasbourg et du traité de Verdun de 843, opposer désormais
les « Français » (« nous pouvons dès lors employer ce nom »)
et les « Allemands ». Enchaînant sur le texte d'Augustin
Thierry, il modifie la vision raciale de son prédécesseur par la
notion de peuple, de nation fusionnelle germant peu à peu
dans une France qui préexiste.

> Parvenus au terme de la domination des Allemands, à l'avène-
> ment de la nationalité française nous devons nous arrêter un
> moment [...] Portons nos regards en arrière. La France a déjà
> parcouru deux âges dans sa vie de nation. Dans le premier les
> races sont venues se déposer l'une sur l'autre et féconder le sol
> gaulois de leurs alluvions. Par dessus les Celtes se sont placés
> les Romains, enfin les Germains, enfin les derniers venus du monde.
> Voilà les éléments, les matériaux vivants de la société.
> Au second âge la fusion des races commence et la société
> cherche à s'asseoir. La France voudrait devenir un monde
> social, mais l'organisation d'un tel monde suppose la fixité et
> l'ordre.

Michelet récuse le déterminisme exclusif de la race. Il le
complète et l'enrichit par un déterminisme géographique. La
géographie est nécessaire à la compréhension du processus
historique, tel que l'entend Michelet, car la France est, non pas
la création de la « troisième race », mais l'œuvre du Peuple,
arc-bouté au sol, les pieds dans la glèbe [3]. La fatalité géogra-

phique et raciale a régné jusqu'à ce que l'esprit triomphe de la matière. L'unité de l'administration romaine, puis de Charlemagne était trompeuse. Elle masque l'anarchie, la soumission à la nature, la domination de l'histoire par la géographie. Michelet trace alors son *Tableau de la France*, description de la France par provinces, qui a pour dessein de souligner combien sont, en l'an mil, diverses et séparées les régions naturelles de la France. La patrie naturelle divise, le peuple accomplira l'unité spirituelle de la patrie, fondation volontaire, populaire, qui s'opère au jour le jour et généralement dans l'invisible sauf révélation dans des moments fulgurants. A la continuité de la race indigène, Michelet substitue la perspective d'une révélation de la nation préexistante dans une patrie créée par le Peuple.

Deux certitudes lui suffisent pour annoncer cette épiphanie : l'épopée de Jeanne d'Arc et la fête de la Fédération. L'esprit se manifeste en ces sublimes occasions. En Jeanne d'Arc le peuple reconnaît l'incarnation de la patrie souffrante et indomptable. Dans la liesse populaire de la fête de la Fédération, il n'a plus besoin qu'une sainte lui enseigne l'existence de la France. Il la trouve en lui, réalité spirituelle ; « la Jérusalem des cœurs, la sainte unité fraternelle la grande cité vivante, qui se bâtit d'hommes... En moins d'une année elle est faite ». Découpant le pays en départements, les législateurs de la Révolution brisent « la fausse unité géographique des provinces » et substituent « au lien matériel du lieu l'âme immatérielle de la France » [4].

On reconnaît ici l'écho de la méditation sur la Patrie, évoquée dans le premier chapitre de cet essai. Il demeure que Michelet, par l'âme immatérielle de la France qui inspire le peuple, comme Augustin Thierry avec le triomphe de la race indigène, construisent un schéma historique dans lequel *la France n'a pas de commencement*. Les changements n'y sont que les transformations d'un « même » posé dès l'origine, transposition libérale et romantique de l'imaginaire forgé autour des rois francs d'origine troyenne immémoriale, successeurs de Clovis, agents de Dieu.

### *Ambiguïté de l'histoire scientifique*

Parce que Michelet professe une religion de la France, cette transposition peut sembler naturelle. Mais quand l'histoire se proclame scientifique, quand les historiens universitaires se réclament du positivisme, de l'objectivité la plus rigoureuse, on peut supposer que le discours d'une nouvelle méthode historique va engendrer une nouvelle manière d'agencer le passé. Il n'en est rien. Les historiens de l'« école méthodique » de la fin du XIXème siècle (si bien analysée par Guy Bourdé et Hervé Martin dans leur livre sur *Les écoles historiques*) composent, sous couvert de la science, une histoire idéologique au service de la République officielle [5].

Dès lors, et c'est sur quoi je voudrais insister, ils chaussent les bottes de leurs prédécesseurs, en dépit de leur illusion d'inaugurer une ère nouvelle de l'histoire. Intégrant en toute bonne foi cette religion de la France, dont nous avons vu qu'elle commandait une vision totalisante de l'histoire réorganisée autour de la nation révolutionnaire, ils prolongent et prennent à leur compte l'historiographie d'une France immémoriale et continue.

Or ils vont non seulement régner sur l'enseignement et la recherche universitaire jusqu'en 1940 (pour le moins) mais dominer la production des manuels scolaires, ceux de l'école primaire dont nous avons donné un aperçu, mais aussi, avec plus de nuances et de richesse culturelle, les manuels du secondaire, le « Malet-Isaac », ce *best-seller* qui vient d'être réédité. De surcroît, et c'est l'essentiel, la conception ministérielle de l'histoire et la représentation officielle que la France (à travers ceux qui la gouvernent) se fait d'elle-même reste toujours celle que l'école méthodique a fixée depuis cent ans.

Dans le manifeste de cette école, fondée en 1876 avec la *Revue historique*, Gabriel Monod montre (involontairement) comment, derrière « le point de vue strictement scientifique » sont véhiculés tous les ingrédients déposés par les prédécesseurs : âme des ancêtres et de la nation, race, peuple au singulier, héritage d'une France éternelle. L'histoire, qui se réclame de la science positive, écrit-il, « aborde en même temps [le] passé avec un sentiment de respect, parce qu'il sent mieux que personne les mille liens qui nous rattachent aux ancêtres; il sait que notre vie est formée de la leur, nos vertus et nos vices de leurs bonnes et mauvaises actions [...] Il y a quelque chose de filial dans le respect avec lequel il cherche à pénétrer dans leur âme; il se considère comme le dépositaire des traditions de son peuple et de celles de l'humanité ». L'historien n'est pas un juge du passé, il l'assume sans le critiquer dans sa continuité inéluctable. « Il ne fait pas de procès à la monarchie au nom de la féodalité, ni à 89 au nom de la monarchie. Il montre les liens nécessaires qui rattachent la Révolution à l'Ancien Régime, l'Ancien Régime au Moyen Age, le Moyen Age à l'Antiquité [...] ».

Il n'est cependant pas l'observateur indifférent de ces « liens nécessaires ». Car « en ce qui touche spécialement la France, les événements douloureux qui ont créé dans notre Patrie des partis hostiles se rattachant chacun à une tradition historique spéciale, et ceux qui, plus récemment, ont mutilé l'unité nationale lentement créée par les siècles, nous font un devoir de réveiller dans l'âme de la nation la conscience d'elle-même par la connaissance approfondie de son histoire. C'est par là seulement que tous peuvent comprendre le lien logique qui relie toutes les périodes du développement de notre pays et même toutes ses révolutions; c'est par là que tous se sentiront les rejetons du même sol, les enfants de la même race, ne reniant acune part de l'héritage paternel, tous fils de la vieille France et en même temps tous citoyens au même titre de la France moderne » [6].

On saisit bien, dans ce manifeste, le climat intellectuel, idéologique et affectif dans lequel s'est élaboré le « Petit Lavisse ». Ernest Lavisse fut lui-même l'un des grands mandarins de l'école méthodique. Au plan universitaire il a, vers 1890, mis en chantier une vaste reconstitution du passé national, l'*Histoire de France de l'époque gallo-romaine à la Révolution* en neuf tomes. Elle est suivie d'une *Histoire de la France contemporaine de la Révolution à la Paix de 1919*, dirigée par Charles Seignobos, disciple de Lavisse. La grande Histoire de Lavisse symbolise la démarche commune de toute une école qui organise le passé autour de la continuité de l'État-Nation, dans la succession chronologique des règnes, puis des régimes postérieurs à 1789. Elle reste dans la logique des « trois dynasties ».

Le texte de Gabriel Monod dévoile en outre l'ambiguïté d'un système intellectuel qui semble, au nom de la science, nier toute référence à des *valeurs* (on ne juge pas les événements) mais qui confère explicitement à l'histoire un objectif patriotique. Ce protestant libéral, grand bourgeois républicain, traumatisé par la défaite, sera, contrairement à Lavisse, au premier rang du combat dreyfusard. Ses propos n'en rejoignent pas moins la démarche historiographique de ce dernier. Ainsi

pouvons-nous mieux comprendre l'accueil enthousiaste fait au
Petit Lavisse, à sa théologie et à sa morale de la patrie, dans
un milieu d'universitaires et d'hommes politiques obnubilés
par la nécessité d'inscrire la « nation » dans le cœur de chaque
Français.

On comprend aussi comment une histoire pensée à l'envers ne peut être que finaliste. Quand l'historien explique
l'« avant », l'Ancien Régime, par rapport à un « après », la
Révolution, la République, que lui-même connaît, l'enchaînement est forcément « nécessaire »! Une histoire exclusivement
subordonnée au développement du sentiment national, au
mépris des droits des autres peuples est contestable au plan
éthique. Mais la conception d'un déroulement logique du passé
est également dangereuse du point de vue d'une pédagogie de
la citoyenneté démocratique. Car la continuité apparente, qui
relie les événements comme une suite inéluctable, incline au
fatalisme, à la résignation, à la déresponsabilisation du citoyen
par rapport au devenir collectif. Elle ne permet pas de comprendre que le présent réel, le présent vécu est toujours ouvert
sur un futur indéterminé, qui dépendra de la manière d'agir
dans ce présent et de la lucidité avec laquelle on saura en faire
l'analyse. Il est certes indispensable de comprendre que
l'« après » succède à l'« avant », mais les chronologies trop
linéaires peuvent être le « repaire » de sectarismes idéologiques qui bloquent la lecture réaliste et sans préjugé du présent
dans la perspective dynamique d'une transformation, d'une
amélioration.

### Les paradoxes de Seignobos

Co-auteur, avec Charles-Victor Langlois, d'un manuel
d'*Introduction aux études historiques,* « discours de la méthode » des historiens positivistes, Seignobos a fait un peu
figure de bouc émissaire pour les détracteurs de l'école méthodique, qui allaient, dans les années 1930, se réunir autour de
Marc Bloch et de Lucien Febvre, fondateurs des *Annales.* Dans
un livre destiné au grand public, l'*Histoire sincère de la nation
française* [7], l'auteur entend décrire une genèse, un processus.
« J'ai voulu, écrit-il dans son introduction, expliquer par quelle
série de transformation s'est constituée la nation française » [8].
Il critique explicitement la notion de continuité dynastique
héritée des anciens chroniqueurs. « Les historiens, habitués à

voir la royauté héréditaire, s'imaginaient que la France avait
passé successivement sous trois familles royales, appelées aussi
"races"; les Mérovingiens jusqu'en 753, les Carolingiens jusqu'en 987, les Capétiens. C'est cette succession des trois
dynasties qui s'enseignait dans les écoles ». Sans dire un mot
du sacre, il lie la continuité capétienne au hasard d'une
« descendance directe de mâle en mâle de 987 à 1316 » [9].

Il insiste, d'autre part, sur la diversité des populations
françaises. « La nation française est plus hétérogène qu'aucune
autre nation d'Europe; c'est en vérité une agglomération internationale de peuples [...] Il n'y a jamais eu de droit ni de
langues communs à toute la population, et il faut une igno-
rance totale de l'anthropologie pour parler de "race française".
La France n'a jamais eu de frontières ethnographiques ni
linguistiques. Ses frontières n'ont été que géographiques ou
politiques; elles ne se sont formées que très lentement et par
une série d'accidents ». Récusant la notion d'« ancêtres gaulois », il écrit : « Les Français sont un peuple de métis; il
n'existe ni une race française, ni un type français » [10].

Seignobos aurait-il ébauché la rupture avec avec l'historiographie de la nation gauloise, démythifié cette France
préexistante, qui se révèle au cours des temps comme une
décalcomanie trempée dans l'eau ? A l'inverse de Michelet,
Seignobos assigne à la nation un commencement historique, au
XIIème-XIIIème siècle. Mais c'est une création miraculeuse
analogue, écrit-il, au « miracle grec » (expression dépourvue
de sens pour les historiens d'aujourd'hui). « C'est par une
floraison spontanée sans précédent, comparable à ce qu'on a
appelé le "miracle grec" que se produit la civilisation française
radicalement différente des civilisations antiques orientale ou
méditerranéenne ». Cette civilisation germe dans un espace
défini, « un territoire restreint autour de Paris, limité à la
Normandie, la région parisienne, la Picardie, la Champagne,
peut-être avec l'aide de quelques personnages "aquitains"
venus de l'Ouest » [11].

Au lieu que la nation provienne du fond des âges, elle
surgit mystérieusement en deux siècles. Mais dès lors tout
s'enchaîne et l'on retombe dans le déterminisme d'une évolution inéluctable et dans la description d'une société globale,
certes divisée en catégories sociales, mais « une » dans l'espace. « C'est sous l'action de cette civilisation fondée sur des
sentiments et des usages tout à fait étrangers au monde antique

que s'est organisée la société d'où, par une *évolution désormais continue* (souligné par moi S.C.) est sortie la nation française contemporaine ». La nation n'est plus gauloise, elle naît spontanément « française » et un processus d'assimilation autour de Paris, crée la nation. « Tous les autres pays ont été des annexes; mais chacun, à mesure qu'il s'est joint à la primitive région *française*, a adopté la plus grande partie de sa civilisation ».

Une fois encore le passé est déchiffré comme l'annonce du futur, « l'amalgame d'où va sortir la nation française » qui ne s'accomplira vraiment qu'en 1789. « L'unité de la nation française s'achève alors par l'adhésion volontaire de toutes les populations de la France au nouveau régime sous la forme américaine de "fédération" » [12].

Bien qu'il ait cru se démarquer de la vision des historiens du passé « souvent troublée par leur propre tendance », Seignobos est, lui aussi (inévitablement) tributaire d'une culture intellectuelle, idéologique et politique. Radical jacobin, au sens de la Troisième République, le concept de « nation une et indivisible », l'attachement à la République démocratique et laïque, une pointe d'anticléricalisme influencent l'explication. La révolution accomplit l'unité française. « La royauté encore très faible n'a eu aucune part » à la création de la civilisation française. Le sacre n'est pas mentionné [13].

L'imaginaire républicain et scientiste de Seignobos fait surgir la société française au XIIème siècle, Minerve sortant de nulle part. A partir de cette naissance, l'unité française, d'abord en latence, s'achève à la Révolution. Elle sert de toile de fond au déroulement logique des événements qui conduisent à la République. L'histoire reste pensée de façon linéaire et continue.

### Et la « Nouvelle histoire » ?

Mais à quoi bon ces rappels d'une école que les grands historiens des dernières décennies ont, par leurs travaux et leur notoriété, ensevelie dans l'oubli ? Que nous importe la vision d'un historien positiviste, radical, partisan en son temps du Cartel des Gauches, disparu en 1942, quand l'histoire se nomme aujourd'hui Braudel, Duby, Le Goff, Le Roy Ladurie, Chaunu, pour ne citer que les plus « médiatisés » ? L'historien s'introspecte, l'histoire débat avec elle-même, elle dialogue avec les autres « sciences humaines ».

Des interrogations, cependant, demeurent. Comment expliquer l'étrange immobilisme des manuels de l'école, alors que la Nouvelle histoire a commencé sa brillante carrière dans les années soixante et flamboyé dans la décennie suivante avec *Montaillou, Le temps des cathédrales*, le *Dictionnaire de la Nouvelle histoire*, le recueil collectif *Faire de l'histoire* etc... ? Pourquoi les programmes 1985 de l'école (petit livre bleu de Jean-Pierre Chevènement) sont-ils le condensé d'une histoire de France à la manière de Seignobos, alors qu'un colloque réuni par Alain Savary en janvier 1984 ouvrait des brèches dans la conception traditionnelle de l'histoire ? Enfin, et j'y insiste, l'image que, non seulement le public, mais les décideurs ministériels et politiques se font du passé n'est-elle pas celle que nous a léguée l'historiographie républicaine, la grande fresque brossée au début du XXème siècle par l'école méthodique ?

Et voici la question décisive sur laquelle butent les précédentes : existe-t-il une « nouvelle » histoire de France, une remise en perspective de l'historiographie linéaire d'une France prédéterminée dont nous venons d'esquisser la transmission ? Les travaux et les recherches de ces dernières décades ont-ils permis de mettre en chantier une nouvelle manière de nous représenter le passé, un dépassement, une transformation de la synthèse républicaine, un nouveau discours de la méthode ? Dès lors que l'histoire est devenue recherche, hypothèse, compréhension provisoire, point de vue, n'est-il pas nécessaire de relire le passé en prenant acte de la manière dont une synthèse centenaire l'a filtré et déformé * ?

Les « histoires de France » en plusieurs volumes se sont multipliées depuis quelques années apportant des informations, des réajustements de connaissances qui enrichissent et vivifient le champ de l'histoire. J'ai moi-même emprunté des matériaux à tel ou tel de ces travaux, les notes de ce livre en

---

* Bien qu'il ne réponde pas exactement à ces questions, le livre de François DOSSE, *L'histoire en miettes. Des « Annales » à la « Nouvelle histoire »*, paru en mars 1987 à La Découverte, insiste de façon percutante sur la « déconstruction du réel », le « refus d'une rationalisation globale » et la « perte de sens » de l'histoire nouvelle (p. 189). Lire aussi « Braudel dans tous ses états, la vie quotidienne des sciences sociales sous l'empire de l'histoire », *Espace-temps*, n° 34-35, 1985. Stimulante critique collective du phénomène Braudel.

sont la preuve. Mais le souci qui m'anime, la préoccupation qui me lancine concernent la structure, la mise en page. Dans ces grandes séries, l'histoire de la France « des origines à nos jours » reste programmée selon la périodisation traditionnelle, la succession des époques. Même si, dans le détail, les éclairages ne manquent pas, qui permettent d'entrevoir des logiques croisées, un entrelacement de niveaux d'analyse, l'ensemble reste bâti autour du noyau, autour du pouvoir d'État et l'ordonnance n'est pas en rupture avec l'héritage historiographique : une histoire monocentrée, une société globale, l'État-nation comme logique, les découpages chronologiques comme exclusive armature. Compte tenu de la division universitaire du travail, cela répond en outre à la répartition des études entre les divers spécialistes. Et cette répartition, qui souvent juxtapose des manières différentes de « problématiser », a pour effet de renforcer l'ancienne logique, la seule qui soit commune aux différents auteurs. Mais le sens même à donner à « France », — mot et chose — , s'en trouve d'autant plus obscurci. Et le développement historique reste empêtré dans une pensée d'ensemble qui rend compte du passé d'une France une et indivisible, et de l'universalité supposée de la société « française », démarche qui évacue les racines et le passé des Français dans leur diversité anthropologique, culturelle et politique.

### Le Bras et Todd

Or cette diversité, dans la France d'aujourd'hui, est une donnée incontournable. C'est pourquoi le livre d'Hervé Le Bras et Emmanuel Todd, *L'invention de la France* (1981) a eu un si profond retentissement. Il pose avec éclat, le problème de la diversité française et corrélativement celui d'une réinterprétation de l'identité française telle que l'histoire républicaine nous l'a faite intérioriser. « La République une et indivisible, écrivent les auteurs, coiffe cent types distincts de structures familiales, cent modèles de comportements absolument indépendants les uns des autres ». Ils soulignent que « l'idéal national d'un homme universel » a pesé sur le développement de l'anthropologie française. Marquée, à la fin du XIXème siècle par la différence entre « civilisés » et « primitifs » pensés « sur la ligne droite et unique du Progrès », elle n'imaginait pas qu'il puisse exister des différences culturelles entre Provençaux et Normands comme elle pouvait en établir entre Zoulous et Bantous [14].

L'histoire n'échappe pas à ce modèle évolutionniste, y compris dans le champ nouveau de l'histoire dite des mentalités. « Dans un pays comme la France où l'idéal de l'homme universel règne en maître [...] chaque phénomène humain aura son histoire, remarquent encore Le Bras et Todd. Philippe Ariès écrira celle de la famille, de l'enfance, de la mort; Michel Foucault celle de la folie, de l'enfermement; Robert Mandrou celle de la sorcellerie. L'enfance, la famille, la mort, la folie, l'enfermement, la sorcellerie seront situés dans le temps, *jamais dans l'espace.* Ils n'auront pas droit à une géographie ». L'histoire n'admet jamais l'existence simultanée de deux modes de vie distincts et indépendants. C'est une histoire irréelle. « Le concept de développement permet de définir un temps historique abstrait, dissocié du temps réel, mais capable de s'y substituer » [15].

Le choc de ces affirmations concerne non seulement les chercheurs, mais les éducateurs, les travailleurs sociaux confrontés désormais beaucoup plus à la diversité qu'à l'universalité française et nous y reviendrons. Va-t-il atteindre les historiens ? L'ouvrage ne se présente que comme un « atlas anthropologique et politique ». Il n'a pas pour objectif de mettre en perspective historique le patchwork dont il montre des morceaux.

Il indique néanmoins quelques segments en longue durée qui seraient explicatifs de tel ou tel aspect de la « France des anthropologues ». Par exemple la structure des familles en diverses régions permet de repérer, à la fin du XXème siècle, des « groupes humains qui ont peuplé le territoire national entre l'époque néolithique et celle des grandes invasions » [16]. Hervé Le Bras et Emmanuel Todd mettent en question l'historiographie traditionnelle, en posant des problèmes qui lui sont étrangers.

### Fernand Braudel et l'identité de la France

Les deux premiers tomes de l'ouvrage posthume de Fernand Braudel sont parus pendant la rédaction de cet essai [17]. Il n'est pas aisé de commenter un ouvrage, dont la publication est postérieure au décès de l'auteur. Si l'on en juge par l'introduction, le plan envisagé par Braudel ne coïncide pas exactement avec le découpage des ouvrages dont nous sommes les lecteurs. Cette publication juxtapose d'autre part les fruits de lectures innombrables, la richesse d'une culture personnelle ancrée dans une vie de labeur; mais elle souffre de l'absence de relecture finale de l'auteur. Si le dessein de Braudel est d'emprunter ses éclairages successifs à diverses sciences humaines, sa problématique ne semble pas interroger centralement l'historiographie traditionnelle pour y subsituer d'autres cohérences. Yves Lacoste a remarqué, à propos du premier tome, axé sur la géographie, que le livre fait appel à une conception « périmée » de la géographie excluant le politique, ne permettant donc pas de saisir le phénomène de l'État et de la Nation [18]. La dimension du politique est inscrite en filigrane dans certains passages du tome suivant, « les hommes et les choses ». Mais l'objet même de ce deuxième livre de la série demeure, à mon sens, assez flou, oscillant notamment entre une perspective française et le désir latent de conter en même temps l'Europe.

Au fond, et c'est peut-être l'essentiel : par-delà le suggestif décloisonnement de la préhistoire et de l'histoire et les effets d'un regard en « longue durée », Braudel, qui avait pris position pour le rétablissement d'un enseignement traditionnel de l'histoire de France à l'école dans les années 1980-81, Braudel reste *michelétien*. La confession qui ouvre son livre nous en donne la clef : « Je le dis une fois pour toutes : j'aime la France avec la même passion, exigeante et compliquée, que Jules Michelet. Sans distinguer ses vertus et ses défauts, entre ce que je préfère et ce que j'accepte moins facilement » [19].

Ainsi derrière « l'espace et l'histoire », « les hommes et les choses » décrypte-t-il l'identité d'une France immémorielle, dans laquelle les Français vivants ne retrouvent pas forcément . leur passé.

### La France de Pierre Chaunu

Pierre Chaunu a présenté, en format de poche, une étude de synthèse sur la France. Que nous apporte-t-il de neuf ? Lecteur, lui aussi, de *L'invention de la France,* il emprunte à nos deux auteurs, dans sa première partie, certaines de leurs cartes et de leurs analyses.

Mais il s'écarte de leur problématique puisqu'il définit la France comme « une personne ». « Le mystère d'une personnalité collective n'est pas plus épais que celui des personnages que nous formons à partir de notre être biologique ». Chaunu se réclame de Charles de Gaulle, et demeure, lui aussi michelétien, avec parfois des connotations à la Lavisse : « La France souffre, elle a mal, elle espère, attend, elle peut mourir demain, elle est menacée, trahie, asservie; elle est en droit d'exiger que pour elle on vive et on meurt » [20]. Il lui assigne cependant une origine. Pour lui (comme pour Seignobos) « la France vraie est une création du XIIIème siècle ». Mais contrairement à ce dernier, il n'enferme pas ce « nœud » dans un déterminisme. Il souligne l'importance de l'affaire albigeoise dans la formation de la France comme État territorial. Sans elle « la France n'aurait pas été la France ». On aurait pu avoir « une Gaule franque au Nord de la Loire [...] peut-être tentée de se rapprocher de la partie tudesque du *Regnum Francorum*, laissant la Romanie à son sort, éclatée entre un pôle maritime anglais via Bordeaux et un pôle terrestre aragonais à Toulouse » [21].

La description de la manière dont s'est formé « le nœud de la France » est précédée d'une étude de « l'obscure mémoire de la France ». De la « tombe au champ de blé », Chaunu expose ce que nous pouvons savoir de la plus ancienne présence humaine dans l'espace actuel de la France. Puis, faisant le point sur les Gaules et le *Regnum Francorum*, il entrecroise les connaissances que nous avons de ce passé lointain et les mythes qui l'ont filtré jusqu'à nous, avènement des ancêtres troyens, inventions historiographiques autour du *regnum*. Ce qui est nouveau c'est de faire intervenir de façon tantôt explicite, souvent allusive et plus difficile à décoder, la charge de l'imaginaire reconnue comme dimension du passé et de son interprétation.

En aval de l'étude du noyau, Chaunu se penche sur la nature de l'État construit à partir du XIIIème siècle. Pour lui, « la France s'est faite en l'espace d'une génération » par « l'association du Nord et du Sud née de la croisade albigeoise » [22].

Il fait de Bouvines un événement définitivement fondateur [23], alors que, me semble-t-il, Duby a montré l'entrelacement sans fin entre l'événement et son amplification idéologique qui le constitue en mythe fondateur : l'importance « nationale » donnée à la victoire est une invention de l'historiographie du XIXème siècle.

La problématique de Chaunu — « le système de la France » — certes, se discute, d'autant plus qu'elle est affichée. L'idée que la progression de la France des Capétiens, fut irrésistible, parce que l'État qu'ils construisaient se présentait partout comme un espace de paix, est certainement contestable. La prédilection excessive pour la monarchie est flagrante. L'auteur semble reporter sur la Révolution des fantasmes inséparables de ses options sur le présent, et notamment de son horreur de la Gauche du 10 mai 1981. La Révolution serait « référente », « parce qu'elle est, dans notre passé la grande, la principale, à ce jour l'unique plage de sang » [24]. François Lebrun, dans un récent numéro de la revue *L'Histoire*, s'est élevé contre les excès de Chaunu qui, dans un livre ultérieur, a qualifié la Vendée de « génocide franco-français ». Il a dénoncé l'imprécision de certaines affirmations et la confusion entre le métier d'historien et celui de polémiste, tout en soulignant lui-même, le tragique de cette guerre civile franco-française [25].

Faut-il, dès lors, rejeter Chaunu en bloc ? Je ne le pense pas. Parce que cette « Histoire de la sensibilité des Français à la France » n'est pas linéairement chronologique, parce qu'elle ne sépare pas, en plusieurs endroits, l'exposé des faits (dans l'état où nous les connaissons) de leur transmission dans la mémoire, de leur transformation par l'imaginaire, parce qu'elle questionne (par moments!) ses propres affirmations, qu'elle explicite (parfois) ses interprétations, elle sort des sentiers battus de l'historiographie héritée de l'école méthodique. Et c'est en cela, malgré les dérives signalées plus haut, que je la trouve intéressante. Derrière celles-ci, la réintégration du sacré dans l'explication historique est à prendre en compte. La Révolution, écrit-il, « est le substitut du sacré, le mythe fondateur laïc de la nation » [26]. Tocqueville avait analysé le caractère religieux de la Révolution. Nous ne pouvons aujourd'hui nous dispenser, avec François Furet, de « penser la Révolution française ».

En résumé, par ses excès et parfois sa confusion, la *France* de Chaunu peut nous aider à rechercher *a contrario* les procédures et la méthode d'une nouvelle histoire qui se répercuterait jusqu'au niveau de l'école. Les arguments très répandus, selon lesquels il faut d'abord faire de l'histoire à la manière ancienne pour qu'à un niveau supérieur — c'est-à-dire au-delà de l'école obligatoire — on accède à la « nouvelle histoire », ne me convainquent pas et je dirai pourquoi dans le prochain chapitre.

Cependant le livre de Chaunu est totalement insatisfaisant sur un point important, pourtant soulevé au départ par les références à Le Bras et Todd : la diversité, l'hétérogénéïté culturelle, il n'y revient pas. Car s'il s'attarde sur la fracture chrétienne, sur la rupture idéologique, dans le dernier quart de son ouvrage, son parcours n'est en rien l'examen des diversités françaises et de leur enracinement dans le passé.

**Troisième partie**

# IDENTIFICATION DES FRANÇAIS

Les historiens républicains de la fin du XIXème siècle avaient puisé dans leur époque des motivations, des certitudes, des convictions vivantes et vibrantes : religion de la patrie, célébration passionnée de la Révolution, croyance fervente dans la République, le Progrès, l'homme universel. Cela leur donna la capacité d'écrire si vigoureusement une histoire de notre pays, que nous en sommes, ou nous nous en croyons encore, dépositaires. Puisque les « nouveaux » historiens n'ont pas senti la nécessité, jusqu'à présent, d'ouvrir un grand débat critique sur l'historiographie française et ses rapports avec l'identité nationale, il faut, un siècle après Gabriel Monod et Lavisse, retrouver dans le *présent* la sommation d'une compréhension nouvelle du passé. Compte tenu des nouvelles connaissances, des besoins de redéfinir l'identité française et de la perspective de l'inscrire dans une identité européenne ouverte aux problèmes mondiaux, on doit repenser le passé. Chaque Français d'aujourd'hui a le droit d'y repérer *ses* ancêtres. Les travailleurs sociaux, les éducateurs, les enseignants éprouvent la nécessité de nouvelles grilles de décryptage. Dans un article sur *Le défi de l'immigration maghrébine* [1], Michel Tibon-Cornillot a défini la société française comme « un mixte contradictoire d'État unitaire et de société civile pluri-culturelle ». « Mohamed peut-il être un bon Français ? » interrogeait *L'Évènement du Jeudi* du 13 juin 1985. Sûrement pas si on se contente de lui imposer un passé gaulois!

Une histoire qui chercherait à expliciter le « mixte » de Michel Tibon-Cornillot ne renierait en rien la référence aux

---

1. *Le Monde*, 24 août 1983.

valeurs universelles, l'une des caractéristiques de notre identité française. Au contraire, mieux que n'a su le faire la légende républicaine, obnubilée par la nation une et indivisible, elle chercherait à lire dans le passé l'émergence de ces valeurs (qui n'ont pas surgi miraculeusement en 1789) et, sans se laisser empêtrer dans la Raison d'État, elle étudierait les dénis qui parsèment l'histoire de France comme celle des autres. Examiner le passé au crible de cette valeur commune que nous appelons les « droits de l'homme », pour en faire le fondement moral de l'éducation, c'est ne plus rechercher seulement le « même », l'homogène, le linéaire, mais l'autre, le différent dans le semblable, le multiple dans l'Un.

## Chapitre 10

# REPENSER L'HISTOIRE DE FRANCE

Donner à tous les Français (et à tous les enfants qui s'instruisent dans nos écoles) le droit d'avoir un passé, d'inscrire leur mémoire familiale dans la durée, oblige à repenser l'histoire transmise par l'école. Malgré les ajouts de tableaux de la société française à différentes époques, cette histoire reste celle de l'État unitaire et de sa légitimité et, en aucune manière, celle de la société civile pluri-culturelle, dont parle Michel Tibon-Cornillot, ni de la France des anthropologues de Le Bras et Todd. Dans cette histoire point de passé pour les pays occitans, bretons, béarnais, basques, corses, savoyards, alsaciens, pas de place pour une identité antillaise, canaque, une mémoire juive, protestante. Pas de souvenir, non plus, pour les Vendéens, sinon en opprobre, ni de droit d'inscription pour les musulmans, qu'ils soient fils de harkis ou de combattants FLN ou simplement enfants du Maghreb. Et quelle mémoire pour les Pieds-Noirs ?

Veut-on nicher ces passés différents dans la trame traditionnelle de l'histoire ? On n'y parvient pas, et c'est bien là le problème de l'incompatibilité entre la demande de notre société et le passé officiel de la France. Cette histoire que ses créateurs avaient voulu intégrale est, par rapport aux Français que nous sommes, comme un gruyère dont nos mémoires sont les trous.

Pourtant, pendant des décennies, cette histoire servit à « nationaliser » les Français dans les plus lointaines campagnes. Elle a produit son effet assimilateur sur les enfants d'étrangers au moins jusqu'à la seconde guerre mondiale. Et puis, dira-t-on, l'histoire, ça marche en France, c'est un bon créneau éditorial, les histoires de France de facture restée classique se sont récemment multipliées. Mais cette histoire fonctionne-t-elle aujourd'hui comme enracinement d'identité collective ? Pourquoi tant d'adultes sont-ils à la recherche de leur généalogie ? Que faut-il expliquer du passé aux enfants du mélange pluri-culturel, pour que ce passé soit réellement leur ? Quels nouveaux regards la société audio-visuelle qui médiatise quotidiennement un kaléïdoscope d'images planétaires y jette-t-elle ?

Dans tous les domaines, dans tous les savoirs le recyclage s'impose et se pratique. Si l'histoire est *connaissance* du passé, elle ne peut éviter la mise à jour.

### Renoncer à l'histoire-célébration

L'historien François Furet a écrit dans *Penser la Révolution française* que la Révolution était « terminée » et qu'il était temps de passer de « l'histoire-commémoration » à l'histoire tout court [1]. Le propos peut, certes, être médité, discuté par ceux qui, consciemment ou non, n'ont pas tout à fait décanté un attachement passionnel à la Révolution, une affectivité héritée des Pères de la République, longtemps matrice de l'appartenance à la « Gauche ». Mais la réflexion vaut pour l'ensemble de « l'histoire de France ».

L'histoire républicaine, construite autour de la Révolution perçue comme événement fondateur, comme coupure, dans le devenir humain, s'est adossée sans drame de conscience à l'histoire des rois. Pour qu'elle devienne histoire de la nation, on lui adjoignit, en amont, un segment gaulois. En aval, le récit du XIXème siècle fluctua entre l'Ancien Régime et le Nouveau, jusqu'à la Troisième République, accomplissement miraculeux de la Révolution, régime parfait.

Ainsi fut ficelée dans l'enveloppe de la nation « préexistant à tout », au prix de quelques rapetassages, coutures et surjets, l'ancienne robe de la France. Les *Grandes Chroniques*, cet emboitement de textes destinés à célébrer la grandeur, la légitimité, le caractère sacré de la mission des rois restèrent le patron, le dessin initial du vêtement. La continuité historique qui faisait des Capétiens les héritiers de Clovis et de Charlemagne devint celle de la nation. Elle devait tout, rappelons-le, au travail de compilation mais aussi aux inventions historiographiques des moines de Saint-Denis. Le mythe de l'origine gauloise permit d'éliminer les Francs des origines de la France, mais l'on continua de célébrer les rois des Francs en les « naturalisant »! Il servit à donner l'illusion d'une histoire démocratique et républicaine, puisqu'elle partait de la « nation », du « peuple ». Nous ne sommes pas sortis de cette logique ambiguë qui fait des Gaulois l'unique ethnie de référence, au « commencement ». Paradoxale popularité de Vercingétorix et d'Astérix qui nous masque que nous sommes un amalgame de peuples et de cultures et que notre prétendue mémoire collective plonge dans l'exaltation de la seule mémoire du pouvoir des rois des Francs! Ni Pharamond ni Vercingétorix ne sont habilités à symboliser notre identité pluri-culturelle.

Le mythe gaulois fut un mythe porteur, parce que, dans la manipulation du passé par les historiens du XIXème siècle, le « peuple originel » servit de caution historique à la nation « une et indivisible » proclamée par la Révolution. Les Gaulois donnèrent corps au postulat que derrière la trame des événements, luttes de pouvoir et progrès des Capétiens, s'affirmissait une entité, — « race » ou peuple —, dont la réalité imaginaire donnait à l'histoire son sens et sa légitimité. La nation préexistante empêcha d'analyser les processus et de porter en lumière la diversité des acteurs, vainqueurs, victimes ou simples enjeux des luttes.

On croit donc lire l'histoire du peuple, on ne dispose, en fait, que de celle du pouvoir, une histoire de la Raison d'État triomphante, avant comme après 1789. Lorsqu'à juste titre Pierre Chaunu s'indigne du camouflage de ce qu'il appelle de façon tout à fait contestable le « génocide » vendéen, on s'étonne qu'il n'applique pas sa critique à l'ensemble de notre histoire. Tant qu'il s'agit de la royauté, il affirme, paradoxalement, que la France est indissociable de l'État, parce que l'État, jusqu'au XVIIIème siècle, c'est la cohésion, l'ordre et l'extension d'un espace de paix [2]. Les cathares exterminés, les juifs expulsés, les protestants traqués, les noirs d'Afrique transportés aux Antilles, n'ont-ils pas, autant que les Vendéens massacrés ou noyés, droit à la mémoire ? Et le « totalitarisme » de la Convention montagnarde ne prend-il pas le relais du pouvoir monarchique, de « Saint » Louis soutenant l'Inquisition, de Louis XIV envoyant ses dragons contre les Camisards ? Tant que l'histoire de France n'aura pas rompu le lien d'une tradition historiographique héritée des *Grandes Chroniques*, qui subordonne la lecture du passé à la célébration du pouvoir, les mémoires des persécutés, des vaincus, des rebelles, des sacrifiés à la Raison d'État, des colonisés, qui sont les « ancêtres » de beaucoup de Français, ne trouveront pas, dans l'histoire, un terreau d'enracinement.

## Les deux nationalismes et l'identité française

La mise à jour du passé entraînera obligatoirement un changement dans les perspectives. Le finalisme qui projette la France dans des périodes où elle n'existe pas, notamment par des cartes « historiques », où le mot « France » est anachronique ou ambivalent et le dessin de l'hexagone mystificateur, ce finalisme est inséparable du nationalisme français du XIXème siècle. Michel Winock a distingué un « nationalisme ouvert » et un « nationalisme fermé » [3]. Il qualifie ce dernier de « clos, apeuré, exclusif, définissant la nation par l'élimination des intrus : juifs, immigrés, révolutionnaires ; une paranoïa collective, nourrie des obsessions de la décadence et du complot ». Mais son article montre combien floues et incertaines sont les frontières entre les deux nationalismes, qui ont souvent coïncidé, comme tendances simultanées ou successives, dans des mêmes personnalités (Michelet, Barrès, Péguy). Et s'il reconnaît dans le « nationalisme ouvert » celui d'une nation « généreuse, hospitalière, solidaire des autres nations en formation, défenseur des opprimés, hissant le drapeau de la liberté et de l'indépendance pour tous les peuples du monde », il n'oublie pas dans cette tendance « l'auto-admiration pour ses vertus et ses héros, l'oubli de ses propres défauts ». Il est certain que le nationalisme ouvert s'enracine dans la vision d'une France mythique qui prend sa source dans le discours révolutionnaire, une France incarnant le « genre humain » comme le proclamait Anacharsis Cloots. Cette image nimbée d'utopie a survécu à la Révolution et s'est répandue en Europe orientale et en Amérique latine d'abord parmi les intelligentsias soucieuses d'indépendance nationale, de révolution politique. Elle est devenue symbole pour les peuples et les individus en mal de la liberté d'exister face à l'oppression.

Ainsi Emmanuel Lévinas, débarquant en France en 1923, pouvait-il évoquer « à travers les maîtres qui avaient été adolescents lors de l'affaire Dreyfus, la vision pour un nouveau venu, éblouissante, d'un peuple qui égale l'humanité et d'une nation à laquelle on peut s'attacher par l'esprit et par le cœur aussi fortement que par les racines » [4]. Mais cette image de nous-mêmes que nous renvoient les autres, qui nous fait plaisir, nous conforte dans l'idée que nous sommes exceptionnels, la méritons-nous vraiment ? Si, comme l'affirme Alain Finkelkraut commentant cet émerveillement du jeune Lévinas, il faut qu'en certains lieux s'inscrivent des valeurs universelles, cela ne peut se faire en France, j'en suis persuadée, si nous ne réfléchissons pas de façon critique à la manière dont nous nous sommes auto-investis d'une mission supérieure qui nous situerait à part dans l'échelle des peuples. Cette illusion résulte du transfert de la vision légendaire des croisades, *Gesta Dei per Francos*, à la France-Messie de Michelet, la France « parfaite » du XIXème siècle.

On ne peut plus ignorer d'autre part, la filiation entre la révolution française et la révolution bolchevique. Les bolcheviks, comme tous les révolutionnaires de la fin du XIXème siècle et du début du XXème, étaient imprégnés profondément de la culture et des images de la Révolution française. L'établissement de leur dictature fut en partie l'imitation consciente de la Terreur et du Comité de Salut Public.

Nous ne pouvons dénoncer le totalitarisme dans lequel ont sombré les espoirs nés de la révolution russe et faire l'économie d'une histoire critique de notre propre révolution, et nous ne pouvons éviter que cette critique s'étende à toute notre histoire. Pourquoi d'autres peuples auraient-ils été sommés de dénoncer leurs crimes, tandis que nous continuerions à occulter les nôtres ? Cela nous conduit à réfléchir sur notre passé et sur nos mythes.

Nous avons vu que la guerre de 1914-1918 reste un tabou dans les manuels. Or si l'Union sacrée de 1914 s'explique par la conjugaison des deux nationalismes, la vérité oblige à dire que le deuxième, le nationalisme fermé de la Raison d'État l'emporte sur le premier dans les pratiques officielles de censure, le silence sur les massacres inutiles et injustifiés, le gommage des initiatives pacifistes, qu'elles viennent des résidus de la Deuxième Internationale ou qu'elles prennent la forme des contacts officieux de 1916, alors dénoncés comme « défaitistes ». Les dérives ultérieures de certains pacifistes de l'entre-deux-guerres vers la collaboration pro-nazie ne sont peut-être pas sans rapport, lorsqu'elles venaient de la gauche, avec le rejet d'une histoire officielle qui refusait de s'interroger sur la légitimité de la grande tuerie. J'ai suggéré d'autre part que cette histoire manichéenne à la louange de l'État et de ses grands hommes, essentiellement non dreyfusarde dans sa démarche, pouvait en partie expliquer l'adhésion majoritaire des Français au pétainisme et à l'État vichyssois en 1940-41. On peut *a contrario* relever comme indice ou thème de réflexion que de Gaulle « le Rebelle » héritait de sa culture familiale le culte de l'histoire et de la France, mais aussi l'alliage, peu banal à l'époque, d'une tradition catholique et (par son père) *dreyfusarde*[5]. Comme le souligne Michel Winock, son nationalisme fut toujours ouvert, lui qui eut pour pires ennemis les nationalistes « fermés » de Vichy, puis les défenseurs acharnés de l'Algérie française.

Mais le nationalisme fervent de de Gaulle, de ses prédécesseurs, de ses contemporains est-il encore d'actualité ? Peut-il être notre référence pour définir l'identité française dans la réalité d'aujourd'hui : société multiculturelle, projet de faire l'Europe, meilleure compréhension culturelle de la francophonie, nécessaire solidarité avec la planète ? Pour André Astoux, de Gaulle serait aujourd'hui un Européen convaincu, parce que l'association est le secret du destin des hommes [6].

L'enveloppe historique du nationalisme français pose à tout dirigeant ou aspirant dirigeant la question des silences et des mensonges pratiqués au nom de la raison républicaine d'État, de l'usage abusif du secret d'État, de l'affaire Dreyfus aux assertions d'un Pasqua (« la démocratie s'arrête où commence l'intérêt de l'État » *), en passant par les tortures en Algérie et Greenpeace. Parce que devenu républicain l'État est-il au-dessus de tout soupçon ? Le moment n'est-il pas venu d'en assumer l'histoire critique avant, pendant et après la Révolution ?

Le nationalisme français, d'autre part, s'exprime dans l'affirmation de l'indéfectible attachement à l'« indépendance nationale ». Mais proclamée de façon péremptoire, celle-ci est-elle compatible avec une ferme profession de foi européenne ? N'est-elle pas contredite par la mondialisation de l'économie jusqu'au sein de l'hexagone et ne rend-elle pas impossible tout espoir de rationaliser la gestion écologique de la planète et de tenter d'organiser la survie pacifique de l'humanité ?

François Mitterrand a, paraît-il, dans son bureau le portrait de Clemenceau [7]. Le « Tigre » jacobin ne me paraît pas

---

* TF1, *Questions à domicile*, 26 février 1987, (C) Documentation française, n° 873062400.

la meilleure référence pour nous penser « français » dans le monde d'aujourd'hui et forger consciemment cette France de la pluralité des cultures que lui-même a récemment saluée. Les progrès de la connaissance et de la réflexion historiques ont modifié les images qui, depuis un siècle, ont sous-tendu un nationalisme aujourd'hui dépassé, parce qu'il ne répond plus à la question de notre identité ni aux impératifs du difficile présent.

### Derrière la légende... Deux exemples

Un travail de démystification des clichés qui hantent notre conscience collective s'impose donc. En commençant par les plus pernicieux, qui contredisent l'affirmation de notre vocation à l'universalisme et la nécessité de donner à chaque Français la possibilité d'un enracinement dans le passé.

— *Charles Martel* devrait prioritairement faire l'objet d'une mise au point, pour les raisons déjà invoquées de son importance symbolique et de son rôle dans l'inconscient des pulsions racistes anti-arabes et dans l'illusion d'une supériorité de la civilisation « catholique et blanche ».

Le contexte géo-politique de l'événement de « Poitiers » est indispensable à comprendre si l'on veut dissiper l'illusion qu'aux VIIème et VIIIème siècles « notre pays » existait déjà et que « Charles Martel a sauvé la France »! C'est dire qu'on ne peut faire l'économie des notions d'*Austrasie, Neustrie, Aquitaine, Bourgogne*, espace « *provençal* », pour mettre en scène les actions et exactions de Charles Martel. En outre, la référence au *regnum Francorum*, dans une perspective non franco-centrique est nécessaire si l'on veut, dès l'école, entreprendre une éducation européenne et dissiper l'illusion que l'héritage de Clovis et de Charlemagne ne concerne que « la France ».

Charles Martel était un fils de Pépin d'Herstal, maire du palais d'Austrasie, et d'une concubine, la polygamie étant une pratique courante chez les Francs même chrétiens. Échappé d'une prison où l'avait tenu enfermé Plectrude, la veuve légitime de son père, il mène campagne contre les Neustriens qui soutenaient cette dernière. Le maire du palais de Neustrie, Rainfroi, appelle à son secours les Aquitains, pratiquement indépendants sous leur duc Eudes. Ceux-ci franchissent la

Loire. Charles bat Rainfroi et s'empare d'une partie de la Neustrie. Il guerroie aussi contre les Saxons, les Frisons, les Bavarois. En 731, il ravage le Berri qui appartient au duc d'Aquitaine.

Par ailleurs les Arabes, aidés de troupes berbères, se sont installés en Espagne au début du VIIIème siècle. Ils ont reçu l'appui de populations juives et ariennes, hostiles au catholicisme officiel intolérant. Des gouverneurs arabes, dépendant de l'émir de Damas ont substitué leur domination à celle des rois visigoths. Comme les princes francs, les dirigeants arabes se combattent entre eux. Et, de même que les chrétiens se sont portés en territoire païen pour les rattacher par force et convertir les populations, les Arabes musulmans organisent des razzias au nord des Pyrénées en terre chrétienne.

Eudes d'Aquitaine s'allie contre Charles Martel avec le chef berbère Munuza, maître de la Septimanie (Roussillon-Languedoc actuel) et du nord de l'Espagne, qui a épousé sa fille. Munuza est en lutte avec Abd El-Rahman, gouverneur de l'Espagne. Abd El-Rahman bat Munuza et se retourne contre Eudes. Près de 20 000 Berbères se seraient dirigés vers l'Aquitaine. Ils prennent Périgueux, Angoulême, Bordeaux en 731 et mettent à sac l'Aquitaine. Eudes qui, entre-temps, a promis fidélité et soumission à Charles, fait appel à lui. Charles remporte la victoire. Abd El-Rahman est tué et les Arabes lèvent le camp et abandonnent Poitiers en octobre 732 (date incertaine).

Mais peu soucieux de continuer à défendre une Aquitaine quasi-indépendante, Charles profite de sa victoire pour s'emparer des évêchés de Tours, Orléans, Auxerre et envoie leurs évêques en exil. Après quoi, Charles et ses troupes gagnent le Midi et le pillent consciencieusement en 735, 736, 737, 739, semant la terreur tout autant que les Arabes dans leurs razzias!

Romanisée avant le reste des Gaules, la Provence, qui en avait gardé l'empreinte sous les Mérovingiens, fut bouleversée par les exactions de Charles Martel. Karl Werner écrit que le surnom « Martel-marteau » pourrait venir de là et non de la victoire contre les Arabes. Edgar Weber, de son côté, suggère que le surnom de Charles n'est qu'un prénom, Martel, Martiaux, Marteau selon les copistes, version germanique de Marcel ou de Martin et qui viendrait du latin Marcellus!

En tout cas, dans le contexte de l'époque et du monde franc, Charles gagne dans ses brutales expéditions le prestige de la force : la supériorité de son lignage sur celui des Mérovingiens est reconnue. Les Arabes, cependant, gardent Narbonne et le Roussillon. Les incursions arabes en Provence reprennent au IXème siècle. Elles ne cesseront qu'à la fin de XIème [8].

La bataille de Poitiers eut un certain retentissement dans la chrétienté, mais le « légendaire » qui l'a filtré jusqu'à nous, pour faire de Charles Martel un héros *positif* de l'histoire républicaine, mériterait d'être élucidé !

— *Les croisades* sont à revoir dans une optique plurielle, tenant compte, à côté des croisés, des Byzantins, des Arabes, des Juifs. Une nouvelle « mise en scène » relativiserait l'imagerie traditionnelle des *Gesta Dei per Francos* perpétuée par notre légende nationale.

*Les origines* — Depuis le VIIème-VIIIème siècle, les musulmans ont, au nom de Dieu (Allah), conquis un vaste empire autour de la Méditerranée, occupant le Maghreb, l'Espagne et à l'Est la Palestine, la Syrie, la Perse, l'Afghanistan. Ce vaste monde est gouverné par des califes installés à Damas, puis à Bagdad.

Les musulmans, comme les chrétiens, considéraient leurs croyances comme les seules vraies. Les chrétiens, depuis des siècles, et Charlemagne en particulier, dans ses guerres contre les Saxons, s'étaient efforcés de conquérir des territoires et de convertir par la force les païens. Vers l'an mille s'était développée l'idée que la guerre contre les ennemis de Dieu était une guerre sainte. En même temps les pélerinages vers les sanctuaires et les lieux saints, et notamment le tombeau du Christ en Palestine, s'étaient multipliés.

La « guerre sainte », le *djihâd*, était aussi une obligation théorique pour la communauté musulmane. En principe régnait un état de guerre permanent entre les musulmans et leurs voisins. D'où les incursions des « Sarrasins » en Aquitaine, Provence, Italie.

A l'est de la Méditerranée, les relations entre les califes et l'*empire chrétien de Byzance* alternaient entre des périodes de tension et des périodes de calme relatif. La Crète et la Sicile étaient notamment des enjeux dans ces rivalités. *Jérusalem* avait été conquise par les Musulmans en 638. Mais les lieux saints des chrétiens avaient été sauvegardés, et moyennant paiement d'un tribut, les chrétiens avaient conservé le libre exercice de leur culte. En 1009, pour une raison peu claire, un calife fit détruire le Saint-Sépulcre, qui fut ensuite rebâti par l'empereur de Byzance, en vertu d'un traité entre byzantins et califes *fatimides*.

Les chrétiens eux-mêmes étaient divisés. Les chrétiens orientaux ne reconnaissaient pas l'autorité du pape. Ils étaient plus paisibles et tolérants que les occidentaux.

Au début du XIème siècle, des tribus nomades islamisées, les *Saldjoukides* déferlèrent de la région de la mer Caspienne, réussirent à étendre leur domination sur l'Iran, l'Irak et la Syrie et y créèrent plusieurs royaumes. Lorsque débuta la première Croisade, Jérusalem restait un enjeu entre les Fatimides et les Saldjoukides.

Le pélerinage aux Lieux Saints devint beaucoup plus difficile. Ce changement soudain accompagne une évolution des idées, en même temps qu'un besoin d'initiatives et de mouvement qui s'empare de la chevalerie occidentale. L'idée de combat contre les « infidèles » grandit en même temps que, dans la piété occidentale, se développe un culte de la Croix et du Christ douloureux.

La première Croisade est essentiellement une initiative du pape Urbain II, qui espère aussi ramener sous son giron les chrétiens « séparés » d'Orient.

*Les effets de la Croisade* — Sans en faire le récit, on peut examiner de quelle façon les croisades ont affecté les communautés juives en Europe occidentale et centrale, les chrétiens de l'Empire byzantin et les Arabes en Terre d'Orient.

Pour les Juifs, répandus en *Diaspora*, dispersés dans différentes villes de l'Europe chrétienne, les croisades furent une catastrophe et Léon Poliakov a qualifié l'été 1096 d'« été fatidique » [9]. Les croisés, en cours de route, allaient tirer vengeance des « Infidèles » vivant en pays chrétien. D'abominables pillages, massacres, exactions frappèrent les Juifs, notamment à Spire, Worms, Mayence. Ils sont attestés par de nombreux témoignages et chroniques. A partir de la première Croisade le sort des Juifs ne va cesser de s'aggraver, notamment par les sombres accusations de meurtres rituels et le port obligatoire de la rouelle, décrété dans le royaume de France par le pieux saint Louis. Cette prescription se fit sans doute à l'imitation d'une incitation du Coran, selon laquelle les *dhimmis*, les non-musulmans, devaient — l'usage n'était pas obligatoire mais souhaitable — porter un signe distinctif, bleu pour les chrétiens, jaune pour les juifs!

Les croisades donnèrent lieu à bien des massacres ou pillages. Pour les chroniqueurs et les poètes arabes, l'arrivée des *Franj*, en Syrie est une calamité, un carnage. Le 12 décembre 1098, à *Maara*, paisible cité d'agriculteurs syriens, « les nôtres faisaient bouillir des païens adultes dans des marmites, ils fixaient les enfants sur des broches et les dévoraient grillés », écrit le chroniqueur franc Raoul de Caen. Tandis que le chroniqueur Oussama Ibn-Mounq'dh constatera plus tard : « Tous ceux qui se sont renseignés sur les "Franj" ont vu en eux des bêtes qui ont la supériorité du courage et de l'ardeur mais aucune autre, de même que les animaux ont la supériorité de la force et de l'agression » [10].

Du côté byzantin, la fondation des royaumes latins en Orient se traduisit par d'incessantes rivalités. Et lors de la quatrième Croisade, prêchée par le pape Innocent III, Constantinople fut prise et une partie de l'empire byzantin conquise par les « Latins » en 1204.

L'esprit de Croisade déboucha en Occident, surtout en Espagne et dans le sud du royaume de France, sur l'*Inquisition*, c'est-à-dire l'extermination par des tribunaux d'Église de tous ceux qui refusaient de professer la foi catholique, notamment les Cathares. Entreprise au nom de Dieu, la croisade aggrava donc l'esprit d'intolérance en chrétienté occidentale, alors que, paradoxalement, les « Franj » installés en Orient découvraient avec un étonnement ravi les raffinements matériels et intellectuels de la culture islamique.

Les « Franj » se mirent à l'école du monde arabe et les croisades contribuèrent ainsi au progrès des connaissances en Europe. Mais elles furent un immense malheur pour les juifs qui allaient jusqu'au XVIIIème siècle subir un sort précaire et, du côté arabe, elles allaient aggraver le déclin, déjà commencé d'après Amin Maalouf, du monde musulman, et surtout, dit-il, nourrir un imaginaire collectif de réprobation, une attitude défensive qui repose partiellement sur la mémoire de l'agression des « Franj ».

### Mémoires perdues : Cathares et Vendéens

La Vendée est l'un des exemples les plus frappants de l'imagerie traditionnelle de la Révolution française, plus idéologique qu'historique. Elle peut donc servir à focaliser un regard enfin distancié sur les drames de 1793-1794. Les Cathares, de leur côté, ces « hérétiques » du Petit Lavisse, sont à décrire de leur point de vue et dans leur contexte, et non plus dans la seule optique de l'accroissement de la « France ». Albigeois et Vendéens rétablis conjointement dans leur droit de penser autrement que le pouvoir dominant, peuvent être pris comme symboles de la réinsertion de mémoires occultées par l'histoire-célébration du pouvoir.

— Les Cathares sont le signe, parmi d'autres, de l'originalité du Midi : espace de culture ouverte où, durant des siècles que nous continuons, dans une généralisation abstraite, de baptiser « Moyen Age », s'entrecroisèrent les influences de l'Orient, le judaïsme, le christianisme, l'Islam dans un contexte d'échanges économiques avec l'Italie et le Levant et de créativité culturelle. A Montpellier des médecins juifs, formés aux écoles rabbiniques du Bas-Languedoc ou chassés d'Espagne, transmettaient aux étudiants chrétiens les leçons de la médecine arabe. Aux XIème et XIIème siècles, le sort des juifs y est relativement heureux. Le futur Languedoc est très morcelé, les villes sont dirigées par des oligarchies. Les pôles d'attraction territoriale sont Toulouse, la Catalogne et l'Aragon. Mais une homogénéité culturelle s'exprime dans la langue, dans la poésie des troubadours, dans la magnifique floraison de l'art roman [11].

Reconnaissons que l'histoire de France nous a, jusqu'à présent, livré peu d'instruments pour que nous comprenions cette originalité du Midi et l'existence d'un riche passé interculturel, si différent de la civilisation d'entre Seine-et-Somme des « siècles de fer ». Encore heureux si l'histoire ne porte pas la trace de ce mépris condescendant, un tantinet raciste, qui transparaît chez Michelet, lorsque, dans la présentation de la guerre des Albigeois, il se fait le porte-parole des réactions des chevaliers du Nord. Les croisades, écrit Michelet, « eurent aussi pour effet de révéler à l'Europe du Nord celle du Midi. La dernière se présenta sous l'aspect le plus choquant ; esprit mercantile plus que chevaleresque, dédaigneuse opulence, élégance et légèreté moqueuse, danses et costumes moresques, figures sarrasines. Les aliments mêmes étaient un sujet d'éloignement entre les deux races ; les mangeurs d'ail, d'huile et de figues, rappelaient aux croisés l'impureté du sang moresque et juif, et le Languedoc leur semblait une autre Judée » [12].

Dans le Midi effervescent, multiculturel, l'Orient influence l'art, la science, la pensée. La doctrine cathare traduit ces influences. Sa diffusion est peut-être le signe d'un vide spirituel, d'une soif d'absolu et de pureté dans une région restée étrangère à la réforme monastique. Les « Parfaits » sont des ascètes végétariens, astreints au jeûne et à la chasteté. Ils impressionnent les foules par leur vie exemplaire. Ils opposent deux natures, l'une céleste, incorporelle, créée par le Dieu bon, l'autre animale, terrestre créée par le Dieu mauvais. Là est leur péché d'« hérésie », qui provoque l'appel du pape Innocent III à la croisade, puis l'action exterminatrice des tribunaux d'Inquisition.

Rétablir la mémoire de ces « Bonshommes », de leurs rites et de leur influence indéniable, c'est évoquer en même temps Toulouse, Albi, Agen, Pamiers, Foix, Limoux, qui ne sont pas alors villes « françaises », et tous ces pays qui, par leur langue et leur culture, sont conscients, face aux gens du Nord, de leur originalité. La défense des Cathares contre les croisés notamment à partir des campagnes de Simon de Montfort poursuivant la conquête pour son propre compte, tourne en guerre défensive du Midi contre le Nord. Le hasard de la bataille de *Muret* (1213) qui voit la défaite du roi Pierre d'Aragon et du comte Raymond VI de Toulouse livre le Languedoc à Simon et à ses chevaliers qui font main basse sur les biens des hérétiques, à tel point que même Innocent III s'en émeut. La disparition de Simon de Montfort permet à Blanche de Castille et à Louis VIII de s'emparer du Languedoc, tandis que l'hérésie est pourchassée par l'Inquisition, la torture, les bûchers jusqu'au début du XIVème siècle.

— Comment et pourquoi *la révolte des « gueux » de Vendée* a-t-elle été méconnue ? Non suspect d'intention polémique, Michel Ragon a su, dans un roman populaire, exhumer du silence les paysans et les ouvriers, que la légende républicaine avait présentés comme d'affreux contre-révolutionnaires.

J'évoque *Les mouchoirs rouges de Cholet* plutôt que le travail universitaire de Reynald Secher sur *La Chapelle-Basse-Mer*, parce que le roman de Michel Ragon est tout à fait extérieur aux polémiques et feux entrecroisés, qui ne sont malheureusement pas indemnes d'intentions extra-historiques. Une publicité assez tapageuse a donné à l'autre livre de R. Secher, *Le génocide franco-français*, une importance historiographique sans doute exagérée. Ce deuxième livre n'apporte rien, par rapport au premier : François Lebrun l'a souligné dans *Le Monde* du 27 juin 1986.

Il n'en reste pas moins que l'histoire républicaine a refusé aux Vendéens la possibilité d'être entendus et compris et qu'elle a parfaitement occulté la vérité des événements, n'en donnant que la version « officielle » et cachant l'ampleur et la nature des crimes commis au nom du gouvernement de Salut Public. Affublée une fois pour toutes de l'étiquette de « contre-révolutionnaire », la seule « histoire » de la Vendée est celle de sa défaite, c'est-à-dire du « juste » triomphe de la Révolution sur ses « ennemis ». Il est donc temps de comprendre que les Vendéens étaient paysans, gens de village, tisserands, pauvres et sincères, que leur guerre fut « une guerre de gueux », « une guerre d'ouvriers et de paysans », comme le rappellent les deux héros de Michel Ragon, Chante-en-hiver et Dochâgne. Reynald Secher nous indique qu'à La Chapelle-Basse-Mer, la Révolution, au début, fit l'unanimité d'habitants profondément insatisfaits de l'organisation communale. L'erreur sectaire que fut la Constitution civile du clergé et surtout la chasse aux prêtres réfractaires, atteignant les villageois non pas au plan politique mais de plein fouet dans leur imaginaire religieux, apparaît comme le tournant à La Chapelle-Basse-Mer. Les motivations d'une foi sincère, l'attachement humain au curé du village ont droit au respect et à l'explication. *A contrario* les colonnes infernales de Turreau et les noyades de Carrier doivent être rappelées dans toute leur horreur. La Révolution française n'a pas été le commencement d'une « ère nouvelle » de l'humanité. La Restauration non plus : « l'Ogre-Turreau » réapparaît en 1814 parmi d'anciens officiers républicains et bonapartistes blanchis. « Le roi n'a rien trouvé de mieux, écrit Michel Ragon, pour accompagner le Dauphin en Vendée que le bourreau de la Vendée » [13].

— Il ne s'agit pas, bien entendu, de remplacer un manichéisme par un autre en substituant à la célébration du pouvoir celle des vaincus de l'histoire. La mise en scène des conflits et des luttes doit s'efforcer de dégager les points de vue des différents protagonistes. Nous devons nous exercer à l'écriture à plusieurs voix et retracer le mieux possible des motivations complexes. De nouveaux personnages symboles réoccuperont le passé, surgis parfois des « Actes et mémoires du peuple » retrouvés depuis quelque temps dans des publications, par le théâtre, par la mémoire orale. D'autres, négligés, permettraient de comprendre comment l'on peut être à la fois sincère et de parti opposé : évoquées côte à côte Charlotte Corday et Manon

Roland pourraient introduire à une lecture plurielle de la Révolution. Car la rigueur historique commande désormais de poser sur les personnages et leurs actions le regard de l'anthropologue qui cerne dans quel ensemble social et culturel se situent les uns et les autres et quel imaginaire sous-tend ce que nous percevons de leurs actes.

Mais d'autre part, si l'on veut que l'histoire ait une fonction éducative, celle-ci ne peut plus être la prédication de la religion patriotique et républicaine dans les modalités imaginées par les créateurs de la légende nationale. Ce ne peut être que l'enracinement dans les *valeurs* qui aujourd'hui constituent le commun dénominateur, la base consensuelle de la société française et, au-delà, des sociétés démocratiques : tolérance, respect du pluralisme, lutte contre les injustices sociales, droit à la différence. L'anthologie de la France à l'école a montré que la logique de notre histoire nationale ne les prenait pas en compte. A l'histoire-célébration de l'État doit succéder une histoire plus « dreyfusarde », éprise de vérité, cernant dans le passé les dénis et les violences, mais aussi la lente émergence, les avancées et les reculs des valeurs et des objectifs fondamentaux auxquels nous sommes attachés.

### Temps au pluriel et questions nouvelles

Aujourd'hui la « chronologie », dont on célèbre à l'envie le rétablissement à l'école, a le sens de « dates et succession dans *le* temps des événements historiques ». Temps est pensé au singulier, comme une substance homogène, unique, continue. Dans le dictionnaire de Richelet (1680), *chronologie* signifie « la science *des* temps ». Le pluriel y est plusieurs fois désigné. Redécouvrir qu'il y a plusieurs temps d'observation des phénomènes, les grands scientifiques comme Prigogine, prix Nobel de chimie, nous invitent à le faire. C'est là le premier objectif pour repenser notre méthode et actualiser notre réflexion historique. Poser au passé de nouvelles questions nécessite de cerner la mesure du temps qui permet d'y répondre.

La rupture historiographique consistera d'abord à casser l'illusion d'une « continuité » chronologique sur laquelle les historiens du XIXème siècle avaient construit l'histoire. J'ai déjà indiqué que la succession linéaire de nos « périodes » traditionnelles, base unique de la « chronologie », de « l'ordre chronologique naturel », manque de rigueur intellectuelle parce qu'elle met bout à bout des durées hétérogènes (cf. *supra*, ch. 7). Le vocabulaire anachronique que cette périodisation continue de cautionner reflète la vision du passé qu'eurent nos prédécesseurs. Les hommes des XVIème-XVIIème siècles ont inventé le « Moyen Age », pour eux période de recul de la civilisation d'une « Antiquité » prestigieuse, que la « Renaissance » avait heureusement retrouvée, inaugurant les « Temps modernes ». Les historiens du XIXème siècle, pour qui 1789 marquait le début d'une ère nouvelle, firent de cette date le point de départ de l'« époque contemporaine ».

L'histoire, l'histoire de base, celle de l'enracinement de chacun dans le passé, devrait être comprise comme l'agencement de problèmes différents nécessitant la mise en perspective de temporalités diverses, le choix d'une *échelle* du temps appropriée à la question posée. Au lieu de l'illusion d'une chronologie linéaire, mélangeant en fait les unités de temps, le passé sera décrypté selon des temps longs ou courts en fonction de la nature et de la durée globale des processus que l'on cherche à comprendre. Des *trames en longue durée* devront prioritairement mailler le passé. Synthétiques, rigoureuses, elles seront suffisamment ouvertes pour permettre d'y greffer des *segments particuliers de temps court* et suffisamment souples pour que puissent s'y nicher la complexité sociale et culturelle de *mémoires familiales* qui ne sauraient se reconnaître dans les ancêtres gaulois ou dans la chaîne des élites au pouvoir.

Ces grands maillages permettront de repérer des processus communs à toute l'humanité. Car nous avons aujourd'hui, par la préhistoire et l'anthropologie historique, la perception des grandes étapes communes et décalées du devenir humain dans l'espace planétaire, depuis l'hominisation jusqu'à l'émergence de la « modernité ».

On dira que des vues globales et synthétiques passeront au-dessus de la tête des enfants. Je n'en suis pas persuadée. Pour nous situer dans le monde et décoder les innombrables messages diffusés par les médias, nous avons d'abord besoin de grilles de synthèse et l'éducation scolaire doit y pourvoir. Les analyses, les connaissances de détail prendront place dans des ensembles construits plutôt au « macroscope » qu'au microscope, selon l'expression de Joël de Rosnay. J'ai connu deux institutrices qui, en CE2 (cours élémentaire, 2ème année), à partir de timbres-poste apportés par les enfants, ont fait tout un travail sur *l'écriture*, qui les a conduits à retrouver les grands jalons du devenir humain. Renoncer à l'histoire de France mythologique, pour toutes les raisons scientifiques et culturelles avancées dans ce livre, n'est pas refus d'une histoire vivante mais sera recherche d'autres modèles d'identification.

Il est paradoxal que la distinction entre les longues et les courtes durées, dont se réclame l'histoire « braudélienne », n'ait eu, jusqu'à présent, aucune répercussion sur la méthode et la définition de l'apprentissage historique à l'école, sur la réinterprétation de nos mythes et donc sur la conscience historique des Français. Mais peut-être est-ce parce que l'histoire braudélienne, « engluée » dans la longue durée, « évacue l'historicité » [14] et reste sceptique face à toute possibilité de changement, et d'abord celui de l'histoire scolaire !

## Chapitre 11

# ORIGINES

Les cent fleurs d'une mémoire collective ouverte à tous les Français s'enracinent dans un terreau planétaire, puisqu'aujourd'hui être français c'est venir des quatre coins du monde. C'est une mémoire en construction, toujours en chantier, car disposant des matériaux du passé dont la connaissance n'est jamais achevée. Le cadre de notre existence collective est d'abord l'aventure humaine comme il l'est pour toute nation. Le renforcement de la vision territoriale, la sacralisation des frontières avec l'ère des nations-États ouverte par la Révolution française effacèrent la conscience cosmopolite qui s'était épanouie au temps des Lumières. La nation une et indivisible s'est enfermée dans l'orgueil d'une France mythique, supérieure, messianique, impériale au temps des « colonies », hexagonale aujourd'hui, alors qu'elle est faite de fragments d'Europe, irrigués de sève africaine, asiatique, antillaise...

Mais avant de débusquer le mythe de notre homogénéité « gauloise », quelques réflexions générales sont indispensables.

## PRÉALABLES

### 1. Ethnies, nations, États

Dans un livre, *Sur la France*, aujourd'hui épuisé et donc trop peu médité, Robert Lafont avait distingué deux types de nations. La nation « primaire » repose sur un fait linguistique (lui-même produit d'un mélange séculaire), une culture originale (mœurs, religion, institutions particulières peuvent être des facteurs de différenciation), l'existence en son sein d'une

« élite » ou « conscience supérieure » qui pense la nation comme telle, aide au développement de la conscience de groupe. Il appelle *nation secondaire* une nation née d'un événement, d'une communauté d'intérêt, d'une proclamation idéologique qui constitue la base du contrat national. Il voit dans les États-Unis le type d'une nation secondaire qui se reconnaît dans le préambule de la déclaration d'indépendance de 1776. Il souligne lui-même que rien n'est jamais simple dans la réalité historique, mais que, cependant, le nationalisme qu'il dénonce comme l'hypertrophie du sentiment national, provient d'une « confusion catastrophique entre les deux types de nations » [1].

Le mot *ethnie* a été créé dans la langue française à la fin du XIXème siècle, alors que le sens primitif du mot nation était modifié par l'avènement de la Nation-État. La nation ancienne était une collectivité se réclamant d'une origine commune et singularisée par une langue, des coutumes, des traditions. Dans la plupart des textes du XVIIIème siècle, les Juifs sont désignés comme « nation » Alors que la nation moderne s'est identifiée aux limites d'un territoire soumis à l'autorité d'un État, le mot ethnie reprend à son compte le sens ancien de « nation » : « un groupe humain possédant en plus ou moins grande part un héritage socio-culturel commun et notamment la langue ».

Le sens du mot nation a évolué, en fonction de la sédimentation de formations historiques nouvelles. Avant l'empire romain des ethnies divisées en tribus (dont l'archéologie nous révèle la culture matérielle mais dont nous ne savons de l'organisation que ce qu'en ont dit les Romains) étaient installées dans l'ouest européen. Entre le premier et le IVème siècle ap. J.C., l'empire romain inscrivit la matérialité de l'*État* dans cet espace et la notion d'État dans la perception des couches dirigeantes, État pluri-ethnique qu'unifient une langue et une administration communes. A partir du IVème siècle des ethnies migrantes sont aux frontières de l'Empire puis se glissent par la force dans l'empire démembré. Elles dominent des territoires, dont elles font des royaumes aux contours mouvants. Les nations au sens du haut Moyen Age naissent de ces mélanges (anciennes ethnies romanisées auxquelles se mêlent les ethnies « barbares »). Tandis que se dissolvent les encadrements politiques dans la décomposition du monde carolingien, les langues se différencient, les *nations* issues des mélanges romano-barbares subsistent confusément dans la mémoire des élites, d'autres émergent dans le cadre des principautés féodales (cf. p. 111-112).

A partir du XIème siècle en Angleterre, du XIIIème siècle en « Francie » capétienne des États nouveaux se construisent qui vont coaguler autour du pouvoir royal une nouvelle génération de nations les *États-nations* monarchiques. La Révolution française invente la *Nation-État*, qui fusionne en un tout « indivisible » un État, un territoire et un peuple supposé homogène.

### 2. L'homme et la guerre

La guerre, effrayante spécificité humaine, ponctue jusqu'à ce jour le devenir des sociétés « historiques ». L'histoire fabriquée au XIXème siècle a pour sens la légitimation *a posteriori* de la Nation-État. Elle repose ainsi sur l'idée que la guerre est nécessaire, inévitable, elle la justifie au nom de l'État en expansion et cela peut dériver, comme dans le Petit Lavisse, en célébration des vertus guerrières et en culte du combat victorieux. En cette fin du XXème siècle les connaissances nouvelles du passé, l'horreur meurtrière des dernières guerres, l'avènement du nucléaire devraient, conjointement, provoquer la réflexion sur la nature et l'évolution de la guerre dans l'histoire de l'humanité, et sur les causes de sa « banalisation » dans les rapports entre sociétés humaines.

Dans *Le Geste et la parole*, Leroi-Gourhan suggère que la guerre organisée est un produit de la transformation des sociétés humaines au néolithique : l'accroissement des ressources a permis la différenciation d'une classe de guerriers qui a donné au comportement d'agression caractéristique de la biologie humaine une dimension nouvelle. Le phénomène de guerre se serait développé particulièrement au contact des sociétés paysannes sédentaires et des sociétés agro-pastorales nomades. Une fois insérée dans les relations entre les groupes, la guerre ne cesse plus, elle devient, si l'on peut dire, un « acquis culturel » transmis par une histoire millénaire.

N'est-il pas temps aujourd'hui de s'interroger sur cet « acquis » ? Doit-on continuer, à l'aube du troisième millénaire, d'admettre implicitement — et de continuer à inculquer par l'enseignement — une philosophie de l'histoire humaine qui repose sur l'idée que la guerre est inéluctable et justifiée pour construire la nation ? Réinscrit dans la compréhension globale de l'aventure humaine, le phénomène « guerre » présente une genèse, des mutations ; les changements de sa nature, de ses effets, de ses enjeux ne peuvent être éludés. La décalage entre l'avancée technologique de l'humanité et sa stagnation culturelle qui lui permet de continuer à envisager la guerre comme la solution des conflits entre les groupes humains présente des risques suicidaires pour l'humanité. L'hypothèse d'une grande bataille intellectuelle et spirituelle, transnationale, pour la dénonciation de la guerre comme solution d'avenir et pour le transfert de l'agressivité humaine dans de grands projets collectifs de solidarité planétaire, n'est-elle que naïveté utopique ? Certes la réalité des guerres « locales », les abus totalitaires de pouvoir, le terrorisme contredisent cette hypothèse. Mais à l'échelle des très longues durées, si l'homme a inventé la guerre on ne peut écarter l'idée d'une humanité capable de négocier plutôt que de tuer.

Est-ce un rêve ? Après tout, l'Église catholique, jadis instigatrice des croisades, n'est-elle pas devenue aujourd'hui une force qui appelle à la paix ? La création de la CEE est un événement considérable qui, dans l'espace européen occidental, a mis fin à deux mille ans de rapports belliqueux, après que les deux dernières guerres, nées en Europe mais mondiales, eurent entraîné peut-être plus de pertes en vie humaine et de destruction de biens que l'ensemble des guerres européennes des vingt siècles passés. Repenser le processus de construction de la nation française oblige à réfléchir à la guerre et à analyser les formes de conflit, les nouveaux bellicismes. L'invention de la Nation-État, qui a prétendu établir une corrélation rigoureuse entre territoire, État, nation est l'un des facteurs du guêpier du Moyen Orient.

### 3. *Maîtres et esclaves, droits de l'homme, État de droit*

Dernier préalable à notre exploration des origines de la « nation » française : en coupe transversale, ethnies et nations furent toutes, dans le passé, des sociétés de maîtres et serviteurs. Jusqu'au XIXème siècle, toutes les civilisations euro-méditerranéennes ont pratiqué l'*esclavage*. Si l'Église chrétienne s'est efforcée, très lentement, de l'éradiculer (pour les chrétiens), celui-ci n'en a pas moins subsisté dans la chrétienté jusqu'au XVIème siècle. Il était très largement répandu dans la société carolingienne, y compris chez les notables juifs.

Au XIIIème siècle on vend des Sarrasins en Italie, on trafique des Russes, des Slaves, des Sardes sur les marchés de Gênes et de Palerme, et le commerce s'en poursuit à Montpellier, Marseille, Venise. L'esclavage reste très vivant ensuite dans le monde musulman, et les pays chrétiens le réorganisent sur une échelle jamais vue en inventant la traite des Noirs, qu'ils pratiquent pendant trois siècles.

Si l'esclavage proprement dit disparaît de l'Europe occidentale lorsque celle-ci se féodalise, la chrétienté latine, en « Francie » du nord, formule (ou ré-invente à partir de vieux schémas indo-européens enfouis dans l'inconscient collectif) la *tri-fonctionalité* : la société se hiérarchise entre ceux qui prient, les clercs, ceux qui combattent, les seigneurs, ceux qui travaillent, les vilains. Puis, la bourgeoisie s'étant développée, elle devient le *tiers-état* dans la société d'ordres. Alors, rappelle Georges Duby, les trois états surplombent « une masse immense, ployée, muette. Oubliée » [2]. L'inégalité est la loi de Dieu.

Aujourd'hui l'église catholique, ressourcée dans une nouvelle lecture de l'Évangile, récuse absolument cette vision. Mais durant de longs sièges, la chrétienté s'est identifiée au principe d'inégalité formulé par le pape Grégoire le Grand (590-604) puis par Boniface, qui divisait les sujets en dirigeants et soumis [3]. L'Europe devra attendre le lent travail des consciences, postérieur à la Réforme, pour que mûrisse l'idée d'égalité, d'une même dignité pour tous les hommes.

> « Nous tenons ces vérités pour évidentes par elles-mêmes que tous les hommes naissent égaux; que leur créateur les a dotés de droits inaliénables, parmi lesquels le droit à la vie, la liberté et la recherche du bonheur; que, pour garantir ces droits, les hommes instituent parmi eux des gouvernements dont le juste pouvoir émane du consentement des gouvernés; que si un gouvernement, quelle qu'en soit la forme, vient à méconnaître ces fins, le peuple a le droit de le modifier ou de l'abolir et d'instituer un nouveau gouvernement qu'il fondera sur de tels principes, et dont il organisera les pouvoirs selon telles formes, qui lui paraîtront les plus propres à assurer sa sécurité et son bonheur ».

La déclaration américaine d'indépendance de 1776 énonce solennellement et pour la première fois dans l'histoire, le principe des droits égaux de l'homme. L'*Habeas Corpus* anglais de 1679 avait amorcé l'*État de droit*, respectueux de la sûreté individuelle. Les révolutions anglaises du XVIIème siècle, l'exode des protestants après la révocation de l'Édit de Nantes engendrent la « crise de la conscience européenne ». John Locke, le premier apôtre de la tolérance, Pierre Bayle, en « Refuge » à Rotterdam, annoncent le siècle des Lumières.

La Révolution française proclame le principe d'égalité mais n'instaure pas l'État de droit; elle le retarde à certains égard par la confusion entre État, nation et société civile. Mais la Déclaration des droits de l'homme, par son retentissement joue le rôle de charte solennelle de l'émancipation humaine. Aux États-Unis les Noirs attendront deux siècles pour obtenir l'égalité des droits. La République française condamnera Dreyfus, torturera en Algérie et ne reconnaît toujours pas vraiment le droit à « l'objection de conscience ».

L'État de droit est un idéal jamais achevé qui doit sceller le consensus dans la société française d'aujourd'hui : reconnaissance de nos diversités, combat pour le respect du droit et de la vérité, lutte contre les inégalités.

## NOS LOINTAINS ANCÊTRES

Les connaissances sur les origines humaines se sont, depuis un siècle, prodigieusement transformées. Aussi n'est-il plus admissible, dans le contexte de cet enrichissement intellectuel, de continuer, comme au XIXème siècle, de nous représenter nos « origines » à travers les Gaulois. Les traces humaines actuellement reconnues dans l'hexagone nous font remonter à 900 000 ans dans la grotte du Vallonet, près de Roquebrune sur la côte d'Azur [4]. On redescend à environ 450 000 années avec « l'homme de Tautavel », morceau de crâne trouvé près de Perpignan en 1971. Cet « homme » là n'est pas encore tout à fait un *sapiens sapiens* comme nous et tous les peuples de la terre. Hommes et femmes de l'océan glacial Artique à l'Antarctique, de l'Orient à l'Occident, nous sommes tous « deux fois sages », bien que par nos violences et nos guerres nous ne méritions guère ce beau qualificatif. Les Sapiens apparaissent il y a environ 35 000 années, on a repéré leurs traces en « France » (Cro-Magnon, Grimaldi); on a trouvé des cousins de Cro-Magnon en Europe, en Afrique, en Chine et même en Amérique.

Par leurs extraordinaires découvertes, les préhistoriens nous conduisent à repenser complétement le temps. Le cheminement qui a conduit aux « hommes » que nous sommes a duré trois millions d'années, pense-t-on depuis que les chercheurs de la Rift Valley en Ethiopie ont découvert en 1975 le squelette d'une jeune australopithèque de sexe féminin morte noyée. Ils la sunommèrent Lucy, en l'honneur d'une chanson des Beatles favorite au camp. Lucy l'africaine est la plus dérangeante de nos « ancêtres », même si les australopithèques ne sont pas considérés comme des êtres tout à fait « humains »!

Les immenses durées de l'hominisation dépassent totalement notre imagination du « temps », de même qu'en sens contraire nous ne pouvons concevoir les milliers d'opérations qu'un ordinateur accomplit en une seconde. Mais c'est pourtant sur cette échelle fabuleuse qu'il nous faut apprendre à relativiser ce que l'on appelle les « temps historiques » (environ 6 000 années à partir de l'existence de Cités-États, à Sumer en Mésopotamie, qui connaissent l'écriture). Nous serons ainsi libérés du mythe d'une nation française immémoriale et éternelle forgée par les historiens du XIXème siècle, et en même temps nous comprendrons l'absurdité de l'idée que les « Gaulois » représentent la première identification, l'image primitive du « peuple français »!

Louis-René Nougier a proposé, pour matérialiser l'évolution depuis la formation de la Terre, de prendre une « année-repère », à l'intérieur de laquelle on placerait l'immensité de la durée depuis l'origine de notre planète. Cette année-repère permet de concrétiser l'extraordinaire relativité, à l'échelle de l'aventure humaine, de ce quelque chose que nous appelons « France » et dont le processus de création ne décolle vraiment qu'au XIIIème siècle de l'ère chrétienne.

« Sur ce calendrier le 1er janvier marque l'origine de notre planète Terre. Les premières traces de vie y apparaissent vers le 7 août tandis que les premiers vertébrés se font attendre jusque vers le 24 novembre. Les premiers mammifères qui nous concernent très directement, puisque nous en faisons partie, entrent en scène le 9 décembre [...] Et les premières formes annonçant l'homme se manifestent, quant à elles les trois derniers jours de l'année »[5]. Bien entendu, dans cette « béance millénaire », l'existence de la France, dans la brièveté de ses huit siècles, ne peut être conceptualisée. Pour représenter visuellement la durée de l'« histoire de France », il faut prendre les dernières secondes du « calendrier » de Louis-René Nougier et changer d'échelle.

Par cette indispensable rupture mentale, nous sortirons du prisme réducteur et déformant d'une histoire exclusivement nationale et qui, présentée comme « l'histoire », est une somme illusoire du passé. A cette histoire, livres et manuels surimposent désormais un chapitre de « préhistoire » (généralement « française »!), et l'on débouche, en aval, pour comprendre la France du XXème siècle, sur la nécessité soudaine de mondialiser les perspectives. Par ce non-sens intellectuel, l'éducation française entretient dans l'inconscient collectif la clôture d'une perception étroite, hexagonale de la réalité, alors que les problèmes économiques, sociaux, ethniques nécessiteraient l'épanouissement d'une conscience européenne et l'acuité d'un regard planétaire.

Nous avons le plus urgent besoin, et, avec nous, la classe politique et l'intelligentsia française, de sortir enfin de l'hexagone, en commençant par situer notre histoire nationale dans une vision anthropologique et culturelle du développement de l'humanité, que nous feront d'abord saisir les grandes échelles de la durée. Et cette nouvelle mise en perspectives permettra de reconstruire un passé « français » en rupture avec le finalisme traditionnel de l'historiographie nationale.

A très grande échelle les grandes évolutions techniques de l'humanité s'imposent comme première connaissance de nous-mêmes; des repères peu nombreux marquent l'aventure humaine dans une même transformation, parcours décalé selon les lieux mais commun : premières cultures humaines du galet travaillé, puis du biface et du travail de l'os (et sans doute aussi du bois), extraordinaire éclosion de l'art rupestre et mobilier au « paléolithique », entre — 30 000 et — 9 000 ans, prolongé dans son style jusqu'à nos jours sur certaines parois rocheuses d'Afrique australe. Puis la « révolution néolithique » poursuivie et diffusée durant plusieurs millénaires, premiers agriculteurs, premiers éleveurs, premiers céramistes et tisseurs (le masculin englobe le féminin , l'agriculture fut peut-être une invention de femmes). L'âge de la fusion des métaux coïncide avec une stratification sociale que l'accumulation de réserves par l'agriculture a permise. Ce qu'on appelle l'« histoire » (terme associé à l'existence de l'écriture et de l'État) débute avec des regroupements de villages en villes à l'intérieur desquelles émerge l'écriture, tandis que le pouvoir d'organisation de la vie collective se condense aux mains de castes spécialisées autour d'un « palais » royal, au Moyen Orient et en Chine, entre 4 000 et 2 000 ans avant notre ère. La guerre, dont nous avons déjà parlé, est sans doute née dans ce contexte. Et la pratique de l'esclavage a pu en être l'un des effets.

Les grands systèmes de pensée, les messages spirituels, les avancées de la réflexions philosophique et éthique, sur lesquels vit encore l'humanité d'aujourd'hui, sont apparus dans un temps extrêmement condensé par rapport à ces grandes durées. Entre le VIème et le le IVème siècle av. J.C. vécurent Confucius (VIème siècle), Gautama (le premier « Bouddha ») (VIème siècle), Anaxagore, philosophe et cosmographe grec (Vème siècle), Socrate (Vème siècle), Platon (IVème siècle).

Entre Moïse et Jésus-Christ s'écoulent treize siècles, Mahomet prêche sept siècles après Jésus. Ainsi certaines références intellectuelles et spirituelles des sociétés contemporaines sont-elles le produit du dernier millénaire de l'Age de la fusion des métaux. L'environnement socio-culturel de Moïse est celui de tribus de pasteurs confrontées à l'esclavage dans l'empire de Pharaon où le nomadisme les avait conduites.

Or sur le plan de l'évolution technique, nous sommes entrés, en moins de quatre siècles, dans l'âge scientifique et industriel. Depuis quelques décennies, notre environnement, nos moyens de communiquer, de nous informer, de travailler, de nous distraire sont complétement transformés. Par rapport à l'épaisseur du passé, à l'imperceptible lenteur des précédents changements technologiques, ces mutations incroyablement rapides nous laissent pantois, écartelés au cœur de nous-mêmes entre les références éthiques transmises par le passé et les incessantes « innovations » du présent. Le dernier demi-millénaire, en outre, a vu le système capitaliste de production des richesses, se mettre en place, les Européens dominer le reste du monde, élaborer, comme nous l'avons dit succintement, une nouvelle vision de l'homme et du contrat politique, et le reste du monde se décoloniser en adoptant les techniques et les références politiques et idéologiques de l'Europe. Le XIXème siècle a inventé le nationalisme, l'esclavage des enfants dans les usines, le marxisme, la science quantique, la psychanalyse. Le XXème siècle a produit les hécatombes les plus inimaginables, les systèmes d'oppression et d'extermination les plus abominables, les outils, les appareils les plus prodigieux, les substances et modes de soin les plus incroyables, les inégalités entre riches et pauvres les plus impensables.

Ces décalages entre les rythmes du passé et ceux du présent, entre le pouvoir d'innovation technologiques et l'impuissance à faire cesser les fléaux de la guerre, du chômage, des oppressions totalitaires, des famines expliquent, pour une grande part, le mal de vivre et les tentations suicidaires d'une fraction de la jeunesse dans les pays dits « développés ». Le mythe d'une nation française éternelle, produit de l'imaginaire de la classe politique et de la bourgeoisie intellectuelle du XIXème siècle ne peut répondre à la quête d'identité collective des Français modelés par l'environnement technique, économique, intellectuel du XXème siècle finissant.

Une relecture attentive du passé doit permettre de discerner un commencement à la France et de mieux comprendre selon quelles modalités de contraintes ou de libre adhésion une identité française s'est façonnée.

## COMMENCEMENT DE LA FRANCE :
## L'ASCENSION D'UNE FAMILLE NOBLE
## DANS L'EUROPE CAROLINGIENNE [6]

En ce dernier quart du XXème siècle, ce que nous appelons « France » est un ensemble de territoires, hexagone borné par des frontières et territoires d'outre-mer, que nous nous représentons par des cartes, et un *État*, un ensemble institutionnel organisé autour d'un pouvoir. État démocratique, régi par une Constitution : tous ceux qui sont reconnus comme citoyens élisent un Président de la République, qui désigne un chef de gouvernement ; des députés, qui constituent en leur sein une majorité et élaborent des lois. Tous les habitants du pays sont régis par ces lois. Tous ne sont pas citoyens, seuls les « Français » sont citoyens, les autres sont des « étrangers ». En France la citoyenneté et la nationalité se recouvrent, et il semble qu'il soit naturel d'être Français, puisque devenir Français c'est se faire « naturaliser ». Jusqu'en 1986, où le gouvernement Chirac a remis en question le code, tous les enfants nés en France acquéraient automatiquement la « nationalité » française .

Cette France-là n'existe que depuis un temps infiniment court, les frontières actuelles n'ont guère plus d'un siècle (rattachement de la Savoie et de Nice en 1860), la démocratie politique n'a pas cinquante ans puisque les femmes ne votent que depuis 1945. La cinquième République aura trente ans en 1988. Nous sommes bien dans le relatif d'une histoire et pas dans l'absolu d'une éternité.

### Les Robertiens

Peut-on réellement assigner à la France un « commencement » ? Dans la « recherche de la France » on a précisé les origines et les relais de la construction imaginaire, mythique de la France, à partir de l'ambivalence de la mémoire franque, mémoire d'une ethnie et mémoire d'un pouvoir inscrit dans une double légitimité — religieuse (par le sacre) et culturelle (par l'origine troyenne). Qu'en est-il de l'histoire que nous pouvons concevor aujourd'hui par delà cette mémoire mythique ?

Matériellement et dans les faits on peut discerner, dans la lente ascension des Robertiens, la matrice de ce qui deviendra le royaume de France. On peut alors définir la France comme l'espace territorial et social progressivement conquis et façonné par une famille de nobles francs — d'origine austrasienne — à l'intérieur du monde carolingien, régi jusque-là par le principe de la légitimité dysnastique des descendants de Charlemagne. Cette lente ascension d'un lignage ne saurait être décrite en détails, mais elle permet de saisir la genèse d'un pouvoir et de comprendre comment les hasards, les circonstances, la volonté et l'habileté peuvent entraîner la formation de nouvelles entités historiques, que, par ailleurs de nouveaux hasards, circonstances et maladresses pourront ensuite consolider, affaiblir ou détruire. Autrement dit tout « être historique », fut-ce la « nation », présente une genèse, des transformations, une fin possible, aucun n'échappe à l'imprévisible, facteur inéluctable des processus humains.

*Robert le Fort*, l'ancêtre de ce qui allait devenir la dynastie des Robertiens-capétiens, était un Grand d'Austrasie qui, après la partage du *regnum* carolingien, ne voulut pas vivre sous l'autorité de Louis le Germanique et vint, avec d'autres familles rhénanes, s'installer dans le royaume occidental de Charles le Chauve. En 852 il fut nommé comte d'Anjou, de Touraine, puis obtint les comtés de Blois et d'Orléans et l'abbatiat laïque de Saint-Martin de Tours, l'un des fondements par son étendue et sa richesse du pouvoir des Robertiens, pouvoir dont la région de la Loire (et non celle de Paris) fut l'assise originelle. Robert tomba en 866 sous les coups des Normands, dont les expéditions s'étaient multipliées depuis le début du IXème siècle.

Tandis que les Carolingiens se disputaient entre eux et que les limites du royaume fluctuaient au gré de nouveaux partages (Meersen 870, Ribémont 880), *Eudes*, le fils de Robert le Fort fut nommé comte de Paris par *Gozlin* puissant personnage détenteur de plusieurs abbayes.

Il reçut des mains de ce dernier tous les comtés de la Loire possédés par son père, contrôlant ainsi l'aristocratie guerrière de la région. Il hérite à la mort de Gozlin des abbayes de Saint-Germain des Prés et de Saint-Denis. Malgré l'existence d'un troisième enfant de Charles le Chauve, *Eudes est élu et couronné roi en 888.*

Cependant une crise éclate entre Eudes et les partisans de Charles le Simple, petit fils de Charles le Chauve. Eudes est vainqueur mais signe en 897 un arrangement qui allait consacrer la puissance territoriale et politique des Robertiens. Reconnu roi en toute « légitimité », il renonce à la couronne pour son frère Robert. En échange les Robertiens conservent tous leurs acquis territoriaux, dont les abbayes de Fleury et Saint-Denis, dont nous connaissons déjà le rôle capital de centre d'historiographie et de propagande pro-robertienne (cf. p. 117-120). Plus jamais les Carolingiens ne disposeront de Saint-Denis où reposaient plusieurs de leurs ancêtres et où Eudes eut l'habilité de se faire enterrer en 898. *Robert* fut alors reconnu *marquis de Neustrie*, dignité transmissible à son fils Hugues. La Neustrie devenait une principauté pratiquement autonome à l'intérieur du vieux pays franc et Robert un très puissant personnage.

Aussi lorsque Charles le Simple est destitué en 922 pour s'être allié à un Normand païen, Robert de Neustrie est couronné *roi* à Reims. Mais il trouve la mort l'année suivante en combattant Charles.

### Un interlude de soixante quatre ans

La mort inopinée de Robert (Robert Ier) est un de ces clins d'œil de l'histoire qui contredisent tous les déterminismes. Remarquons en passant que la destinée royale des futurs Capétiens a commencé. N'est-il pas paradoxal (voir anti-historique) de considérer Hugues Capet comme le fondateur de la dynastie et le créateur de la « nation » ?

Pour des raison discutées par les historiens, contre toute attente, Hugues, le fils de Robert Ier, ne fut point élu roi à sa place, mais son beau-frère Raoul, duc de Bourgogne. Un tiers de siècle va s'écouler avant que la royauté fasse retour, avec l'élection d'Hugues Capet, dans le lignage des Robertiens. Notons aussi que la mort de Robert Ier conduit l'empereur Henri Ier de Saxe (le souverain désormais non carolingien du royaume oriental) à annexer la Lotharingie, qu'il avait précédemment reconnue comme partie du royaume de Robert. *C'était revenir, mais fortuitement, aux limites reconnues par le traité de Verdun à la "Francia" occidentalis.*

Cependant, avec *Hugues le Grand*, fils de Robert Ier, la puissance matérielle et idéologique des Robertiens ne cesse de s'accroître. Hugues conserve tous les droits territoriaux de son père et le marquisat de Neustrie. En 936 il est reconnu *duc des Francs* — titre prestigieux — par le faible Carolingien devenu roi occidental qui le proclame « le second après nous ». Il se pose en prince de l'ensemble des pays francs et prétend étendre sa suprématie à l'Aquitaine et à la Bourgogne.

Mais il meurt en 956, laissant trois fils mineurs, et la période qui sépare sa mort de l'élection royale de son fils Hugues « Capet » est un temps de crises et de confrontations entre Carolingiens de l'ouest, Ottoniens saxons du royaume oriental et grands vassaux. Ces luttes anarchiques permettent à ces derniers de construire de nouvelles principautés en Flandre, Normandie, Anjou, Champagne... qui vont s'ajouter ou s'entremêler aux grands espaces plus anciens d'autonomie régionale, — Neustrie, « Francie », Aquitaine, Gascogne, Septimanie, Bourgogne. Ces luttes entraînent l'érosion de la puissance robertienne sur le flanc occidental de la Neustrie ; le centre de gravité de l'État robertien se déplace vers l'axe Orléans-Paris, l'abbaye Saint-Martin de Tours restant un point d'appui essentiel. Cependant, en 960, le jeune Hugues se fait confirmer le titre de duc des Francs. La mort accidentelle, le 21 mai 987, du roi carolingien Louis V laisse le champ libre au duc Hugues et à ses supporters. Parmi eux le puissant archevêque de Reims, Adalbéron opte pour le Robertien. A son initiative, les Grands (ou plutôt les clans bien structurés par un système de parentés et d'alliances) élisent Hugues roi à Senlis en juin 987, l'affaiblissement des Robertiens ayant dû jouer dans ce choix. Le dimanche 3 juillet, Adalbéron sacre le nouveau roi dans la cathédrale de Noyon, plus proche de Senlis et moins « carolingienne » que Reims! Dès le 30 décembre 987, Hugues fait élire et sacrer son fils Robert à Orléans.

### La cape de Saint-Martin de Tours

Près d'un siècle et demi après les débuts de Robert le Fort, après avoir détenu deux fois la royauté, les Robertiens la retrouvaient, et cette fois pour longtemps, alors que leur puissance territoriale et politique était fort amoindrie, par rapport au prestige et à l'étendue du pouvoir de Robert, marquis de Neustrie, et de Hugues le Grand, duc des Francs. Leur succès définitif et les progrès à venir de leur pouvoir, ils le doivent essentiellement au soutien de l'Église et tout particulièrement de l'ordre monastique de Cluny. Fondé en 910 par le pieux duc d'Aquitaine, Guillaume, dans le cadre d'un mouvement de réforme contre l'emprise des laïcs sur l'Église, Cluny essaimera sa réforme dans toute la chrétienté. Tout au long du Xème siècle les Robertiens et leurs vassaux en furent les protecteurs. L'abbaye de Saint-Martin de Tours, qui joua, à certains moments le rôle de capitale de l'État robertien, fut une pépinière de futurs évêques et chanoines. Parmi ces derniers l'un se fit moine à Cluny et devint saint *Odon*, qui donna l'impulsion au grand œuvre de réforme. Fleury-sur-Loire fut réformée en 932 sous la protection d'Hugues le Grand. Hugues Capet en 994 encouragea la réforme clunisienne de Saint-Denis. Parce que les Robertiens et leurs vassaux se montrèrent proches du mouvement monastique, ils acquirent une réputation de piété et de dévouement à l'Église, et les auteurs, à la fin du Xème et au XIème siècle, soulignèrent à l'envi l'amour de la dynastie pour l'Église et surtout pour les moines. Comte-abbé de Saint-Martin de Tours le Robertien fut surnommé *cappatus* ou *capetus*, allusion à la *cappa*, le demi manteau de saint Martin, déjà relique au temps des Mérovingiens et des Carolingiens, surnom qui, ultérieurement, resta celui de la dynastie.

Ainsi l'ascension et le triomphe final des Robertiens-« capétiens » et ensuite la consolidation et la croissance de leur pouvoir doivent-ils beaucoup plus à Saint-Martin de Tours qu'au fait, mineur en somme, qu'Eudes, fils de Robert le Fort, ait été « comte de Paris » !

## Chapitre 12

# CONSTRUCTION ET « FRANCISATION » D'UN ROYAUME PLURI-NATIONAL

Avec le royaume de France, qui se construit et se façonne entre le XIIIème et le XVIIIème siècle, une formation originale germe dans l'histoire. Regroupant autour de leur pouvoir un espace territorial constitué par des principautés hétérogènes par leur langue et leurs repères ethniques et culturels, les rois capétiens réussirent à imposer l'imaginaire d'une collectivité supérieure incarnée par le roi et matérialisée par son administration et sa langue.

La conquête territoriale est immédiatement suivie par la pénétration administrative du pouvoir central, qui grignote, de l'intérieur, les pouvoirs existants. Elle s'appuie sur une justification idéologique de la conquête par l'affirmation et la mise en scène de la supériorité franque, symbolisée dans la personne du roi, héritier de Clovis et de Charlemagne, roi-prêtre faiseur de miracles. Alors s'accomplit la « franquisation » — francisation des élites, alléchées par la participation au pouvoir, puis séduites par l'incontestable dynamisme de la nouvelle culture qui s'épanouit dans le noyau des anciens pays francs. Le petit peuple, pour sa part, transfère dans la personne du roi la magie symbolique du pouvoir, propagée et exaltée par l'Église. Et la « francité » qui, jusqu'au début du XIIIème siècle, n'était qu'une culture parmi d'autres va s'imposer aux couches supérieures comme une culture unique, fondée sur la supériorité du « français » de Paris et le prestige d'un roi, élu de Dieu.

Ce processus est inséparable des mutations du christianisme autour de l'an mille et de l'ambiguïté de la notion de « Francie ».

## L'Église vers l'an mille : ritualisme, réforme, paix de Dieu, croisade

On ne peut, dans le cadre de cet essai, prétendre évoquer l'Église dans la complexité de son histoire. Mais on ne peut, non plus, la passer sous silence, puisque l'Église, depuis Charlemagne, est intimement mêlée au corps social et surtout, ce qui nous intéresse, va jouer un rôle considérable dans l'ascension du pouvoir capétien.

Dans la société féodale, qui s'épanouit en pays franc, la vie sociale s'est ritualisée au plan civil comme au plan religieux [1]. Le geste — serment, agenouillement, signe de croix, baisers de paix —, l'objet symbolique — reliques, huile sainte, couronne, épée... — envahissent l'exercice de la vie quotidienne. Derrière les signes et les objets, il y a la présence de Dieu et donc de l'Église.

L'interpénétration du spirituel et du temporel, la nomination des évêques par les princes laïcs ont par ailleurs entraîné de tels abus que la réforme finit par s'imposer. Face aux évêques et aux clercs asservis à l'univers laïc de trafic du temporel, l'ordre de Cluny, à l'impulsion d'Hugues de Semur, abbé de 1049 à 1109, entreprend la réforme qui va affirmer, dans le monde, la supériorité de la gloire de Dieu et donc de l'Église (cf. *supra*, p. 210-211). Parallèlement le pape Grégoire VII (1073-1085) dégage la papauté de l'emprise que, depuis Otton III, les empereurs germaniques, n'avaient cessé de consolider. Et c'est la fameuse humiliation de l'empereur Henri IV à Canossa en 1077.

L'impact spirituel de l'Église s'était, au début du XIème siècle manifesté par l'idée de « Trêve de Dieu ». Partie de Catalogne, elle interdit les combats entre le samedi soir et le lundi matin, puis le Vendredi saint, l'Ascension, le Carême, l'Avent, le jour de Noël. La guerre entre chrétiens devient un mal. Mais, dans une Europe occidentale en plein progrès démographique, où les jeunes oisifs de la noblesse débordent d'esprit d'aventure et bouillonnent d'énergie vitale comprimée, les hommes de guerre font peu de cas de ces prescriptions. Alors l'Église invente la croisade, qui consolide son pouvoir spirituel et canalise les violences en direction des ennemis de Dieu, les « Infidèles » qui occupent les saints Lieux [2]. Par ricochet les Juifs, meurtriers du Christ, les hérétiques blasphémateurs du christianisme subiront les rigueurs de la croisade, et son appendice clérical — l'Inquisition — les enfermera dans le dilemme de la conversion ou de l'extermination.

En ces siècles de réforme et de croisade, l'alliance entre l'Église et le roi des Francs se noue de triple façon. Le roi reçoit le soutien dévoué des moines de Fleury et de Saint-Denis. Défendant la cause du pape, face au « mauvais » empereur germanique aux ambitions menaçantes, le Capétien est un « bon » fils de l'Église. Enfin, l'esprit de croisade le sert : celle de l'Albigeois marque le début de la construction du royaume de France.

### Ambiguïté de la « Francie »

Le mot latin *Francia*, qui, au XIIème siècle devient *France* dans le manuscrit d'Oxford de la chanson de Roland en langue d'oïl franco-normande, est, on l'a vu, chargé d'ambiguïté. Or cette ambiguïté reste patente dans les meilleures et plus récentes histoires de France. On ne sait jamais, lorsque les auteurs parlent de la « France », à moins que, par hasard, ils ne le précisent eux-mêmes, s'il s'agit de la « Francie » franque, le vieux pays franc (Neustrie et « Francie » carolingiennes) ou de la grande *Francia*, l'espace théorique du pouvoir des rois des Francs occidentaux, que l'on suppose délimitée de façon invariable depuis le traité de Verdun *. Il s'agit parfois d'une projection pure et simple de l'hexagone dans le passé, comme le montrent à l'évidence certaines cartes « historiques » **. Même ambiguïté lorsque les auteurs utilisent le mot « Français », annexant ainsi le passé des non Francs ou non Français d'alors, qui, aujourd'hui, revendiquent une identité non franque, une origine spécifique.

Qu'il s'agisse de la Petite « Francie » ou de la *Francia Tota*, les espaces, au demeurant sont flous. Seule matérialisation concrète des limites, au début de l'ascension des Capétiens : les lignes fluviales. Mais elles varient. Pour la « Francie » proprement dite, Loire, Seine, Somme, Escaut ? A l'avènement d'Hugues Capet, la *Francia*-royaume a pour limites la ligne Escaut, Meuse, Saône, Rhône.

---

* Nous avons vu que ces limites ont varié.
** L'ambiguïté du mot « France » apparaît sur une carte du numéro spécial de la revue *L'Histoire*, n° 96, *Mille ans d'une nation*, qui nous présente « la France de Clovis », de la Bretagne et de l'Aquitaine incluses jusqu'à la vallée du Main!

En réalité l'imprécision des « domaines » permettait toutes les ruses et politiques du fait accompli. Les Capétiens, aidés
de leurs conseillers, auréolés de leur prestige chrétien, sauront
jouer de ces ambiguïtés. Sans dessein prémédité mais exploi-
tant astucieusement les circonstances, ils allaient étendre leur
pouvoir sur les terres franques de l'ancienne Neustrie-« Francie », morcelée depuis un siècle par l'existence de nouveaux
comtés, et, simultanément, s'emparer, bénéficiant du succès de
la croisade contre les cathares, de terres non franques en pays
d'oc, mais ayant appartenu à la souveraineté carolingienne, à
la *Francia* de Charles le Chauve, judicieusement réactualisée
par les historiographes serviteurs du roi.

Puis, sur la lancée, en concurrence avec les autres pouvoirs
émergeant parallèlement au leur — à l'ouest possessions
anglo-angevines puis royaume d'Angleterre, au sud royaume
d'Aragon et plus tard d'Espagne, à l'est ambitions impériales
— ils mettraient la main sur tout ce qui s'offrirait à portée de
mariage, de chevauchée guerrière ou de négociation rusée non
sans conflits ou menace (au XVème siècle) de disparition :
terres d'Empire extérieures à la *Francia* (Dauphiné, Provence,
Alsace, Franche-Comté, Lorraine au sens restreint), terres
indépendantes (Bretagne, Corse), terres lointaines en Amérique et aux Indes allaient tomber dans leur besace !

## LA CONSTRUCTION DU ROYAUME

Un divorce, une croisade, le bénéfice de deux victoires, Muret (1213), Bouvines (1214) devaient engager le processus de croissance, la construction d'un royaume bi-national au départ, politiquement nouveau par l'emprise de son administration et l'expansion de son idéologie nationale-royaliste. Une suite de hasards — et non la prédestination — disposa les fondements du bâti futur de ce royaume.

### *Un divorce, une croisade, deux victoires*[3]

Au début du XIIIème siècle le Capétien Philippe (qui n'est point encore « Auguste ») a deux ennemis principaux : le Plantagenet Jean Sans Terre (qui vient de succéder à Richard Cœur de Lion), comte d'Anjou, duc d'Aquitaine, de Normandie, et roi en Angleterre, est à la tête d'un « empire angevin » qui bloque les possibilités d'expansion de Philippe en direction des pays francs de l'ouest; l'empereur de Germanie, Otton de Brunswick, face aux prétentions des rois Francs, se pose, lui aussi, en héritier de Charlemagne. Excommunié et déposé par le pape, il est néanmoins soutenu par les seigneurs du nord-ouest de l'empire, Saxe, Basse Lorraine, Brabant, mais aussi par deux comtes dont les possessions, situées en ancienne « Francie » sont dans les limites de la *Francia* : Ferrand comte de Flandre, Renaud de Dammartin, comte de Boulogne, ont pour suzerain le Capétien.

Le grand ensemble Plantagenet est né d'un divorce, celui de Louis VII, le père de Philippe, avec Aliénor d'Aquitaine, et du remariage de celle-ci. L'union du Capétien avec l'héritière d'Aquitaine aurait pu marquer les débuts de l'expansion du roi franc dans ces pays d'oc si différents de la « Francie » : ne dit-on pas que les costumes, le langage et les manières des « Aquitains » d'Aliénor firent scandale à la cour guindée du Nord. En outre la jeune femme était légère et le pieux Louis VII, peu porté sur la bagatelle, ne put tolérer ses mœurs trop libres et ses infidélités, qui furent notoires en Terre sainte où elle l'avait accompagné. En 1152, Aliénor répudiée épousa son amant, l'angevin Henri Plantagenet qui avait conquis le duché de Normandie et devint roi d'Angleterre en 1154. Modification inouïe dans les équilibres intérieurs à la *Francia*. Le domaine anglo-normand-angevin-aquitain constitue, face au roi en titre, un impressionnant espace de domination transmaritime et pluri-culturel, incluant au sud la brillante Aquitaine de civilisation raffinée.

Deux dynasties face à face, toutes deux franques, en somme : l'Anjou est un morceau de l'ancienne Neustrie et l'on parle franco-normand à la cour d'Angleterre. Deux pouvoirs, dès lors, vont s'entrechoquer. Une guerre de trois cents ans — et non pas de cent ans — va commencer, qui n'a rien de « nationale », conflit féodal d'enchevêtrements de suzerainetés et de logiques dynastiques, confrontations d'ambitions et de « légitimités » contradictoires. Au milieu du XIIIème siècle, l'empire angevin est démantelé, Philippe s'est emparé de la Normandie, de l'Anjou et de la Touraine. Son fils Louis VIII conquiert le Poitou et la Saintonge. Mais une Guyenne aquitano-anglaise reste libre de toute sujétion, point d'appui pour la reprise du conflit dynastique au XVème siècle.

La Croisade en Albigeois, précédemment rapportée (cf. p. 190-191) est le point de départ de la construction du « royaume de France », nouvelle entité politique : sur un ensemble bi-culturel, une légitimité royale et franque réussit à s'imposer, et l'unité politique qui va se construire autour du roi et de ses officiers sera le triomphe de la nation franque. A la mort d'Alphonse de Poitiers, frère de Louis IX, en 1271, les anciens domaines du comte de Toulouse de langue et civilisation d'oc sont rattachés à la couronne capétienne. Mais, par un processus de colonisation administrative et de propagande idéologique, les serviteurs du roi vont parvenir à diffuser et faire accepter l'idée de l'unicité du royaume de France autour de la Couronne.

La défaite du comte de Toulouse et de son allié Pierre d'Aragon à Muret (1213) marque bien le point de départ de ce processus. Et l'année suivante la victoire de Bouvines vient démontrer que Dieu, désormais légitime les actes du roi de Paris, « ses conquêtes, ses roueries, ses intrigues contre Richard Cœur de Lion, le croisé captif, le déshéritement du roi Jean, l'expulsion des juifs. Bouvines est une gerbe de signes évidents » [4].

De l'héritier de Charlemagne, du guide de tous les chrétiens, oint de l'huile de la sainte ampoule, conquêtes, an-

nexions, empiètements sont désormais la main de Dieu.
    La raison d'État est née. Et c'est une raison catholique et
dynastique.

### L'édification territoriale : les annexions qui ont fait la France

    Une carte et un tableau chonologique en résument les
étapes.

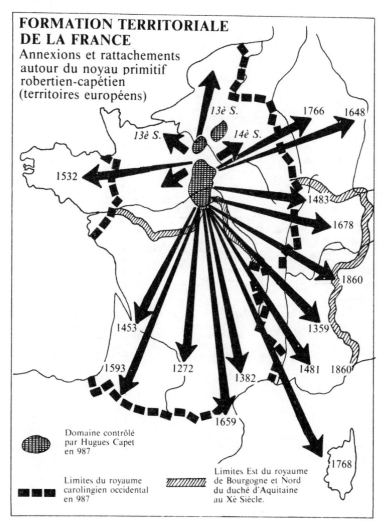

**FORMATION TERRITORIALE
DE LA FRANCE**
Annexions et rattachements
autour du noyau primitif
robertien-capétien
(territoires européens)

Domaine contrôlé
par Hugues Capet
en 987

Limites du royaume
carolingien occidental
en 987

Limites Est du royaume
de Bourgogne et Nord
du duché d'Aquitaine
au Xè Siècle.

| LE POUVOIR | siècles | Intérieures à la *FRANCIA* | | Hors *FRANCIA* | |
|---|---|---|---|---|---|
| ***Robertiens*** <br> 866 † de Robert le Fort <br> 888 Eudes roi | 9 | territoires francs | *Occitans* | D'EMPIRE | *autres* |
| 922 Robert de Neustrie roi <br> 936 Hugues le Grand duc des Francs <br> 987 Election et sacre d'Hugues Capet | 10 | régions d'Orléans. Paris. Senlis. Abbeville | | | |
| ***Capétiens directs*** | 11 | Gâtinais, Vexin | | FOREZ (1137) | |
| | 12 | Bourges | | | |
| | 13 | Amiens, Valois Vermandois <br> Normandie, Maine, Anjou, Touraine, Saintonge, Champagne | *Auvergne* <br><br> *Comté de Toulouse* (1271) | | |
| 1328 Philippe VI de *Valois* | 14 | | *Montpellier* (1382) | LYON (1312) <br> DAUPHINÉ (1349) | |
| | 15 | 1420-1437 Royaume de Bourges | *Guyenne et Bordeaux* (1453) | | |
| 1483 † de Louis XI <br> ***Valois-Orléans*** | | Duché de Bourgogne (1483) <br> Picardie | | PROVENCE (1486) | |
| 1515 François Iᵉʳ <br> ***Valois-Angoulème*** | 16 | Calais (1559) | | METZ, TOUL. VERDUN (1552) | *Bretagne* (1532) |
| 1589 Henri IV <br> ***Bourbons*** | | | *Navarre* (1593) | | |
| | 17 | Artois <br> Lille, Valenciennes, Dunkerque, Maubeuge, Sedan... | *Roussillon Cerdagne* (1659) | BRESSE, GEX BUGEY (1601) <br> ALSACE (1648) FRANCHE-COMTÉ (1678) | |
| | 18 | | | LORRAINE (1766) | *Corse* (1768) |
| 1789 Assemblée nationale <br> 1792 1ʳᵉ république | | | *Avignon* (1791) | | *Savoie Nice* (1860) |
| | 19 | | | | |
| 1852-1870 2ᵉ empire | | | | | |

PRINCIPALES ANNEXIONS

## « FRANQUISATION »-FRANCISATION DU ROYAUME : LE ROI ET L'ÉTAT

La corrélation efficace de l'idéologie royale et franque et de l'action dévouée et astucieuse des conseillers, baillis et sénéchaux de l'administration du roi expliquent en grande partie l'incontestable dynamisme de la royauté franque, devenue « française » par suite des modifications langagières aux XIIIème et XIVème siècles. Le soutien du Midi languedocien à la légitimité du roi de Bourges, quand, entre 1420 et 1437, la moitié nord de la France est anglo-bourguignonne, ne peut se comprendre sans la part de l'imaginaire qui transfigure la personne du roi mais aussi l'existence d'une « classe politique » d'officiers, d'administrateurs et de serviteurs du roi dont le destin est lié à la survie de la Monarchie.

### Diffusion de l'idéologie royale et franque

On peut distinguer deux phases dans l'expression et l'expansion de l'idéologie du pouvoir. Au départ c'est l'appropriation de l'idéologie franque forgée autour des Carolingiens. Le roi est célébré par les clercs. Au temps de Robert le Pieux, les évêques Adalbéron de Laon et Gérard de Cambrai énoncent les missions de la royauté franque. Sacré comme les évêques, le roi est à la fois roi et prêtre. Comme roi, rassembleur des guerriers, responsable de la guerre et de la paix, il est soumis aux évêques, à l'ordre de ceux qui « prient », supérieurs à ceux qui « combattent », eux-mêmes supérieurs à ceux qui « travaillent ». Dans *La Vie de Robert le Pieux*, Helgaud de Fleury identifie le souverain terrestre « à celui qui est dans les cieux ». La réalité royale est une réalité supra-naturelle. La légende de la sainte ampoule du sacre dont le niveau ne baisse jamais (cf. p. 129) se propage alors [5]. Le roi capétien est donc un roi-prêtre. Suger, l'abbé de Saint-Denis, ami d'enfance du grand-père de Philippe Auguste, Louis VI, en est le fervent célébrant. Nous avons précédemment expliqué comment les historiographes de Fleury et de Saint-Denis ont créé et diffusé le mythe de cette royauté capétienne, choisie par Dieu et enracinée dans la plus prestigieuse des Antiquités. Nouveau David et fils de

Troie, comme « descendant » des Carolingiens, le roi capétien n'a pas son pareil dans toute la chrétienté. Il est habilité à imposer partout son pouvoir prestigieux voulu par Dieu.

Mais le roi est aussi l'émanation d'une ethnie, d'une nation, également au-dessus du commun, la nation franque. Cette supériorité ressort des victoires, des hauts faits du passé, des conquêtes de Clovis et de Charlemagne. Aux XIème-XIIème siècles l'idéologie de la supériorité franque s'épanouit dans celle de la chevalerie, dans l'idéal de croisade, *Gesta Dei per Francos*. Et les Chansons de geste, qui ravivent aux couleurs du présent les exploits de « Carles li reis l'emperere des Francs »* et le courage de Roland, nimbent cette idéologie d'un merveilleux épique. Depuis toujours les Francs sont des « battants », des gagneurs, des héros et Dieu est de leur côté.

L'idéologie royale franque, au fur et à mesure que progresse l'État territorial et que le pouvoir du roi augmente, va progressivement se muer en intégrisme monarchique et religieux. Une idéologie « française », royaliste et catholique coïncide avec le développement de l'absolutisme, l'homogénéité culturelle des couches supérieures qui s'accentue avec la diffusion de la langue du roi parmi les élites. Au roi populaire, guérisseur d'écrouelles, encore Père de la patrie au temps de Louis XII, succède, avec les Valois Angoulême, un roi de fêtes, de prestige et de châteaux, éloigné du peuple, même si son image continue de véhiculer, y compris chez les protestants, le commun sentiment d'appartenance au « royaume de France ».

### Pénétration de l'État : la colonisation administrative

Le succès de la « francisation » passe d'abord par l'incontestable efficacité de l'administration. Les représentants du roi, les officiers ont été les agents de l'infiltration de l'État franc — puis « français » — à l'intérieur du tissu social et culturel des pays progressivement annexés; comtés du Nord, puis

---

* *Chanson de Roland*, vers 2658, traduit par « Le roi Charles empereur des Français » (C.R., 268, 269). Rappelons que la légende de « l'empereur à la barbe fleurie« est un héritage de *La Chanson de Roland.*
    La siet li reis ki dulce France tent
    Blanche ad la barbe e tut flurit le chef
[C'est là que siège le roi qui gouverne la douce France. Il a la barbe et les cheveux tout blancs] (C.R. 60, 61).

Normandie, Anjou, et, sur les périphéries du noyau franc, nations préexistantes ou principautés autonomes. Au XIIIème siècle, l'efficacité des baillis, sénéchaux conseillers dépendant directement du pouvoir fut remarquable [6]. Fréquemment mutés ils devaient rendre compte de leur mission. De plus en plus instruits, ils ne sont plus hommes d'épée mais porteurs d'une culture écrite, juridique. Ils sont l'armature de la francisation, du ralliement à la monarchie, grignotent le droit féodal, développent l'idée d'une justice du roi, répandent sa langue, attirent autour d'eux les classes moyennes urbaines. Un faisceau de dévouements intéressés se noue autour du Capétien : beaucoup de baillis ont été recrutés dans la petite noblesse d'entre Somme et Loire, le cœur de la « Francie », sauvant leur patrimoine par le service du roi. Au temps de Louis IX une sorte de confusion entre le droit et la théologie contribue à l'intériorisation du « fait français » : « les Français sont un dans le roi comme les Chrétiens sont un dans le Christ ».

Dans les pays d'oc le développement de l'administration royale est un puissant facteur d'intégration. Des administrations avaient été créées par les souverains autochtones, les Saint-Gilles dans le comté de Toulouse, les Catalans en Provence. Lorsque ces régions passent dans les mains du roi de France, celui-ci se contente de perfectionner ce qui existe, sénéchaux nommés pour trois ans, bailes, juges et viguiers à l'échelon inférieur. « L'innovation consiste à confier ces charges, surtout aux échelons les plus élevés, à des étrangers *forans*, français en l'occurence » [7]. Dans le Toulousain ils se révèlent plus efficaces que leurs prédécesseurs qui ménageaient les hobereaux et les moines. Mais ils abusent souvent de leur puissance, suscitant d'innombrables plaintes, qui entraînent des inspections comme au Languedoc en 1247. Pour le bas niveau de l'administration la monarchie peut, dans le pullulement des moyennes et petites villes, recruter de nombreux fonctionnaires. Étrangère à la société féodale, cette bourgeoisie a ainsi été favorisée par le pouvoir visant à l'intégration et en devient parfois le meilleur soutien, comme Guilhem de Nogaret.

La mutilation de la Catalogne par l'annexion du Roussillon, du Conflent, du Capcir et d'une partie de la Cerdagne en 1659 fut suivie d'une dissolution des anciens organes administratifs (en reniement du traité des Pyrénées). Pour assurer l'assimilation administrative, il faudra cinquante ans d'occupation militaire en Roussillon [8].

L'administration du roi, la pénétration de l'État capétien au fur et à mesure des annexions a-t-elle été, comme l'affirme Pierre Chaunu, toujours et partout celle d'un « État générateur d'un espace de paix », synonyme de la « nation française » ? L'espace créé par les Capétiens a-t-il su « imposer au corps social le commandement, l'ordre, la cohésion que requièrent l'enracinement, le maintien et l'extension de l'espace de paix, dont la reconnaissance est au cœur même de notre identité nationale ? » [9] Je me garderai de trancher, mais en tout cas cette paix fut refusée à tous ceux qui ne pensaient pas comme le roi. Et si Louis IX prescrivit à ses agents de mieux défendre les humbles, il fut le protecteur des inquisiteurs du Languedoc. Nous rappelerons, plus loin, l'aggravation du sort des juifs, au fur et à mesure que s'étendait le nouveau royaume. Et la persécution des protestants fut le fait de cette monarchie dont Pierre Chaunu exalte l'aptitude à la paix!

L'efficacité de l'administration des Capétiens, puis des Valois, fit en tout cas sensation auprès des autres princes. Au XVIème siècle, Maximilien d'Autriche envie la solidité du royaume, Machiavel le donne en exemple aux Italiens. Un ambassadeur vénitien souligne, avec envie en 1546, la propension des Français à l'obéissance : « nul [pays] n'est aussi facile à manier que la France. Voilà sa force à mon sens : unité et obéissance (...) Aussi les Français qui se sentent peu faits pour se gouverner eux-mêmes, ont-ils entièrement remis leur liberté et leur volonté aux mains de leur roi. Il lui suffit de dire : « Je veux telle ou telle somme, j'ordonne, je consens » et l'exécution est aussi prompte que si c'était la nation entière qui eût décidé de son propre mouvement » [10].

L'ordonnance de Villers-Cotterets décrète, en 1539, que les actes judiciaires seront désormais « prononcés, enregistrés et délivrés en langage maternel français et non autrement ». Elle va encore accentuer la centralisation qui s'insinue par une foule de canaux. Sous François Ier, le roi devient omniprésent. Et Maximilien d'Autriche constate plaisamment : l'empereur n'est qu'un roi des rois, le roi catholique * un roi des hommes, mais celui de France est un roi des bêtes, « car, en quelque chose qu'il commande, il est obéi aussitôt comme l'homme l'est

---

* Le roi d'Espagne.

des bêtes ». On était loin, en ces temps-là, du stéréotype des Gaulois batailleurs et indociles ! Il aurait pu s'appliquer cependant aux hommes de guerre car le Français passe alors pour un trublion qui adore la guerre, mais ne tient pas le choc au-delà de charges impétueuses. L'épanouissement de l'absolutisme intérieur coïncide, en effet, avec les rêves d'hégémonie européenne, marqués par les guerres d'Italie et l'échec de la candidature de François Ier à l'Empire (1519).

## LE LAMINAGE CULTUREL :
## FRANCISATION
## ET « PROVINCIALISATION » DES ÉLITES

A l'orée du XIIIème siècle, tournant décisif pour la création du royaume de France, l'originalité culturelle et sociale des espaces non francs qui seront annexés par les Capétiens est indéniable. A commencer par le Midi, les pays d'oc.

### La « différence » occitane

Sans entrer dans des discussions théoriques, qui ne sont pas de la compétence de cet essai, on doit, par respect pour la vérité historique, occultée par la légende républicaine, intégrer dans la compréhension du passé des Français d'aujourd'hui une problématique occitane. Elle est le point d'appui d'une redécouverte de la nation plurielle, puisque l'absorption de l'espace que la monarchie va baptiser « Languedoc » est le premier acte de la formation d'une nation française pluri « nationale » ou pluriculturelle, comme on voudra, dans sa profondeur.

Certes, on ne peut établir un parallélisme rigoureux entre nation franque et nation occitane. La force et l'efficacité historique de la « nation franque » fut la conjonction entre le regroupement territorial autour d'un pouvoir unique et l'appropriation par ce pouvoir de l'idéologie et de la mémoire carolingiennes. Pas d'équivalent mythique, au sud de la Loire, avec le merveilleux des origines troyennes ou les vertus du sacre, mais une originalité, une différence, linguistique d'abord, parfaitement reconnue par les Capétiens qui créèrent les désinences « langue d'oc », « occitanus », « Occitania ? »[11] Une créativité intellectuelle et artistique, marquée par la synthèse, l'ouverture sur des univers différents dans cet espace méditerranéen, parcouru par des routes qui remontent vers Lyon, la Bourgogne, où naissent, au XIème siècle des villes champignons, Beaucaire en 1020, Montpellier créée avant 1090 par la maison d'Aragon.

Les structures sociales échappent en partie à la féodalisation, par le maintien de l'alleu, la possession libre de la terre, par l'importance des villes et des bourgeoisies, avec des consuls élus d'abord par les plus riches, puis, au début du XIIIème siècle, en certains lieux à Toulouse notamment par tous les chefs de famille [12].

Dans ce Midi, pas de coagulation autour d'une principauté dominante, encore que l'Aquitaine, ancien royaume visigoth, ancien duché quasi-indépendant au VIIIème siècle, ancien royaume reconnu comme singulier par Charlemagne soit dotée d'un passé prestigieux. Une mémoire aquitaine aurait pu concurrencer la mémoire franque, mais elle ne trouva pas l'équivalent de Fleury et de Saint-Denis pour la mettre en forme écrite. Et puis le XIIème siècle est un tournant avec le mariage d'Aliénor d'Aquitaine et d'Henri Plantagenet. Le Midi, éclaté entre les pôles politiques aquitano-anglais, toulousain, catalan, émietté entre les possessions régionales de nombreuses familles nobles, les autonomies des consuls, n'a pas de centre de gravité. Sa diversité est extrême. Les liens féodaux y sont rares, bien qu'existant, pour certains historiens, en quelques parties du Toulousain [13]. L'aristocratie est fragilisée par l'érosion des patrimoines; une petite chevalerie menacée dans son statut économique et social paraît avoir constitué un groupe privilégié pour la diffusion du catharisme. Les cadres de la vie sociale sont plus souples et informels que dans le Nord, les institutions sont floues. Réalité ambiguë et paradoxale, qui explique « la variété des jugements qui ont été portés sur cette Occitanie » et qui permet d'écarter tout manichéisme simpliste dans un sens ou dans un autre. Quand s'abattront sur le pays la croisade et la conquête capétienne on verra des villes entières, cathares, chrétiens, juifs mêlés, résister aux croisés qui menacent leurs intérêts et leurs vies. Mais on verra aussi une partie des Méridionaux soutenir la croisade, participer à la « pacification » capétienne, puis jouer, par intérêt ou carriérisme bien compris, la carte de la domination française. Et le Languedoc restera fidèle au roi de France Charles VII dans la tourmente.

Même division des consciences politiques en Aquitaine anglaise : ceux du Rouergue se placèrent derrière la bannière de Jeanne d'Arc, d'autres rallièrent avec enthousiasme la cause anglaise, derrière le prince Noir, fils du roi Edouard III, qui ne parlait guère qu'occitan. Mais les populations prises en sandwich entre Bourguignons et Armagnacs, aspiraient surtout à la paix [14].

*Bretagne... Corse...* [15]

A titre significatif on évoquera l'incorporation de la Bretagne et celle de la Corse. La place manque ici pour rappeler en détail les caractères originaux des espaces « provincialisés » et des conditions dans lesquels ils furent annexés ou rattachés.

L'Armorique est devenue Bretagne lorsqu'aux IVème et Vème siècles, fuyant les Scots, les Pictes et les Saxons, les « Bretons » quittèrent la Bretagne d'outre-mer. Ils trouvèrent en Armorique une population celtisée, très peu romanisée, qui avait gardé ses mœurs, son organisation sociale et sa langue. Des mélanges linguistiques naquit le « breton », langue écrite qui servit à des usages savants. Dans la région de Rennes et de Nantes, les évêques organisèrent une résistance aux Bretons, et la langue romane subsista.

La Bretagne ne fut jamais intégrée au *regnum Francorum*. Jusqu'au milieu du VIIème siècle, un même royaume engloba la Cornouailles, le Devon et les côtes nord de l'Armorique. Un moment occupée par les Normands, la Bretagne est réinvestie par Alain Barbetorte, qui rompt définitivement avec la Bretagne d'outre-Manche, plongée dans le malheur et l'anarchie. Ainsi naît une nation bretonne continentale qui se définit par une langue et une culture celtique et chrétienne. Les moines y jouent un rôle très important, ils constituent les paroisses en unités de défrichemment, les *plou*, divisés en *tré*. Des moines ermites fondent aussi les *lan*. Orientée vers l'activité terrienne, l'ethnie bretonne développe des habitudes de solidarité et d'entr'aide sociale qui feront obstacle à la féodalisation et à la coutume franque.

Jamais conquise par Clovis, indépendante sous les Carolingiens qui créent sur son flanc est une *marche de Bretagne*, elle lutte contre les tentatives d'ingérence franque, fin VIIIème et début IXème siècles. Un État breton unitaire se constitue au moment où la *Francia occidentalis* est morcelée en principautés. Un chef de guerre, Nominoé, est vainqueur des Francs occidentaux. Son fils Erispoé triomphe de Charles le Chauve en 851 et se fait reconnaître comme roi. Le royaume survit aux dissensions intestines et aux guerres normandes. Après 890, Alain le Grand s'intitule *pius et pacificus rex Britanniae*, et le roi Alain III (1008-1040) bat monnaie sous le nom d'*Alen Rix*.

Duché ou royaume, un État national breton est constitué, bi-ethnique, celte à l'ouest, pays « gallo » à l'est. Il est reconnu par Louis IV d'Outre-mer, le dernier roi carolingien. Mais l'expansion capétienne et la montée des Plantagenet modifient les perspectives. Geoffroi Plantagenet, fils d'Henri II, est duc de Bretagne. Puis la Bretagne avec Pierre de Dreux, surnommé Mauclerc, entre dans la grande alliance aux côtés de Raymond VII de Toulouse contre Blanche de Castille. Mais après, les élites bretonnes cèdent à l'attraction « française » au temps de Louis IX et de Philippe le Bel. Et la maison de Dreux sombre dans une querelle dynastique.

La Bretagne est un enjeu dans la guerre de Cent ans. Les populations en souffrent comme en Aquitaine. Le duc Jean IV élevé à Londres, est un véritable Anglais. Il est battu par le Breton du Guesclin, qualifié par Robert Lafont de « petit noble besogneux et fourbe passé au service du roi de France ». Ce dernier proclame la confiscation du duché au profit du roi. Un sursaut populaire rappelle le duc Jean. Mais la guerre continue.

Au XVème siècle, parallèlement à l'évolution bourguignonne, la Bretagne est un grand duché, nominalement dépendant de la France mais pratiquement autonome. Les ducs Jean V et François II se proclament « ducs par la grâce de Dieu ». Depuis un siècle, les ressources agricoles se sont développées, la vocation maritime — commerce et pêche — s'est épanouie, l'instruction s'est diffusée, l'imprimerie s'y est installée précocement. le pays s'est couvert de forteresses et de cathédrales. Les « États » ou « parlement général » se réunissent presque tous les ans, votent les fouages, donnent leur avis sur la politique des ducs, collaborent à la rédaction des ordonnances, rendent la justice.

Mais Louis XI voulait briser les « deux cornes roides » de son royaume, Bretagne et Bourgogne. En 1488 le sort de la Bretagne est entre les mains de la petite duchesse Anne, onze ans, volontaire. En 1490, elle épouse par procuration Maximilien d'Autriche. Mais Charles VIII, le fils de Louis XI, intervient militairement, fait rompre le mariage autrichien et épouse en 1491 Anne. A sa mort Anne doit se remarier avec le duc d'Orléans qui devient Louis XII. Leur fille Claude sera la femme de François d'Angoulême, le futur François Ier. La Bretagne devait, en principe, garder ses institutions autonomes. Mais les pressions du pouvoir français se multiplient; un parti français et un parti breton s'affrontent dans le duché. L'autonomie administrative est confirmée par édit. Mais avec les Valois-Angoulême et le développement d'une pensée nationale de plus en plus impérialiste, les registres du greffe des États furent transportés à Paris et disparurent. L'union fédérative devenait intégration (1532).

Au même moment la Provence, qui, en 1486 avait été rattachée à la couronne par un pacte fédératif, était annexée (1547) [16].

L'histoire de la *Corse* depuis le XIIème siècle, est celle d'une série de tentatives pour secouer le joug de la République de Gênes. L'histoire de l'annexion française est celle de l'arbitraire le plus complet. Soulevés une fois de plus contre le fisc génois en 1729, les Corses réussissent à entamer une diplomatie européenne. En 1734 ils rédigent une constitution créant un pouvoir exécutif et un pouvoir législatif et se trouvent un roi en la personne d'un aventurier allemand Théodore de Neuhoff (1736). Dès 1737, la France, en accord avec les Gênois, débarque un corps expéditionnaire et vient à bout de la résistance en 1740. Les révoltés en appellent au roi de Sardaigne, une deuxième intervention française a lieu en 1750. Pascal Paoli, natif de la Castagniccia, en exil à Naples, débarque en 1755 et reçoit le titre de Général de la Nation. Il établit une constitution d'inspiration moderne, service militaire pour tous, enseignement primaire obligatoire, université à Corte. La Corse fait reconnaître son indépendance en 1762. La France commence à rechercher l'entente avec Paoli. Mais après le désastreux traité de Paris (1763), Choiseul négocie avec Gênes qui, en 1768, cède la Corse à la France. Le comte de Marbeuf entreprend la conquête méthodique de l'île. En 1769 Paoli doit s'embarquer sur une corvette anglaise, sous la protection de ses arrière-gardes qui se font massacrer.

Les députés corses prêtent serment au roi de France. Un compagnon de Paoli, Charles Buonaparte, nommé assesseur à la juridiction d'Ajaccio, symbolise en sa personne le ralliement des patriotes aux ennemis de la veille, tandis qu'une justice expéditive décourage les velléités de révolte : « tous les habitants de la Pieve sont déclarés rebelles ; on pend, on roue des notables et leurs parents ».

Le fils de Charles Buonaparte choisira d'intégrer la Corse à l'Empire par un mélange dosé de rigoureux maintien de l'ordre et de compensations financières.

## La francisation par en haut

L'édit de Villers-Cotterets (1539) a récemment été choisi comme « date-repère » (pour remplacer « Marignan ») dans l'enseignement de l'histoire de France à l'école. Mais repère de quoi ? Dans la pensée ministérielle, date significative des progrès du français, jalon éminemment positif de la construction de l'État-nation. Dans la perspective que je tente de retracer, cet édit, certes, est important. Mais que marque-t-il au juste ? Sans doute, comme l'écrit Robert Lafont dans l'*Histoire d'Occitanie*, la consécration d'un état de fait, la francisation progressive de l'écriture publique, des actes administratifs dans les pays d'oc entérinant les effets culturels de la colonisation administrative ; mais aussi, dans le contexte de la monarchie qui devient absolue, une mutation de la francité, de la culture « française » de plus en plus coagulée autour du roi, de la cour, de Paris [17].

Jusqu'au XVIème siècle la francisation s'était effectuée à un double niveau. Populaire, le sentiment d'une commune appartenance au « royaume de France » à travers la personne du roi reposait, par la religion royale, sur le caractère sacré, magique de son pouvoir. Nous avons dit comment cette adhésion avait pu se répandre en toutes régions, y compris non francophones, par le relais des sanctuaires, des pélerinages et des prières de l'église (cf. p. 130-131).

Au niveau des élites bourgeoises et aristocratiques le processus, que Robert Lafont a nommé « l'aliénation provinciale », est infiniment plus complexe. Il y eut d'abord diffusion de la langue du roi par ses officiers, le triomphe du français de Paris. Le dynamisme politique de la royauté capétienne s'accompagne d'un dynamisme culturel. La langue du Nord se répand. Au XVIème siècle l'influence de la cour s'est étendue dans les couches supérieures des « provinces » parlant oc ou breton. Au départ, après la conquête du Toulousain, rebaptisé « langue d'oc », le roi ne s'était pas attaqué à cette langue, la France était « une somme claire de "Francie" et d'Occitanie », le royaume restait bilingue avec ses baillis au Nord et ses sénéchaux dans le Midi. Robert Lafont assure que « l'occitan progresse alors dans l'usage écrit des villes et des particuliers » [18]. Il remarque également que cette « nation double » de la fin du XIIIème siècle innove dans le domaine intellectuel et artistique. Mais la créativité s'oriente en sens unique, dépérissement de la poésie, de l'art et de la pensée en pays d'oc, l'animation intellectuelle se déplace en pays d'oïl. On crée à Toulouse une université, filiale de la Sorbonne, mais les grands débats philosophiques ont lieu à Paris. La France d'oc est plus riche en biens et en populations que la France d'oïl au moment de l'annexion de 1271; elle dépérit cependant [19].

A partir du XVème siècle le français pénètre les actes officiels, le parlement installé à Toulouse en 1444 est français, « la langue liée au fonctionnement de l'État s'empare du corps social », dans les grandes villes tout au moins. La francisation linguistique engendre la francisation dans la création littéraire. L'Occitanie produit des poètes « français ». Toulouse, depuis le XIVème siècle, puis Bordeaux à la fin du XVème sont des relais de francisation intellectuelle. L'Occitanie engendre Montaigne, la Boétie, Brantôme. Au XVIIème siècle Toulouse, qui comme Marseille a été ligueuse pendant les guerres de religion, bénéficie du développement du commerce et de la culture et de l'industrie du pastel. De grandes fortunes naissent qui ont besoin du roi (pour lutter notamment contre la concurrence de Bordeaux). « Toulouse, écrit Robert Lafont, présente avec une netteté exceptionnelle le phénomène qui réussit alors partout en France : l'installation de la bourgeoisie dans la situation provinciale [...] par l'achat des charges qui constitue la nouvelle élite dans l'alliance avec l'État [...] », par l'achat des terres et l'élévation par les mariages nobles [20].

En Bretagne le français commença de s'insinuer au cours des luttes du XIIIème et du XIVème siècles, qui virent l'implantation en Basse-Bretagne de familles nobles normandes et anglo-normandes, d'Angevins, de Poitevins, de Manceaux parlant français. Au cours du processus qui aboutit à l'annexion de la Bretagne, Louis XI avait cherché à gagner à la cause française les « bonnes villes » de Bretagne, et les poètes populaires bretons poursuivaient de leur malédiction les habitants des villes, « ces gentilhommes » *nouveaux*, ces *aventuriers gaulois*, ces bâtards étrangers qui ne sont pas plus bretons que n'est colombe la vipère éclose au nid de la colombe [21]. « En même temps, écrit en 1847 Hersart de La Villemarqué dans son *Essai sur l'histoire de la langue bretonne*, on minait sourdement la langue nationale, dans les châteaux, en attirant en France, par l'appât des charges à la cour, la jeune noblesse et l'âge mûr, qui, de retour en Bretagne, y rapporteraient la langue et les mœurs étrangères, pour lesquelles on s'était efforcé de leur donner du goût. La création à Paris, à Bordeaux et à Rennes de collèges spécialement destinés aux jeunes Bretons [...] fut le troisième coup porté à l'idiome national ».

Après l'annexion, l'ordre prêcheur des Récollets, moines *Gallos*, occupant en Basse-Bretagne les charges principales, s'efforça d'imposer à tous les frères prêcheurs d'employer le français dans la prédication à l'exclusion du breton. Parallèlement les bourgeois des villes, pour imiter les Grands, francisaient leur breton et affichaient leur mépris pour l'idiome des campagnes accusé d'être inintelligible et suranné. La haute magistrature résidant à Rennes publia des ordonnances, renouvelées aux XVIIème et XVIIIème siècles « qui abolissaient le théâtre national où les Bretons de toutes les classes [...] venaient puiser un enseignement religieux et moral » en breton. On encouragea des manuels de conversation en « jargon mixte ». Et les classes supérieures finirent par abandonner la langue de leurs pères, tandis que des patois divers se créaient dans les campagnes, qu'il fut de bon ton de mépriser. Le substantif *baragouin* et le verbe *baragouiner*, formé de *bara*, pain et de *gwin*, vin, désigna la langue des gens qui ne savaient pas le français [22].

Ainsi, tant en Occitanie qu'en Bretagne, le modèle « français » d'assimilation fonctionnait par en haut. L'identification de la haute culture, de la francité et d'une supériorité de classe fut accentuée par la centralisation monarchique, par le mécénat de la cour, puis par le rôle et le prestige des Salons de Paris au XVIIIème siècle. Elle élargit le fossé entre culture d'élite et culture populaire. La culture « française » fut celle des couches supérieures. Le mot « culture », en français prit la connotation de connaissances et valeurs esthétiques véhiculées par les classes supérieures. L'utilisation du mot dans le sens ethnologique, emprunté à l'anglo-saxon « culture », sous l'influence des antropologues américains, n'apparaît que vers 1923. Les révolutionnaires de 1789, et, à leur suite, les créateurs de l'école républicaine étaient imprégnés de la notion d'une francité qui coïncidait avec le beau langage, les bonnes manières et les Belles-Lettres.

## L'ESPRIT DE CROISADE.
## L'INTÉGRISME MONARCHIQUE

L'esprit de croisade est un facteur indéniable de la construction du royaume de France, qui débute effectivement avec la Croisade et la victoire des croisés « français » en Albigeois. Certains historiens assurent aujourd'hui que l'action de l'Inquisition après la Croisade fut « discontinue dans l'espace et dans le temps » et « limitée dans ses effets numériques ». Elle n'en fut pas moins atroce et le pieux saint Louis l'encouragea largement qui disait à Joinville : « Quand on entend médire de la loi chrétienne il ne faut la défendre qu'avec l'épée, dont on doit donner dans le ventre autant qu'elle peut entrer ».

Le devenir des Juifs et de leurs communautés est comme le négatif de l'expansion du pouvoir capétien et le miroir de son intolérance.

### L'intégration des juifs dans l'Occident chrétien et musulman avant la Croisade [23]

Bien avant la destruction du temple de Jérusalem par Titus en 70 ap. J.C., des communautés juives avaient essaimé en divers points du monde méditerranéen et furent les premiers relais de la diffusion du christianisme. Jusqu'au IIIème siècle ap. J.C., l'attitude des empereurs romains fut tour à tour persécution, tolérance, interdictions rituelles. La coexistence amicale et une certaine connivence marquèrent les relations entre juifs et chrétiens jusqu'à l'instauration du christianisme comme religion officielle dans l'Empire. Ils rivalisaient dans une certaine mesure auprès des païens pour les convertir. La *Diaspora*, la grande Dispersion d'après 70, entraîna la fondation de communautés juives en Gaule méridionale à partir de la fin du IIème siècle. Pendant des décennies la vie quotidienne ne fut guère affectée par l'édit de 313*, le christianisme ne pénétrait que très lentement; saint Martin, un ancien officier

---

* Edit de Milan, promulgué par l'empereur Constantin qui garantit aux chrétiens la liberté du culte.

de l'armée des Gaules, ardent propagateur, n'évangélise qu'au milieu du IVème siècle, tandis qu'une hiérarchie ecclésiastique se met en place.

A l'époque des royaumes romano-« barbares », dans ce monde ethniquement bigarré, « où toutes les races se côtoient et où les frontières deviennent floues », la coexistence tranquille des juifs avec les chrétiens paraît demeurer la règle, bien que les évêques s'efforcent de les convertir ou d'obtenir leur isolement social. Ces derniers ne semblent guère avoir été obéis, et le pape Grégoire le Grand tempête contre les chrétiens qui se reposent plutôt le jour du sabbat que le dimanche! Les juifs conservent des positions sociales enviables et des noms latinisés comme Priscus, conseiller du roi Chilpéric (539-584).

Durant plusieurs siècles encore, juifs et chrétiens confrontent leurs croyances en de savants débats. Sous Louis le Pieux les juifs ont le droit de vivre selon leurs lois, ils font des prosélytes au grand dam de l'archevêque de Lyon Agobard (778-840) qui, troublé par l'influence qu'ils exercent sur les plus hauts notables, rédige six épîtres dénonçant leurs « superstitions ». Son successeur Amolon réitérera ses imprécations, suivi en cela par Hincmar de Reims. C'est au cours du IXème siècle qu'apparaît une modification de la liturgie chrétienne du vendredi saint, où l'on priait, agenouillé, pour les catéchumènes, les juifs et les païens : *pro Judaeis non flectant*, on ne s'agenouille plus pour les juifs.

Cependant les juifs restent mêlés à la vie économique, sociale et même politique. Ils ont le droit de posséder des domaines, notamment en Septimanie, pratiquent tous les métiers. Lorsque les Pippinides s'emparent de la Septimanie ils confirment ces droits. Des marchands juifs gravitent dans l'entourage de Charlemagne, des négociants entreprennent de longs périples entre l'Occident et l'Orient, tels les Juifs *rhadanites*, « ceux qui connaissent le chemin », grands voyageurs, hommes de culture raffinée. Un juif, nommé Isaac, servit d'interprète pour une délégation envoyée par Charlemagne auprès du calife de Bagdad, Haroun el Raschid, de la dynatie des Abassides.

Sans que l'on puisse généraliser, il semble que, durant le premier millénaire, les juifs aient trouvé place dans une société chrétienne qui ne les rejetait pas. Nombreux dans le Midi, ils essaimèrent vers le Nord et l'Est de l'Europe carolingienne. Des communautés prospères furent créées en Champagne, en

Lotharingie, dans les villes rhénanes et jusqu'à Prague. Rois, seigneurs, évêques leur accordent une large autonomie. Elles vivent selon leurs propres lois. La science talmudique est en plein essor sur les bords de la Seine et du Rhin. La communauté de Troyes, sous l'autorité bienveillante des comtes de Champagne, atteint l'apogée de son rayonnement spirituel au XIème siècle. Le grand érudit Bar Isaac, dit Rashi (1040-1105), qui vit du produit de ses vignes qu'il cultive lui-même, développe les études de la Torah et fonde une *yeshiva*, une école talmudique qui influence tout le judaïsme de l'époque\*.

Dans les pays d'oc — comté de Toulouse, Provence —, la cohabitation amicale entre communautés religieuses et ethniques différentes se prolonge. Un voyageur juif, Benjamin, originaire de Tudèle en Espagne, décrit la prospérité des Juifs du Midi, le rayonnement spirituel de Narbonne, le cosmopolitisme de Montpellier : « on y vient d'Al-Erva (Algérie), de Lombardie, du royaume de Rome la Grande, de toute la terre d'Egypte, du pays d'Israël, de la Grèce, de France, d'Espagne, d'Angleterre et de toutes les langues et nations qui se trouvent aux environs de Gênes et de Pise ». A Beaucaire, le rabbin Abraham est entouré de disciples « qui trouvent un grand repos dans sa maison. Et s'il y en a qui ne peuvent pas subvenir à leur dépenses, il leur fournit libéralement leur entretien sur ses propres biens. »

Les Trencavel, vicomtes de Béziers, de Carcassonne et d'Albi, se posent en protecteurs des juifs. Vers 1170, Roger de Trencavel fréquente le célèbre rabbin Abraham ben David et nomme certains de ses sujets hébraïques à des postes importants ; des juifs sont bailes à Béziers, à Carcassonne. Le fils d'Abba Mari, baile de Saint-Gilles et trésorier de Nîmes en 1170, se rend célèbre par ses traductions en hébreu du philosophe arabe Averroès.

A la faculté de médecine de Montpellier, certains maîtres

---

\* La *Torah* est la loi de Moïse contenue dans les cinq premiers livres de la Bible hébraïque, le Pentateuque. Commentée d'abord oralement, la Torah a donné naissance au *Midrash* ou explication de la Torah, exprimée en deux courants *Midrash halaka*, enseignement législatif des parties juridiques de la Torah, et *Midrash haggada* commentaire libre des parties narratives. Le *Talmud* est la rédaction de ces commentaires traditionnels, transmis d'abord oralement. Cette codification fut l'oeuvre d'un certain nombre de rabbins dans le judaïsme de l'exil après la destruction du Temple, les uns restés en Palestine, les autres en Babylonie. Le Talmud de Jerusalem fut achevé au IVème siècle, celui de Babylone au Vème.

juifs sont parmi les plus illustres scientifiques de leur temps. La barrière des Pyrénées n'existe pas et, jusqu'à la conquête « française », le Midi d'oc n'est pas séparable de cet espace de haute culture intellectuelle et syncrétiste : l'Espagne des VIIIème -XIIIème siècles sous domination des califes musulmans.

Cette « Espagne des trois religions », cette Espagne musulmane et juive avant tout, que les chrétiens du Nord veulent a tout prix « reconquérir », fut en effet un haut lieu de civilisation et de progrès intellectuel, occulté par les histoires traditionnelles à la gloire des États chrétiens.* D'une façon générale, aussi paradoxal que cela puisse nous sembler aujourd'hui, l'interpénétration de l'Islam et du judaïsme fut, durant plusieurs siècles, un processus historique, d'une portée considérable. Le développement de l'Islam fut, à l'Est comme à l'Ouest, bénéficiaire aux juifs. En Palestine, la domination des empereurs chrétiens de Byzance avait relégué les juifs au ban de la société (ce qui suscita leur révolte en 614), celle de l'Islam fut moins intolérable. En Espagne, la symbiose judéo-musulmane fut remarquablement créative et le travail de la pensée servit à l'élévation intellectuelle de tout l'Occident. Ces siècles produisirent de grands philosophes arabes comme Muhammed ibn Ruchd (Averroès) (1126-1198); juifs, Ibn Gabirol (Avicebron) (1020-1058), le « Platon juif » et le prestigieux Maïmonide, « le génial médecin », né à Cordoue en 1135, dont le *Guide des égarés*, vers 1190, était une entreprise de conciliation entre la raison et la foi. Par cet intermède judéo-arabe, les textes d'Aristote furent transmis aux intellectuels de la chrétienté, retranscrits du grec original en arabe et traduits en hébreu au XIIème siècle.

Parallèlement dans le Midi d'oc, à Lunel, Samuel et Ibn Tibbon traduisirent des textes d'Aristote, Galien, Euclide et la famille des Kimihi de Narbonne rédigeait des grammaires hébraïques qui devaient servir aux hébraïstes de la Renaissance.

S'il ne faut pas minimiser les épisodes de tensions et de conflits, l'Espagne sous les Ommayades fut un « âge d'or ». Les juifs participèrent pleinement à la vie du pays. Agriculteurs, financiers, médecins, conseillers politiques, certains

---

* Les lycéens espagnols la redécouvrent aujourd'hui officiellement par une démarche de « réappropriation de l'histoire ». cf. *Libération*, 30 octobre 1986.

s'élevèrent au sommet de la fortune et du pouvoir. Les XIème et XIIème siècles, où l'on vit des processions mêlant chrétiens, juifs, musulmans, fûrent les moments culminants de cette Espagne tolérante, que l' Inquisition consécutive à la fin de la *Reconquista* réduisit à néant.

En pays d'oc, lorsqu'« en 1229 les juifs, comme les autres sujets du comte de Toulouse passent sous la férule d'Alphonse de Poitiers, frère de saint Louis, une page est tournée, leur sort devient celui des autres juifs du royaume : rouelle et brimades. Nombreux sont alors les départs vers la Provence qui appartient à la maison d'Anjou ».

### Exclusions et expulsions : la politique anti-juive des rois capétiens

Nous avons déjà eu l'occasion d'évoquer ce « fatidique été 1096 » qui vit les pillages des communautés juives par la foule des villageois rassemblés par Pierre l'Ermite (cf. p. 188). Les persécutions des juifs de France tiennent à l'évolution générale d'une chrétienté saisie par l'esprit de croisade, à la montée des mythes de complot et de meurtre rituel, aux malheurs du XIVème siècle (famine et peste noire), à la structure rigide de la société d'ordres, dans laquelle les juifs n'ont point de place.

Mais la politique anti-juive des Capétiens n'en montre pas moins une rigueur et un acharnement qui se manifestent dans l'aggravation du sort des juifs dans les territoires progressivement annexés, dont certains leur ont auparavant servi de refuge. Je n'entrerai pas dans le détail de cette histoire des juifs dans le royaume de France et je renvoie le lecteur aux livres indiqués en note, et tout particulièrement à celui de Béatrice Philippe. On ne trouvera rien, par contre, ou si peu, dans les « histoires de France » !

Les brimades semblent commencer avec Philippe-Auguste, qui confisque les biens des juifs de Paris pour les distribuer, généreusement — moyennant cens — aux pelletiers de la ville, donne la synagogue d'Etampes aux clercs, fait cadeau de la maison d'un juif à son maréchal. En 1182, il confisque tous leurs biens et les expulse. Les juifs de « Francie » se réfugient en Champagne, Provence, duché de Bourgogne, comté de Toulouse. Il les rappelle en 1198. Suivant à la lettre les préceptes du concile de Latran de 1215 par lesquels Innocent III, à l'apogée de la puissance pontificale, prescrivait que les juifs des deux sexes puissent être distingués par leur vêtement, les rois de France, élus de Dieu, obtempèrent avec zèle et saint Louis impose le port de la rouelle, que l'industrieux Philippe le Bel fit vendre en affermant cette vente.*

Le XIIIème siècle voit le développement des villes. Mais les juifs, désormais exclus de la possession de la terre et de toutes confrérie et corporation, sont marginalisés et réduits à vivre de petit commerce, de colportage, d'artisanat. C'est alors que, l'usure étant interdite par l'Église, certains se font prêteurs sur gage. Cantonnés dans des quartiers à part, les ghettos, ils subiront les effets psychologiques d'une réclusion et d'une vie isolée.

Le XIVème siècle, période de désastre pour tout le royaume, est abominable pour les communautés judaïques. Exactions des « pastoureaux », hordes de misérables qui brûlent et pillent. Des communautés juives du Languedoc sont anéanties (1320). En 1322, Philippe V bannit à nouveau les juifs. A partir de 1347, pendant les années de la peste noire, ils sont aussi massacrés et torturés en Bourgogne, en Franche-Comté, en Alsace (extérieurement au royaume de France).

Rappelés en 1315 ils sont à nouveau contraints de quitter le royaume en 1394 par l'édit d'expulsion pris au nom de Charles VI, le jeune roi devenu fou. Mais les annexions des XVème, XVIème et XVIIème siècles remettront le pouvoir en présence de nouvelles communautés juives.

Les juifs sont en principe exclus du royaume de France. Un édit de Louis XIII, en 1615, confirme celui de 1394. En 1498, ils ont été bannis de la Provence réunie au royaume. Beaucoup ont préféré se convertir, mais des amendes continuent de les frapper « en tant que nouveaux chrétiens de Provence, descendus de tige et de vraies racines hébraïques ».

Mais à la suite de la grande expulsion d'Espagne, en 1498, des famille entières de « marranes », juifs convertis mais restés hébraïsants dans leur cœur et leur intime conviction, fuient les bûchers de l'Inquisition du royaume uni de Portugal et d'Espagne. Beaucoup gagnent Amsterdam, Londres. Un certain nombre s'installent à Bordeaux (la mère de Montaigne, Antoinette Lopez, descendait d'une de ces familles). En tant que convertis, ils sont protégés officiellement par un édit d'Henri

---

* En juin 1942, l'étoile jaune — dont le port était rendu obligatoire en zône occupée — était délivrée par les autorités moyennant un « point textile ».

III (1574). Une partie de ces « Juifs portugais » s'intègre à la classe des riches négociants de la ville.

Les annexions de Metz, puis de l'Alsace, placent à nouveau la monarchie face à l'existence de communautés juives revendiquant leur identité. A Metz, une centaine de juifs vivent confinés en ghetto, quand la ville devient « française ». Henri IV leur accorde protection par lettres patentes, et Louis XIV, paradoxalement, laisse les choses en l'état. Il est vrai que dans cette ville de garnison, les juifs rendaient à la monarchie le service de l'approvisionner en chevaux qu'au péril de leur vie ils réussissaient à faire passer d'Allemagne.

En Alsace, les juifs, tolérés par les princes allemands, étaient dispersés sur tout le territoire, sauf à Strasbourg qui les avait brûlés au Moyen-Age. Misérables en général, ils vivotent de petite usure et du commerce des chevaux, généralement haïs par la population. Ils vont bénéficier d'une assimilation à la situation des juifs messins et donc du droit d'exercer leur religion, sauf à Strasbourg, toujours récalcitrante.

Dans l'enclave papale d'Avignon et du Comtat-Venaissin, un certain nombre de juifs provençaux ont trouvé refuge et survivent, de façon précaire, dans les ghettos d'Avignon, Carpentras, Cavaillon, L'Isle-sur-Sorgue.

Au XVIIIème siècle, la situation se modifie insensiblement. La prospérité de certains juifs bordelais, revenus au judaïsme, est notoire. L'esprit des Lumières insinue progressivement les idées de tolérance. La « dégénérescence » des juifs de ghetto n'est plus le signe de Dieu, mais l'effet de la société qui les a exclus et marginalisés. Cependant Voltaire poursuit d'un fiel et d'une haine malsaine les « déprépucés » de Metz, Francfort-sur-l'Oder et Varsovie [24]. Mais Montesquieu, dans ses « humbles remontrances aux Inquisiteurs d'Espagne et de Portugal », dénonce avec cœur la « barbarie » de l'intolérance par le feu.

### Les protestants « étouffés à petite goulées » [25]

Aux XVIème et XVIIème siècles, le nombre, la dispersion, la notabilité, la capacité d'organisation et de défense des protestants posèrent au pouvoir monarchique des problèmes d'une toute autre dimension que l'existence de quelques communautés juives d'une France théoriquement sans juifs. On ne reprendra pas ici l'histoire, au demeurant fort répandue dans l'historiographie traditionnelle, des « guerres de religion ». On situera seulement la politique de Louis XIV dans la perspective qui est la nôtre, l'histoire de la royauté dissociée de celle de la « nation » et cernée comme un pouvoir, dont l'idéologie s'est affirmée de plus en plus unitaire, unificatrice, voire « totalitaire ». Ce dernier terme est utilisé par Janine Garrisson qui écrit : « La Révocation de l'Edit de Nantes se présente bien clairement comme une décision politique, relevant de ce que l'on appelle de nos jours le totalitarisme » [26].

Je n'aurai pas à évoquer en détails la manière dont, de 1630 à 1685, fut conduite cette politique de « l'étouffement à petites goulées » puis de traque terroriste et meurtrière, quand les meutes de dragons du roi furent lachées sur la population huguenote, avec tout le soutien logistique de la machine administrative monarchique. C'est le sujet même du livre de Janine Garrisson, et Elisabeth Labrousse a, par ailleurs, analysé le système idéologique qui sous-tend l'encerclement matériel et spirituel des protestants acculés, par les menaces de violences, le chantage à l'enlèvement des enfants, à se « convertir » ou fuir : « une foi, une loi, un roi ».

Après avoir eu l'honneur avec Henri IV d'un édit de coexistence entre les protestants et les catholiques, exceptionnel en un siècle où la notion de religion d'État était seule reconnue par les monarques (*cujus regio, hujus religio,* tel roi, telle religion), la monarchie, aux mains de Louis XIII et Richelieu, d'Anne d'Autriche et de Mazarin, puis de Louis XIV, s'efforce par tous les moyens de pratiquer l'amalgame entre l' « hérétique » et l'ennemi de l'intérieur. Il est vrai que pèsent sur l'entourage royal les groupes de pression dévôts, propageant le saint esprit de la contre-réforme : la très puissante Compagnie du Saint-Sacrement, la Congrégation pour la Propagation de la Foi. Face à la conviction ancrée chez les protestants que leur religion est la seule conforme à l'Évangile, la position de l'Eglise a été clairement réaffirmée par la voix du clergé aux États-généraux de 1614 : « dans le royaume très chrétien, il n'y a qu'une seule religion catholique, apostolique et romaine ». A partir de 1630, la Compagnie du Saint-Sacrement, constituée de pieux laïcs et de zélés ecclésiastiques, met tout en œuvre pour dénoncer et combattre hérétiques, juifs, musulmans, protestants, athées libertins, blasphémateurs. A partir d'un Comité central de hautes personnalités, siégeant à

Paris, elle entretint des filiales à Grenoble, Toulouse, Marseille, Aix, Poitiers, Bordeaux... couvrant la France d'un vaste filet qui infiltre les rouages de l'État, le Conseil du roi, les ambassades, la haute Église. Les professions et les métiers sont surveillés par le zèle dévôt de certains artisans, ce qui entraîne l'élimination des huguenots de métiers comme celui de maîtresse lingère. La Compagnie n'hésite pas à solliciter démagogiquement l'antiprotestantisme populaire, inspirant au Parlement de Bordeaux un arrêt qui autorise le clergé comme le peuple à se saisir et mener en prison les huguenots irrespectueux à l'égard du Saint-Sacrement.

La collusion entre la Compagnie, diverses congrégations, une partie du haut clergé est manifeste à l'assemblée du clergé de 1655-1657. « La révocation de l'Edit de Nantes, écrit Janine Garrisson, est déjà inscrite dans tous les esprits ». Et c'est cette collusion « qui a dicté au gouvernement les étapes d'un plan visant à exclure les huguenots de la communauté nationale ».

La révocation de 1685, par édit du roi, est la pure expression de l'esprit de croisade et d'un intégrisme monarchique, qui n'a rien à envier à celui d'un Khomeiny ou d'un Staline. Prétendre que le « totalitarisme » est l'invention du Comité de Salut public et des Jacobins n'est qu'un mensonge historique au service d'une aversion maladive pour la « Gauche » !

## RÉSISTANCES, RÉSURGENCES, BLOCAGES

Nous venons, en quelques pages, de parcourir la manière selon laquelle un *pouvoir*, celui des rois capétiens, a construit l'État monarchique, unitaire, centralisé, par la diffusion auprès des masses populaires de l'image du roi, représentant de Dieu sur la terre, symbole d'une justice et d'une collectivité supérieures; par la pénétration des fonctionnaires royaux à l'intérieur des anciennes structures des pays annexés; par la francisation des élites et par la persécution ou la marginalisation des habitants du pays refusant la religion du roi. Les protestants eux-mêmes, et d'une autre façon les juifs, dans la mesure où les préceptes de leur foi étaient d'obéir au pouvoir existant, participaient du loyalisme envers la monarchie, ciment quasi-exclusif de l'unité du royaume dans les cœurs et les esprits. Du côté protestant, la contradiction intime était d'autant plus lancinante que bien des gentilhommes du roi avaient adhéré à la Réforme et que beaucoup d'officiers royaux étaient des « religionnaires ». Cependant, certains épisodes de la résistance protestante sont symptomatiques de la survivance, par delà l'unité du royaume, d'une conscience particulariste et de la mémoire d'un passé non « français ».

### Les « Provinces unies » du Midi

Le protestantisme s'est diffusé dans toute la France, mais l'adhésion fut massive en pays d'oc. Vallées du Rhône et de la Garonne, rivières cévenoles, Tarn, Bas-Languedoc, Périgord, Saintonge sont des zônes de forte implantation. Le protestantisme y trouve sans doute un terrain privilégié dans un individualisme séculaire, l'absence de tradition féodale, le modèle patriarcal de famille inspiré par le droit romain. Il s'implante dans des milieux populaires dans lesquels il incarne une vieille tradition anti-cléricale. L'organisation en communautés autonomes, presbytérales, regroupées en synodes, se calque, dans une certaine mesure, sur l'ancien système administratif occitan avant son démantèlement par la monarchie.

Entre 1572 et 1598, un État séparatiste s'est organisé autour des communautés protestantes que Jean Delumeau a

qualifié de « Provinces-Unies du Midi » [27]. Au lendemain de
la Saint-Barthélemy, le sentiment que le roi les a trahis incline
les protestants à la révolte. Nîmes, La Rochelle, Montauban,
Castres, Millau... ferment leurs portes aux envoyés du roi. Des
îlots d'indépendance locale se constituent dans les Cévennes.
L'année 1573, des assemblées se réunissent à Montauban et à
Millau qui définissent un régime de république fédérative
comportant l'ébauche d'une séparation des pouvoirs. La république protestante se dote des ressources financières nécessaires au fonctionnement de ses institutions. Mais cet espace
politique est, au départ, troué de régions qui lui sont étrangères.
Les plus grandes villes, Toulouse, Bordeaux, Marseille, Avignon, Aix, Agen restent catholiques, tout en échappant au
contrôle du pouvoir central. Dans une Provence demeurée en
dehors de la sécession, Marseille, entre 1591 et 1596, se
constitue en une république catholique, « ligueuse », indépendante, qui refuse de reconnaître la légitimité d'Henri IV. En
outre des conflits de pouvoir, au sommet, fragilisent l'édifice.
      Une sorte de système représentatif n'en a pas moins un
temps fonctionné. Un conseiller de la Couronne, aristocrate et
catholique, constate en ses *Mémoires* qu'« une réussite totale
de la politique méridionale après la Saint-Barthélemy aurait
conduit les provinces du Sud à des structures suisses ou
néerlandaises ». Et la quasi-sécession du Sud a pu peser sur la
nature du compromis de l'Édit de Nantes de 1598.
      Le *Béarn*, par ailleurs, donne l'exemple de l'instauration
du protestantisme comme religion d'État, non moins intolé-
rante, du reste, que le catholicisme : Jeanne d'Albret interdit
un grand nombre de fêtes traditionnelles entachées de catholicisme. Mais le protestantisme y favorise la résurgence des
langues d'origine. Utilisés en langue française, le psautier, la
liturgie, la Bible et le petit catéchisme de Calvin sont également
traduits en béarnais. En 1582, le nouveau testament est im-
primé en basque à La Rochelle. Protestantisme et conscience
nationale s'identifient un temps. Les protestants qui détiennent
le pouvoir politique refusent le rattachement à la France
réclamé par l'Église catholique après la mort d'Henri IV. Le 15
octobre 1620, Louis XIII pénètre à Pau à la tête d'une armée
et contraint le gouvernement de la vicomté, puis les États du
Béarn à accepter l'acte d'union [28].

## Après la révocation de l'Édit de Nantes

Surgissent alors de nouvelles formes de résistance parmi les quelques 600 ou 700 000 protestants demeurés en France. Résistance armée des *Camisards* qui, dix ans durant, tiennent tête en Cévennes et Vivarais à deux maréchaux du roi, et qui dispersés, massacrés, réussissent après 1715 à sauvegarder un « maquis » cévenol autour de Saint-Hypolite-du-Fort qu'ils débroussaillent. Résistance spirituelle avec la création d'une véritable *« église du désert »* dans laquelle se reconstitue toute l'institution : pasteurs intronisés par Genève, baptême, communion, mariage, sermons, et qui tient des registres d'état civil pour des villes comme Montauban, Nîmes et de nombreux villages. Résistance larvée par la pratique du « nicodémisme », l'équivalent du « marranisme » des juifs espagnols : catholiques en apparence, pour obtenir des certificats d'état civil, pour les droits de succession et l'accès aux charges, protestants dans le secret des cultes familiaux et domestiques [29].

Dans la seconde moitié du XVIIIème siècle, l'intolérance d'État fléchit (malgré Calas roué en 1762). En 1787, Malesherbes, ministre de Louis XVI, promulgue l'édit de tolérance qui réintègre les protestants dans la communauté du royaume.

## Pitauds, Croquants, Bonnets-rouges

Il faut imaginer ces troupes de rustres qui furent nos ancêtres, marchant nu-pieds ou en sabots, coiffés de chapeaux à large bord informes et délavés, armés de bâtons à toucher les boeufs. Ils se mettaient en chemin à l'appel de leurs tocsins. Le bruit des cloches au-dessus des champs et des bois traversait ces campagnes françaises si peuplées que du haut d'un clocher on en apercevait souvent plusieurs autres des paroisses environnantes. Peut-être leur marche finirait-elle dans le sang ou, plus heureusement, au milieu des flots de vin répandus des tonneaux éventrés.

Yves-Marie Bercé, *Croquants et Nu-pieds* [30]

Le pouvoir royal qui paraissait si bien obéi au début du XVIème siècle quand Machiavel rédigeait son *Rapport sur les choses de France* voit, à partir de la deuxième moitié du XVIème siècle et pendant le XVIIème siècle, se dresser contre lui de nombreuses révoltes paysannes. La plupart se situent dans les périphéries du royaume et la carte de ces mouvements montre une forte localisation dans le Midi.

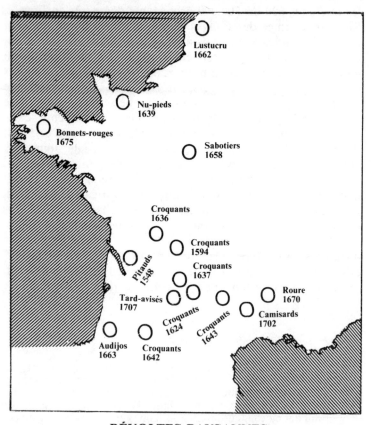

**RÉVOLTES PAYSANNES
aux XVIè-XVIIè Siècles
(d'après Y. M. Bercé)**

Les frontières ayant fluctué, on a préféré ne pas les indiquer.

La révolte des communes de Guyenne contre la gabelle, en 1548, « fut la première d'un long cycle d'événements analogues. Elle s'est étendue à plusieurs provinces que les révoltes suivantes viendront à nouveau soulever ».

La révolte est due à la transformation de la Guyenne en pays de grande gabelle, régime des vieux pays capétiens, qui concentre dans les greniers de quelques villes principales le sel revendu aux marchands et aux particuliers selon un prix fixé par les officiers du roi. La vente est affermée pour le plus grand profit de quelques notables, nobles et ecclésiastiques. Des attroupements réunissant plusieurs milliers de paysans mettent en fuite les commis des gabelles en Angoumois, vers la mi-juillet 1548. La révolte des « Pitauds » — les rebelles — s'étend de juillet à septembre en Saintonge et Bordelais. Les villes où se sont réfugiés les « gabelous » sont sommées, assiégées, envahies par les foules paysannes : Blaye, Poitiers, Angoulême, Saintes, Cognac, Libourne et pour finir Bordeaux tombent aux mains des révoltés qui « mettent à mort quelques malheureux, gabeleurs vrais ou supposés ». Après la chasse à l'homme, les insurgés rédigent des adresses au roi pour la suppression des charges fiscales, et des notables, de gré ou de force, sont chargés de les porter au roi. Henri II, retour du Piémont, envoie Montmorency, connétable de France, à la tête de plusieurs milliers d'hommes. La répression est spectaculaire. Montmorency proclame l'anéantissement des privilèges de la ville de Bordeaux et aurait fait exécuter jusqu'à cent cinquante des meneurs. Le châtiment est justifié par le meurtre d'un lieutenant général — incarnation du pouvoir royal —, mis à mort aux cris de « Vive Guyenne » (au lieu de « Vive France »), et par l'intérêt que le roi d'Angleterre aurait porté à la révolte de son ancienne bonne ville. Un an après, Bordeaux reçoit le pardon royal, ses privilèges sont restaurés. La gabelle est supprimée dans les provinces qui s'étaient soulevées. « Autant que l'humiliante terreur qui a été imposée à Bordeaux, cette victoire de la volonté populaire provinciale restera gravée dans la mémoire collective » [31].

Certains traits du soulèvement sont exemplaires de ceux qui suivront : un incident provoque l'explosion de haines et de colères accumulées; l'unité de lieu est la paroisse; le tocsin sonne, on accourt des quatre coins de la campagne pour mettre en fuite le gabeleur; la paroisse réunie en armes élit un capitaine; d'autres paroisses s'arment selon les mêmes modalités et viennent prêter main forte. Ainsi constituée, la troupe de centaines ou de milliers de *bonnes gens des champs* forme une bande. Elle élit à sa tête un colonel ou « coronal ». Le coronal et son conseil de capitaines rédigent lettres de sommation et mandements et les envoient aux curés et vicaires des alentours, pour qu'ils les lisent à l'église et fassent sonner le tocsin à leur clocher. Un rendez-vous général est fixé sur une prairie communale ou dans un champ de foire. L'invitation à se joindre à l'union est assortie d'une menace *à peine de estre saccagés.* En quelques semaines toute une province est embrasée. La paroisse est la base logistique de la révolte. Le curé en prend la tête. « On en cite qui marchent à la tête de la "commune" de leur paroisse, avec une épée au côté et un chapeau emplumé de vert et rouge sur la tête ». Les gentilhommes laissent faire, soit par crainte, soit par hostilité aux gabeleurs qui pressurent leurs tenanciers. Certains traitent avec les bandes. A Bordeaux la révolte trouva des chefs notables que la répression n'épargna pas [32].

Les nombreux soulèvements paysans du XVIIème siècle sont liés à la grande offensive fiscale de la royauté pour financer la lutte contre les Habsbourg, gagnée aux frontières grâce à la petite guerre dans les provinces contre les redevables campagnards pour le recouvrement des tailles. De mai à juillet 1635 des émeutes sanglantes traversèrent presque toutes les villes de Guyenne. D'avril à juin 1636 les communes d'Angoumois et de Saintonge se soulevèrent. En 1637 plusieurs dizaines de milliers de paysans enrégimentés par des chefs nobles tentèrent de tenir tête aux soldats du roi. De juillet à novembre 1639, le Bocage normand se révolta, comme la Guyenne de 1548, contre le projet d'extension de la ferme des gabelles. Les Nu-Pieds réunirent jusqu'à 4 000 hommes sous le nom d'*armée de souffrance.* Des séditions urbaines éclataient à Rouen, Bayeux, Caen. Toutes furent matées et la répression décidée par le Conseil du roi survécut dans la mémoire populaire. Une partie de la Gascogne empêcha la levée des tailles de 1638 à 1645. Les croquants gascons furent imités dans le Rouergue. Les compagnies de paroisses rurales insurgées, comme en Périgord ou en Normandie, étaient commandées par d'obscurs petits seigneurs ou cadets de famille * [33].

La révolte des Bonnets rouges de la Basse-Bretagne, en 1675, est le seul de ces grands soulèvements à présenter un caractère nettement anti-seigneurial. Le petit peuple de Rennes

---

* La mémoire populaire d'une tradition de révolte contre les exigences du pouvoir d'État a pu jouer dans le refus de l'impôt du sang (la « levée en masse ») par les paysans vendéens dressés contre l'État montagnard en 1793.

et Nantes se soulève à l'annonce de nouveaux impôts sur le tabac, le papier timbré et la vaisselle d'étain levés pour financer la guerre de Louis XIV contre la Hollande. La répression déclenche une révolte des campagnes. Les paysans se ruent à l'assaut des châteaux, massacrent les seigneurs, brûlent les chartriers, élaborent un « Code paysan ». Le roi rappelle des troupes des frontières de l'Est : pendaisons, massacres, galères, un quartier de Rennes rasé. En plein XVIIème siècle, la Bretagne est « évangélisée ». « Cette nation millénaire, écrit Morvan Lebesque, fondée par les moines constructeurs et fière de ses illustres saints, Ronan, Hervé, Yves, cette fille de l'Église, dont les papes garantissaient l'indépendance et qui n'a même pas parpailloté, se retrouve terre de mission catéchisée comme une Guinée ». Un jésuite, le père Maunoir, « célèbre les décrets de Versailles et justifie le supplice des Bonnets Rouges jusqu'à exaspérer ses ouailles ». Une religion de soumission au pouvoir où culte du roi et culte de Dieu se confondent, « importée » de l'extérieur, vient « corroder » l'âme bretonne « dans un pays encore tout imprégné de spiritualité celtique ». Et la Bretagne « en sort marquée pour trois siècles de conformisme » [34].

### Rébellions de privilégiés, blocage de l'idéologie et de la machine royales

A partir du milieu du XVIIIème siècle, la monarchie, aux prises avec la crise financière, cherche vainement les moyens d'en sortir. Le travail intellectuel et idéologique qui, en quelques décennies, « illumine » les consciences, modifie profondément les rapports des intellectuels au pouvoir royal, dans la bourgeoisie comme dans les hautes classes, et sape les bases de l'idéologie séculaire de la royauté. Les bruits colportés sur Louis XV, puis le mépris condescendant à l'égard du malheureux Louis XVI, aussi sincère qu'influençable, compromettent définitivement le respect de la majesté royale dans ces mêmes milieux.

Au sein de l'appareil du pouvoir, les Lumières inspirent une volonté de réformes « avec un aspect anti-nobiliaire caractérisé ». Dans la discrétion des bureaux s'opère un fructueux travail de recherche législative, sans lequel, écrit Jean Meyer, « l'élaboration du Code civil eût été plus tard impossible » [35]. Le siècle est aussi celui des grands intendants, « physiocrates

et humanistes », qui, à bonne distance du pouvoir dont ils
dépendent et compte tenu de son affaiblissement, s'attachent
avec intelligence et efficacité à la modernisation des provinces,
équipant leur *généralité* de routes, ouvrages d'art, ports, luttant
contre la corruption et les forteresses d'intérêts particuliers et
laissant « un souvenir impérissable » en Auvergne et Gascogne. « De cette action, écrit Robert Lafont, sort un Languedoc
neuf, qui s'industrialise et régénère son agriculture » [36]. Mais
l'œuvre des intendants demeure ambiguë, inséparable, en
définitive, d'un système où les décisions se prennent à Versailles et d'un prélèvement des ressources qui retombe sur la
paysannerie, touche modérément la bourgeoisie, épargne le
clergé et la noblesse.

Toute tentative de réforme des privilèges fiscaux se heurte
à la levée de boucliers des notables dans les Parlements et les
États provinciaux. Les parlementaires, détenteurs de leur
office, jouant d'une fausse analogie avec leurs homonymes
anglais, se posent en défenseurs d'une pseudo-constitution
primitive violée par le roi et se dressent contre toute réforme
menaçant leurs privilèges. Jouant sur l'ambiguïté, le Parlement
de Paris réussit à conquérir un moment la faveur des philosophes en ordonnant en 1764 l'expulsion des Jésuites. L'affaire
La Chalotais en Bretagne est significative du malentendu qui,
jusqu'en 1787, entoura la « résistance » des parlementaires
d'un halo « progressiste ». Procureur général de Parlement de
Bretagne, La Chalotais, qui passait pour ami des philosophes,
défendait pour son fils — notoirement insignifiant — la charge
que le commandant en chef en Bretagne, le duc d'Aiguillon,
voulait supprimer. Tous les parlements de France se déclarè-
rent solidaires de celui de Bretagne qui s'était mis en grève
pour soutenir La Chalotais, tandis que les États de Bretagne,
dominés par la noblesse, se dressaient contre la monarchie et
la centralisation par le rappel de l'Acte d'Union de 1532 [37].

Les prétentions croissantes des parlementaires conduisi-
rent le chancelier Maupeou en 1771 à tenter de casser leur
pouvoir en introduisant dans le fonctionnement de la justice
des commissaires salariés par le roi. On s'orientait vers la
suppression de la vénalité des offices. Mais Louis XVI, à peine
couronné, se laissa persuader de rappeler les parlements. La
guerre d'Indépendance américaine, voulue par le roi, acheva
de détraquer la machine financière. Tandis qu'une nouvelle
génération d'intellectuels parvenait à l'âge d'homme, la mo-

narchie, qui se pensait toujours comme l'héritière de Clovis et
de Charlemagne, était de plus en plus ligotée dans un faisceau
de contraditions : croyance invincible en son droit divin;
ambiguïté des groupes de pression nobiliaires; montée d'un
état d'esprit révolutionnaire dans une intelligentsia pour laquelle la religion royale était définitivement morte, supplantée
par celle de la Nation; malaise social à tous les niveaux.

## Chapitre 13

# LA NATIONALISATION DES FRANÇAIS

La Révolution entraîna, pour la société française, des effets contradictoires et non pas un progrès linéaire et continu. L'identité nationale forgée par la Troisième République procède de cet enchevêtrement. Adossée aux libertés anglaises et américaines, inspirée par la réflexion des Lumières européennes et par la Déclaration américaine de 1776, la Déclaration française du 26 août 1789, solennisa le principe novateur de l'universalité des droits de l'homme, qui devint le ferment d'un combat jamais terminé pour l'égalité, la liberté et la fraternité. Mais parallèlement à ce potentiel libérateur, la Révolution française fut l'inspiratrice d'un État-nation superposant le mythe de la nation incréée et indivisible et la réalité d'un État redevenu despotique dès 1792 et dont Napoléon Bonaparte consolida l'inspiration régalienne et la centralisation administrative.

Après 1875, la confusion persista entre l'État, la nation et la société civile. Dans un appareil de gouvernement républicain, procédant du suffrage universel (masculin), d'anciennes logiques régaliennes restèrent inoculées. Et la francisation républicaine, qui fut essentiellement l'œuvre de l'école, fut une « nationalisation », une intériorisation de l'État-nation et de son « histoire » francophone, parisienne, monocentrée, ancrée dans l'immémorial gaulois.

## LES DROITS DE L'HOMME

### Déclaration des Droits de l'homme et du citoyen du 26 août 1789

[...]

Art. 2. Le but de toute association politique est la conservation des droits naturels et imprescriptibles de l'homme. Ces droits sont la liberté, la propriété, la sûreté et la résistance à l'oppression.

[...]

Art. 6. La loi est l'expression de la volonté générale. Tous les citoyens ont le droit de concourir personnellement, ou par leurs représentants, à sa formation. Elle doit être le même pour tous, soit qu'elle protège, soit qu'elle punisse. Tous les citoyens étant égaux à ses yeux, sont également admissibles à toutes dignités, places et emplois publics, selon leur capacité et sans autre distinction que celle de leurs vertus et de leurs talents.

[...]

Art. 10. Nul ne doit être inquiété pour ses opinions, même religieuses, pourvu que leur manifestation ne trouble pas l'ordre établi par la loi.

Ni la Révolution ni la 3ème République, contrairement aux assertions du *Petit Lavisse* (« la République a fait de la France le pays le plus libre du monde »), n'ont introduit, dans les faits, toutes les libertés énoncées dans la Déclaration. L'histoire du pouvoir en France est jalonnée d'avancées et de reculs des libertés individuelles et collectives.

### Une citoyenneté égalitaire ?

— La Révolution assura solennellement la liberté religieuse assortie des droits du citoyen aux protestants et aux juifs. Pour les protestants, ce fut la confirmation, en décembre 1789, de l'édit pris en 1787. Le sort des juifs fut plus long à régler. Il avait, quelques années avant la Révolution, fait l'objet de débats dans le public des Lumières. Malesherbes s'en préoccupa. « Monsieur de Malesherbes, vous vous êtes fait protestant et moi je vous fais juif », lui aurait dit Louis XVI. En 1785, l'académie de Metz avait inscrit comme sujet de concours : « Est-il des moyens de rendre les juifs plus utiles et plus heureux en France ? » et l'abbé Grégoire s'y était illustré. En 1787, Louis XVI supprima le péage corporel qui subsistait en Alsace, mais la ville de Strasbourg ne respecta pas l'édit. Au moment de la Révolution, la situation concrète des juifs et leur état d'esprit étaient fort divers. Dans le Sud-Ouest, et notamment à Bordeaux, des juifs « portugais », descendant des marranes et ne se cachant plus d'être juifs, pratiquaient le grand négoce et se mêlaient à la vie sociale et intellectuelle de la bourgeoisie. Dans l'Est, à Metz, en Alsace, vivaient des communautés repliées sur elles-mêmes, traditionnalistes, et subissant, en Alsace, une forte hostilité de la part de la population.

Après de longues palabres et à la veille de se séparer, la Constituante modifia par décret le statut des juifs de France et leur conféra la citoyenneté :

> Louis, par la grâce de Dieu et par la loi constitutionnelle, roi des Français, à tous présents et à venir, salut.
> L'Assemblée nationale a décrété et nous voulons et ordonnons ce qui suit :
> Décret de l'Assemblée nationale du 27 septembre 1791 : L'Assemblée nationale [...] révoque tous arguments, réserves et exceptions insérés dans les précédents décrets, relativement aux individus juifs qui prêteront le serment civique, qui sera regardé comme une renonciation à tous privilèges introduits précédemment en leur faveur.

Le décret ne mit pas fin à l'antisémitisme, surtout en Alsace, y compris de la part de certains représentants en mission de 1793. Et pour les juifs eux-mêmes, dans les communautés de l'Est, les plus pauvres, restés les plus traditionnalistes, ne s'assimilèrent pas du jour au lendemain. Officiellement aussi, il y aura des atermoiements. Après avoir réuni à Paris une assemblée des notables juifs — le Grand Sanhédrin * —, Napoléon, en 1808, rétablit certaines discriminations en matière judiciaire.

Louis XVIII abolit le « décret infâme » de Napoléon. Puis la *Charte constitutionnelle* de 1830 supprima la notion de religion d'État. Les pasteurs et les rabbins furent rémunérés par le ministre des cultes. Louis-Philippe et sa famille manifestè-

---

* Initiative critiquée par les publicistes catholiques contre-révolutionnaires, comme le vicomte de Bonald et l'abbé Barruel, hostiles à l'émancipation des juifs.

rent, à l'égard de la communauté juive, des attentions officielles qui contribuèrent à l'intégration, tandis que, dans le
contexte de la politique de l'« enrichissement », des familles
juives s'élevaient dans la hiérarchie sociale, à Paris notamment.
A partir de 1846, plus une seule loi ne différencie les juifs des
chrétiens. Depuis le décret de 1792, la France est devenue un
espoir et un modèle pour les juifs d'Europe centrale [1].

— Mais, par un paradoxe lourd de conséquences, la
Révolution qui avait proclamé à la face du monde la liberté
d'opinion « même religieuse », glissa vers la persécution du
catholicisme, involontairement certes, au début. Le point de
départ fut l'obligation faite au clergé de prêter serment à la
Constitution civile du clergé, par décret du 27 novembre 1790.
L'historien américain Tackett vient de consacrer un livre aux
effets dramatiques de cette obligation, dès 1791 : crises de
conscience pour les curés, partage du clergé entre jureurs et
constitutionnels, liens avec la population, peur d'une domination des protestants en certains lieux, fin de l'unanimisme
révolutionnaire. Au début, la quasi-totalité des curés de paroisse était, comme leurs ouailles, favorable au changement [2].

La prestation du serment jeta le trouble dans les âmes
parce que le serment empiétait sur le sacramentel. Ce fut le
début d'un processus et d'un engrenage qui allaient scinder la
France et entraîner la politique violente de déchristianisation.
Il y eut généralement symbiose entre les attitudes des prêtres
et celles de leur paroissiens (cf. notre évocation de la Vendée
au ch. 11). Les régions les plus « réfractaires » furent les
Flandres, la Lorraine, l'Alsace, la Franche-Comté, le Languedoc à l'Ouest du Rhône et le Massif central, le Roussillon et
le Pays basque, une grande partie du bas Poitou, Anjou, Maine,
Bretagne, Normandie. Divers facteurs jouèrent dans le rejet qui
purent coïncider dans certains cas : forte conscience particulariste liée à la non-francophonie et/ou rattachement récent au
royaume, présence de minorités protestantes actives (et de
communautés juives en Alsace et en Lorraine), agressivité des
notables « révolutionnaires » bourgeois des villes à l'égard des
campagnes (dans l'Ouest et dans le Languedoc)...

Non seulement le serment conduisit la Révolution à renier
ses principes de liberté religieuse, mais il fût un événement
majeur dans le processus historique, entraînant une géographie
spirituelle et idéologique de la France qui se traduira tout au
long du XIXème siècle par la polarisation des factions cléri-

cales et anti-cléricales et se prolongera dans la géographie électorale du XXème siècle jusqu'à une toute récente période.

— L'égalité civile de tous les Français, croyants ou incroyants, fut définitivement scellée par la laïcité officielle de l'État en 1905. Tout lien organique entre l'État et les confessions religieuses fut supprimé. Cependant, le Concordat signé par Bonaparte en 1801 avec le pape fut maintenu dans les départements alsaciens et lorrain recouvrés après 1918 : l'État continue à y rémunérer les ministres des cultes.

— L'esclavage, aux Antilles, aboli en 1794, rétabli en 1802, ne fut définitivement supprimé qu'en 1848, à la suite de la campagne inlassable de Victor Schoelcher.

— Mais la citoyenneté égalitaire n'a jamais existé dans les « trois départements algériens », considérés cependant comme partie intégrante de la République à partir de 1871. Alors que, par l'action persévérante de l'avocat Crémieux, les juifs d'Algérie obtenaient dès 1871, par « naturalisation », un statut de pleine citoyenneté française, la population musulmane restait, par le « code de l'indigénat », qui subsista jusqu'en 1945, confinée dans un statut de hors-la-loi. Elle était soumise pour tout délit au jugement de l'autorité administrative et non pas judiciaire, et les « indigènes » ne pouvaient se déplacer sans autorisation.

Les problèmes de fond posés par l'éventualité d'une citoyenneté française compatible avec l'Islam furent éludés dans le contexte d'une « francisation » exclusivement comprise comme une assimilation.

— On ne retracera pas ici les étapes de l'accès de tous les citoyens au droit de vote. On rappellera seulement le premier vote au suffrage universel libre * (masculin) pour les élections de l'Assemblée constituante le 23 avril 1848 : dimanche de fête pour les villageois cheminant parfois deux heures jusqu'au chef-lieu de canton, curé et maire souvent en tête de la troupe [3]. Supprimé par cette même République, après son virage conservateur, rétabli, dans le cadre du coup d'État, par Louis-Napoléon Bonaparte, le 2 décembre 1850, le suffrage devint enfin « universel » aux élections municipales des 29 avril et 13 mai 1945, avec le vote féminin. Les « radicaux » s'étaient longtemps opposés au vote des femmes, trop soumises,

---

* On ne peut parler d'un suffrage libre pour l'élection de la Convention en septembre 1792

pensaient-ils à l'influence de l'Église. Le gouvernement de la Libération présidé par le général de Gaulle fit citoyenne à part entière l'autre « moitié du ciel » !

## L'introuvable fédéralisme [4]

L'historiographie républicaine officielle a célébré avec emphase le mouvement des Fédérations de 1789-90 qui se termina par l'apothéose de la fête du Champ de mars, cérémonie à la gloire de l'unité nationale. Mais elle a stigmatisé sans nuance et sans concession la « révolte fédéraliste » de 1793 dans les départements de l'Ouest et du Sud, la qualifiant de « contre-révolutionnaire ». Dans le vif des réalités locales, les processus apparaissent comme infiniment nuancés. La complexité des mouvements d'inspiration fédéraliste dans le Midi occitan défie toute interprétation manichéenne.

Le premier mouvement de fédération, celui des Gardes nationales, en 1789, peut être perçu comme un mouvement d'auto-défense de la bourgeoisie des petites ou des grandes villes contre le péril de contre-révolution aristocratique et, autant ou plus, face au mouvement paysan déclenché par la Grande Peur. Ainsi la Fête de la Fédération du 14 juillet 1790 symbolise-t-elle, plus qu'une mythique unité « nationale », la victoire d'une bourgeoisie souvent aisée qui vient d'obliger le roi au partage du pouvoir.

La grande bourgeoisie à Bordeaux ou Marseille, la moyenne bourgeoisie dans les petites villes a pris le pouvoir municipal; des pactes fédératifs se nouent entre certaines villes (Bordeaux, Toulouse, Bergerac, Libourne...) dirigés à la fois contre l'aristocratie et contre le petit peuple remuant. A Montauban et à Nîmes le pouvoir municipal donne lieu à un étrange chassé-croisé. Les protestants, minoritaires mais économiquement puissants, s'en emparent, « coup d'État en douceur » à Montauban, bain de sang à Nîmes où les forces populaires, catholiques, groupées en milices de *cebets* (mangeurs d'oignons) se font massacrer, et se tourneront vers les bourgeois et nobles catholiques, royalistes modérés et contre la bourgeoisie protestante révolutionnaire.

En Provence, dès le printemps 1790, c'est la guerre civile larvée. Une révolution populaire violente, unissant paysans et peuple des villes, affronte la révolution « légale », les autorités municipales ou départementales modérées, représentant les élites bourgeoises. L'affaire du Comtat met le feu aux poudres : une municipalité « patriote » prend le pouvoir, chasse le vice-légat du pape et demande le rattachement à la France, que refuse l'Assemblée constituante. Les forces avignonnaises (appuyées par une fédération des communes révolutionnaires) s'affrontent avec l'Union Sainte-Cécile, ligue contre-révolutionnaire du haut Comtat et de Carpentras. Après une cascade de violences, provoquée par l'assassinat du maire révolutionnaire d'Avignon, au cours desquelles un aventurier chef de bandes révolutionnaires, Jourdan « Coupe-Tête » justifie son surnom, la Provence est frappée de stupeur. La Constituante, réticente à l'origine, annexe le Comtat. Alors s'opposent les *sifonièrs* contre-révolutionnaires et les *monedièrs* révolutionnaires. Les sifonièrs font régner la terreur sur l'Ouest des Bouches-du-Rhône. Mais Marseille, aux mains des révolutionnaires, instaure dès le printemps 1792 la dictature jacobine.

En juillet 1792, Marseille, idéologiquement en « avance » sur Paris, envoie un bataillon de Marseillais pour y soutenir la Révolution, tandis que les fédérés provençaux déclenchent une vague de Terreur contre les autorités municipales ou départementales en place, en majorité monarchistes. De juillet à septembre, une série de massacres frappent Marseille, Brignoles, Draguignan, Antibes, Toulon : une bonne partie des autorités départementales est exécutée. Les Marseillais enlèvent et gardent en otage les autorités des Bouches-du-Rhône installées à Aix. Une vague révolutionnaire violente anticipe ainsi en Provence la révolution parisienne du 10 août. Les fédérés marseillais prennent une part importante à la journée. Ainsi fut divulgué et popularisé à Paris le *Chant de guerre de l'armée du Rhin* immortalisé en *Marseillaise*!

A l'automne 1792, les révolutionnaires provençaux ont la situation en mains et contrôlent les élections à la Convention. Appuyés par la sans-culotterie des campagnes, les jacobins des villes ont, pour l'heure, éliminé les modérés et les contre-révolutionnaires. Mais dans d'autres régions d'Occitanie, moins urbanisées, les jacobins représentent des milieux aisés. En Auvergne, la majorité de la population soutient les prêtres réfractaires.

Ainsi les nuances du « terrain », décryptées peu à peu par les historiens dans une optique non parisienne et non partisane, devraient définitivement exorciser une lecture passionnelle, manichéenne et simpliste (dans un sens ou dans un autre) de la Révolution française. Prendre ses distances avec l'interprétation des tenants du monarchisme autant qu'avec celle d'un jacobinisme idéologique hérité des montagnards (et des postulats de l'abbé Sieyès!) doit permettre de mieux cerner les caractéristiques complexes de la « révolution fédéraliste » qui se développe après le coup de force du 2 juin 1793 contre les députés girondins arrêtés, emprisonnés et bientôt guillotinés et que l'historiographie républicaine a qualifié d'« insurrection ». Le mouvement qui s'étend dans l'Ouest (Bretagne, Normandie), à Lyon, en Franche-Comté, dans une partie du Midi occitan, présente des aspects de réaction légitime contre les montagnards « parisiens » qui tournaient le dos à la tradition décentralisatrice que la révolution avait charriée en 1789-1790 et confirmée dans la Constitution de 1791.

On ne suivra pas ici, dans ses dédales et ses contradictions, cette révolution fédéraliste, qui trouva en Occitanie des racines dans une forte tradition communaliste, dont nous avons vu l'expression huguenote au XVIème siècle. Le mouvement fédéraliste de 1793, dans le Midi, fut tantôt bourgeois modéré à Nîmes, progressivement aux mains des royalistes à Marseille puis à Toulon, parfois populaire et sympathisant des montagnards, toujours pris en sandwich entre les deux camps irréconciliables de la Révolution montagnarde parisienne et de la Contre-Révolution à l'affut.

Il importe aujourd'hui de mesurer, nous y reviendrons, comment par identification avec les montagnards, une tradition anti-fédéraliste, a caractérisé l'idéologie et l'historiographie de la 3ème République triomphante *. Entre-temps, dans certains milieux populaires, et particulièrement dans le Sud-Est, un imaginaire républicain spontané, indemne de la reproduction mimétique des « grands ancêtres » de 1789-1793 s'était pourtant fugitivement épanoui.

### « *Courage, républicains, apportez-nous la bonne* »

Ainsi les femmes de la Garde-Freinet, dans le Var, apostrophaient-elles (en provençal) leurs hommes partant rejoindre

---

* Malgré le programme républicain de Belleville, en 1869, qui était décentralisateur.

les colonnes républicaines de l'insurrection contre le coup d'État du 2 décembre 1851.

La « bonne », c'est-à-dire la vraie République, l'authentique. Une république populaire, proche des petites gens, répondant à leurs aspirations spontanées, sincères, vers le mieux être et la justice. Maurice Agulhon, dans un livre désormais classique, a étudié minutieusement, dans le département du Var, le façonnement progressif d'un nouvel imaginaire, dans un tissu social resté traditionnel mais cependant en lente transformation par l'élargissement des horizons culturels et l'épanouissement d'une « sociabilité populaire » (masculine) dans des « chambrées », version spontanée des cercles et clubs bourgeois [5]. Descendue au village par l'immense événement du suffrage universel, la République de 1848 a cristallisé en certains lieux le transfert symbolique de l'image définitivement effacée du Roi, Père du peuple, dans celle de la « bonne » république répondant enfin aux injustices de la société. Le département du Var, en effet, restait, dans la première moitié du XIXème siècle, imprégné de religiosité et de piété traditionnelles et les noyaux d'anciens « jacobins » y étaient fort isolés. Philippe Vigier, de son côté, a étudié de façon exhaustive le cheminement de l'idée républicaine dans la région alpine [6].

En imputant à la 3ème République l'avènement de toutes les libertés, la légende républicaine a, de fait, masqué la nature profonde du mouvement démocratique des années 1848-1851. La mémoire de ces « quarante-huitards » de la France profonde, mémoire paysanne et populaire, appartient à ce passé occulté par l'historiographie républicaine traditionnelle à la gloire de l'État républicain. Relais négligé du cheminement des libertés dans le pays, il y a là un modèle de démocratie, esquissé dans l'imaginaire populaire extérieurement à toute inculcation venue d'en haut, puis brisé par le coup d'État et recouvert ensuite par l'enseignement « national » jacobin.

Toujours fugitivement résurgent, ne manifeste-t-il pas sa latence à travers ce que l'on appelle maintenant les « mouvements sociaux », expression démocratique d'une « base » qui se veut extérieure aux « récupérations » politiciennes venues d'« en haut » ? Face libertaire et communautaire d'une vraie pensée libérale (au sens de l'exigence des libertés fondamentales et de la dignité) ce modèle de démocratie par en bas n'a cessé de travailler le tissu social français.

— On ne retracera pas ici les luttes, désormais bien

reconnues dans l'historiographie officielle, qui permirent aux ouvriers d'obtenir le droit de grève (en 1864 sous Napoléon III), le droit syndical, en 1884, après presque cent ans d'interdiction des « coalitions ouvrières » par la loi Le Chapelier de 1791, sous la pression d'un mouvement ouvrier ayant retrouvé un dynamisme compromis dix ans durant par la répression des anciens communards.

— En 1901, la loi reconnaît à tous les citoyens le droit de s'associer, sauf en fédérations territoriales. Alors prolifère une étonnante diversité de groupements autour d'activités, de mouvements d'idée, d'intérêts professionnels et corporatistes, à la base de la société, mais dont les « bureaux » sont parisiens, lorsqu'il s'agit d'associations à vocation nationale.

— En 1881, la République a concrétisé les libertés municipales par la loi qui donne aux communes le droit d'élire leur maire. Ce dernier restera néanmoins, dans l'exercice de son pouvoir, assujetti aux contrôles et autorisations du préfet jusqu'à la loi Defferre de décentralisation (1981). Nous sommes ici à la charnière des contradictions d'une République tiraillée entre les principes libéraux de décentralisation et le postulat jacobin de l'unité « organique » de la nation, antinomique des libertés « territoriales ».

— La liberté de presse, dont le premier défenseur en position de pouvoir fut Malesherbes, s'épanouit entre 1789 et le 10 août 1792. La Terreur l'étouffa. Elle resta procrite sous le Directoire, le Consulat et l'Empire. Elle fut, après 1815 au coeur du débat politique (avec celle de l'enseignement contre le monopole d'État établi par Napoléon Bonaparte). De grands journaux, *Journal des Débats, Le Constitutionnel, La Presse, Le Siècle, L'Univers, Le National*.... apparurent. La monarchie de Juillet réduisit le cautionnement. La 2ème République instaura la liberté totale. Malgré le retour à l'autorisation préalable, la presse se développa sous le second Empire qui vit la création du premier quotidien de grande diffusion, *Le Petit Journal*. La 3ème République fut un âge d'or pour la presse régie désormais par la loi de 1901.

— La liberté en matière audio-visuelle s'insère au contraire dans l'histoire des monopoles régaliens d'État. Depuis Louis XI, l'État s'est réservé le monopole des « communications ». Ce dernier est réaffirmé en matière de télécommunication, correspondance par signaux (1793), transmissions télégraphiques (1837), radiodiffusion (1923). Avant la deuxième guerre mondiale, le ministère des PTT concède à des postes privés le droit d'émettre. Toutes ces autorisations furent résiliées par ordonnance du 23 mars 1945 et le monopole de diffusion s'étendit alors aux installations, à l'exploitation et à la programmation de la radio-diffusion sonore, visuelle. La RTF fut instituée par décret du 8 novembre 1945 et l'ORTF le 27 juin 1964 [7].

D'une façon plus générale, et par-delà les problèmes de monopole, la liberté d'information en France a mis en jeu, de la part de l'État, des habitudes et des réflexes de contrôle et de censure qui relèvent d'une Raison d'État restée régalienne *.

---

\* L'influence des puissances d'argent sur la presse sous la 3ème République et les problèmes posés par le « délit d'opinion » dans la période de l'Occupation ne peuvent être étudiés ici mais ne sauraient être oubliés.

## SÉQUELLES DE L'ÉTAT MONARCHIQUE
## DANS LA RÉPUBLIQUE

Le processus de construction du royaume de France, suite de conquêtes et d'annexions, reposait sur le droit féodal, patrimonial et dynastique de la guerre et du marchandage. Non seulement le nationalisme républicain ne le critiqua pas, mais il le cautionna par la sacralisation du territoire et le prolongea dans la conquête coloniale.

### Une et indivisible

Nous avons déjà dit comment, à l'inspiration de Sieyès, le pouvoir du roi fut symboliquement transféré dans le corps des représentants de la nation. « Ce déraciné, écrit Georges Fournier, qui dès dix-sept ans gagne Paris pour répondre aux ambitions d'une famille de petite bourgeoisie provençale, ce sceptique, qui fait avec aigreur dans l'Église la lente carrière d'un roturier, ne connaît que deux valeurs : l'individu et la nation, négation des *ordres*. Entre ces deux souverains un lien : la représentation politique. La nation souveraine étant une abstraction, pour protéger l'épanouissement de l'individualisme bourgeois, il faut bien incarner la souveraineté dans la représentation nationale. Entre l'individu et cette représentation nationale, rien ne doit s'interposer. Décidé à faire de la France "un tout soumis uniformément à une législation, à une administration communes", Sieyès défend les projets de division les plus mathématiques, les plus réducteurs des personnalités locales et régionales. L'opportunisme des constituants saura écarter cette révolution culturelle traumatisante, propre à jeter l'Occitanie, la Bretagne et bien d'autres régions dans la contre-révolution. Chez Sieyès, qui observe avec angoisse le jaillissement communaliste de 1789, la peur de toute autonomie locale et régionale revient comme une obsession. "La France ne doit pas être un assemblage de petites nations [...], La France n'est point une collection d'États [...]; ce serait morceler, déchirer la France en une infinité de petites démocraties qui s'uniraient ensuite par des liens d'une confédération générale" » [8].

Cette pensée, qui portait en elle une sainte horreur de tout corps intermédiaire et de toute territorialisation de la démocratie, se sublima en religion de l'unité. Jusqu'à la rupture catholique de 1791, la Révolution a vécu sur le mythe de l'unité nationale. Et la fête de la Fédération fut la « liturgie grandiose » de l'illusion unanimiste [9]. La métaphysique de l'unité s'exacerba chez les montagnards, députés de Paris à la Convention. Au lendemain du 10 août 1792, les amis de Robespierre dénoncèrent le fédéralisme comme « contre-révolutionnaire ». Reprenant à leur compte l'idéologie abstraite et unitariste de la nation, ils opposèrent l'unité sacrée de la République à l'idée d'une France fédérée ou fédérative. Le 25 septembre 1792, Robespierre et son groupe faisaient proclamer « la République une et indivisible », et voter le 16 décembre la peine de mort pour tous ceux qui « essaieraient de rompre l'unité de la République française ou d'en détacher des parties intégrantes pour les unir à un territoire étranger » [10].

Prendre aujourd'hui ses distances avec l'historiographie républicaine officielle qui a identifié le devenir de la « nation » en 1793 aux paroles et aux actes de la Convention montagnarde, c'est aussi mesurer l'impact idéologique ultérieur de la fiction d'une « République une et indivisible ». N'est-ce pas de cette « croyance » que procéda, en 1954, la quasi-unanimité républicaine : « L'Algérie c'est la France » ? Aujourd'hui, les réticences ou les atermoiements en Nouvelle-Calédonie, les contradictions de la politique dans les « départements » et « territoires d'outre-mer », les impasses en Corse restent étayées sur l'axiome de l'« indivisibilité » de la France qui bloque toute pensée fédéraliste.

Les Constitutions de la 4ème République (27 octobre 1946) et de la 5ème République (4 octobre 1958) affirment chacune dans leur titre premier « De la souveraineté » :

> « La France est une République indivisible, laïque, démocratique et sociale ».

La 4ème République est morte de n'avoir pas su opérer le dépassement d'une idéologie colonialiste unitariste en un fédéralisme sans réticences. L'emprise persistante de cette idéologie qui, depuis un demi-siècle, avait étendu la notion de la « France une et indivisible » aux territoires colonisés d'outre-mer s'exprimait dans l'ambiguïté de l'article 85 :

> La République française, une et indivisible, reconnaît l'exis-

tence de collectivités territoriales. Ces collectivités sont les communes et départements, les territoires d'outre-mer.

Rédigée en pleine guerre d'Algérie, la Constitution de 1958, avec un peu plus de circonspection, prévoyait quelque souplesse d'adaptation, dans le cadre, il est vrai, d'une Communauté qui se révéla éphémère :

> Article 76 : Les territoires d'outre-mer peuvent garder leur statut au sein de la République.
> S'ils en manifestent la volonté par délibération de leur assemblée territoriale prise dans le délai prévu au premier alinéa de l'article 91, ils deviennent soit département d'outre-mer, soit, groupés ou non entre eux, États membres de la Communauté [11].

## Logique de conquête

En fait, la mutation de l'État-nation monarchique en État-nation républicain n'avait rien changé à la logique impériale de cet État, qui, au cours des siècles avait cumulé et confondu l'espace de son pouvoir et l'espace de ses conquêtes territoriales. Au contraire, la Révolution accentua, par le discours des « fontières naturelles » (cf. p. 153-155) la sacralisation du territoire. La logique de conquête de la Convention, à partir de la fin 1793, s'ajusta parfaitement à celle de l'impérialisme Louis-quatorzien. Et Napoléon en poursuivit l'implication dans son rêve de reconstitution de l'empire carolingien, qu'il transfigura, dans le mémorial de Sainte-Hélène, en rêve d'une Europe unie en « un seul et même corps de nation ». Après 1815, la pensée libérale et républicaine confondit la patrie et l'humanité en un nationalisme ambigu qui fut exacerbé par l'humiliation de la défaite de 1871.

La blessure des « provinces perdues » accentua le phénomène de sacralisation du sol : l'unité et l'indivisibilité de la nation et celle du territoire devinrent un seul dogme. Certes, au même moment, Ernest Renan, face au gouvernement allemand qui justifiait l'annexion des provinces germanophones, affirmait le caractère volontaire et consensuel de la nation française. Mais un chauvinisme aussi naïf qu'effréné n'en sous-tendait pas moins les discours sur la « France parfaite ». Et les origines gauloises de la nation française, « retrouvées » par Amédée Thierry et vulgarisées par Henri Martin n'étaient pas exemptes de connotations racistes (cf. p. 146-149).

ANNEXIONS OUTRE-MER
(Les territoires restés français sont en italiques)

| FONDATIONS ET/OU ANNEXIONS | | PERTES | STATUT |
|---|---|---|---|
| ROYAUTÉ | Québec (1608)<br>Canada (1635)<br>Montréal (1642)<br>*Martinique, Guadeloupe*<br>île de la Tortue (1635)<br>ouest St-Domingue<br>Louisiane (1682)<br>Comptoirs esclavagistes<br>en Guinée, Sénégal.<br>Ile Bourbon *(Réunion)* (1674)<br>Ile de France (Maurice)<br>Comptoirs aux Indes, Deccan<br>Pénétration en *Guyane*<br>*St-Pierre-et-Miquelon* | CANADA<br>INDE (sauf 5 comptoirs)<br>(1763) | *Traite des Noirs*<br>à partir de 1642 |
| CONVENTION | — | | *Abolition de l'esclavage*<br>(1794) |
| CONSULAT | | (1803) vente<br>LOUISIANE<br><br>ILE DE FRANCE<br>(1815) | *Rétablissement* (1802) |
| RESTAURATION<br>MONARCHIE<br>DE JUILLET | Occupation d'Alger<br>(5 juillet 1830)<br>Algérie conquise (1847) | | |
| SECONDE<br>RÉPUBLIQUE | — | | 1848 *Abolition définitive de<br>l'esclavage.<br>Noirs citoyens et électeurs.* |
| SECOND<br>EMPIRE | *Mayotte, Iles Marquises,<br>Tahiti<br>Nouvelle Calédonie* (1853)<br>Sénégal<br>Cochinchine, Cambodge | | |
| TROISIÈME<br>RÉPUBLIQUE | Gabon, Tunisie, Sahara, Tchad,<br>Mauritanie, Soudan, Haute-Volta,<br>Dahomey, Niger,<br>Tonkin, Annam,<br>Somalie, Djibouti,<br>Madagascar, *Comores,*<br>*terres australes* (St-Paul, Kerguélen...)<br>Polynésie<br>Condominium Nouvelles Hébrides<br>Maroc<br>Togo, Cameroun<br>Mandat SDN Liban, Syrie<br>(1919) | | 1871 *3 départements d'Algérie<br>rattachés au ministère de<br>l'Intérieur.*<br>- Statut de l'indigenat.<br>- Naturalisation<br>des Juifs. |

DÉCOLONISATION

| 4ᵉ et 5ᵉ<br>RÉPUBLIQUES | Liban, Syrie (1944) Viet-Nam (1954), Maroc, Tunisie (1956), Afrique noire,<br>Madagascar (1960), Algérie (1962). |
|---|---|

Officiellement, l'enseignement de l'histoire étayait le nationalisme francais par la célébration des « mille ans » de conquêtes royales « qui ont fait la France ». Et l'« œuvre coloniale » de la République, euphémisme qui, dans les manuels, désignait la conquête, restait dans la logique de la construction capétienne de la France. Il s'agissait, en fait, pour la République, de faire mieux que les rois, dont les abandons coloniaux, particulièrement ceux de Louis XV au traité de Paris, étaient critiqués, et de bâtir cette « plus grande France » qu'ils n'avaient su garder, et que la République, sans réticence, baptisa « Empire colonial »

Le tableau des conquêtes coloniales est dans la suite logique de celui des « annexions qui ont fait la France » [12] :

### Secrets d'État : rétention d'information, occultations historiographiques

Dès ses origines, la 3ème République s'attribua les droits régaliens d'un État, habilité au secret au nom de l'intérêt de la nation. Cela commença par le silence — ou les mensonges — sur la nature et le sens des événements de la Commune. Jusque dans les années 1960, le travestissement des événements se prolongea en occultation historiographique. L'histoire de la Commune, vue du côté des acteurs et non plus du pouvoir, fut alors une révélation pour beaucoup d'étudiants dont mai 68 avait éveillé le sens critique. En ce qui concerne l'affaire Dreyfus, il fallut attendre plus de douze ans (1894-1906) pour que dans la France officielle l'autorité républicaine reconnût, comme l'écrit Denis Bredin, « que l'innocent était innocent ». Et nous avons noté que les manuels de l'école élémentaire ont fait généralement silence sur cette page peu glorieuse pour l'État républicain (cf. p. 97).

Les initiatives pacifistes durant la guerre de 14-18 restent encore aujourd'hui peu connues, censurées par une historiographie « patriote » au sens de Poincaré et de Clemenceau. Quant aux mutineries de 1917, elles ne furent « révélées » au grand public que dans les années 1970 par un film — anglais! — aux *Dossiers de l'écran*. L'examen des manuels nous a montré comment, après la Libération, le silence a régné pudiquement sur la collaboration officielle, sur Vichy et sur Pétain.

Sujets tabou, champs de mémoire clôturés, *Le Chagrin et la Pitié* interdit de télévision comme si, au nom d'une indéracinable complicité entre la nation et l'État, ce dernier refusait à la société civile la vérité sur le passé, chaque fois que cette vérité n'est pas bonne à dire pour l'État et ceux qui le servent inconditionnellement *.

Dans les dernières décennies, la plus tragique, la plus perverse par ses effets sur la mémoire collective, des pratiques de censure et de rétention de l'information par l'État républicain concerne la répression et les tortures en Algérie. Pierre Vidal-Naquet a consacré un livre, *La Torture dans la République* [13], à ce « temps du mensonge » où l'État censurait, bloquait l'information, où tel ministre de la 4ème République se moquait des « chers professeurs » obstinés, tel Henri Marrou, à dénoncer les atteintes aux droits de l'homme commises au nom de la République, où la censure s'exerçait à l'égard du *Monde*, de *France-Observateur* de Claude Bourdet, de *L'Express* de Jean-Jacques Servan-Schreiber et Françoise Giroud, de *Témoignage Chrétien*. Nous ne méditerons jamais suffisamment sur la différence de traitement de l'information par les grands medias en France pendant la guerre d'Algérie et aux États-Unis durant celle du Viêt-Nam, les exactions de l'armée française et celles de l'armée américaine furent cachées ici, révélées là-bas par la télévision.

Le refoulement de la vérité engendre des effets pervers dès lors qu'une occasion ou un prétexte provoque la résurgence de faits occultés. Le nouveau contexte, dans lequel le passé remonte à la surface, se superpose à l'ancien, et les passions du présent bloquent l'appréciation de faits indiscutables du passé. Ce fut le cas lorsque la question des tortures fut relancée à propos du passé de Jean-Marie Le Pen. Les options du moment, pour ou contre le dirigeant du Front national, empêchèrent que les problèmes éthiques et politiques de la guerre d'Algérie soient posés en tant que tels devant un large public..

Le climat de trop fréquentes occultations historiques n'a-t-il pas, par un renversement du rapport vérité/mensonge, contribué à la diffusion du « révisionnisme » faurissonnien et donné à la « thèse » d'un Henri Roque un éclat médiatique

---

* Autre tabou aujourd'hui mis en question : l'Épuration.[217]

ambigu ? Je pose simplement la question *.

Le retentissement monotone, dans notre pays, d'une suite d'« affaires » jamais vraiment élucidées, finalement toujours étouffées — assassinats de ministres, scandales financiers, sabotages manqués... — n'est pas sans rapport avec la rétention d'information, pratiquée plus systématiquement par l'État républicain français que par d'autres États démocratiques. Le développement récent d'un journalisme d'investigation à l'anglo-saxonne avec des reportages-enquêtes va peut-être finir par obliger l'État républicain à plus de transparence. La banalisation d'une histoire critique du pouvoir pourrait y contribuer. Tant que les autorités de l'État s'arrogeront le droit au secret, au nom de la nation, sans souci du droit des citoyens à l'information, nous continuerons d'assister au spectacle des plus hauts responsables qui affirment, puis se contredisent, tout en jurant de dire la vérité.

---

* N'est-ce pas cette même occultation de la Collaboration qui a permis d'assister au spectacle d'une Anne Brassié présentant à *Apostrophe*, en toute « ingénuité », un Robert Brasillach à l'eau de rose, lavé de tout soupçon de crimes français contre l'humanité ? Ce même Robert Brasillach, si benoîtement conté par Alain Decaux à la télévision que Bernard Frank a pu écrire dans *Le Monde* du 17 juin 1987 : « On s'extasie sur les talents de maître Vergès, mais avec Alain Decaux Barbie serait acquitté avec les félicitations du jury! »
Le livre *Les Chambres à gaz, secret d'État*, Editions de Minuit, 1984; en poche, Points-histoire, Seuil 1987, est l'indispensable antidote à la falsification de l'histoire des assassinats collectifs par gaz

## LA FRANCISATION RÉPUBLICAINE

L'insertion dans les consciences individuelles d'un patriotisme officiel transforma l'imaginaire des Français. Ce fut l'une des réussites les plus spectaculaires de la 3ème République entre 1880 et 1914, inséparable de la généralisation de l'école publique : l'apprentissage de la langue française et l'enseignement de l'histoire nationalisèrent et républicanisèrent les petits Français.

Certes, nous l'avons dit, la République, la « bonne » République s'était, en 1848, installée au village, relayant l'image définitivement effacée du roi Père et recours, et bien avant que l'on ne parlât français.

F. Furet et J. Ozouf, ont montré, d'autre part, comment le lent cheminement « d'une alphabétisation restreinte à une alphabétisation de masse » [14], précéda l'obligation scolaire de 1881.

Mais l'efficacité des « hussards noirs » * de la République fut sans précédent.

### L'école : une seule langue, un seul passé

L'historien Eugen Weber, déjà cité, a donné de nombreux exemples de l'inexistence, vers 1870, en bien des lieux ou des cœurs « français », d'un attachement à la France, par exemple en Savoie récemment intégrée. « A bas la France, à bas les Français, il faut faire une révolution pour s'en débarasser », criait en 1873 un radical savoyard de Saint-Julien. Puis, conduit au tribunal pour avoir insulté des gendarmes : « Je me fous de vous, vous êtes français, je hais les Français, je ne l'ai jamais été et je ne le serai jamais », renchérissait-il. Il fut seulement frappé d'une amende par les juges locaux ; les autorités, constatant qu'il n'y avait aucun patriotisme dans le département, espéraient une évolution positive si les populations accédaient à la tranquillité, leur principale aspiration. Dans l'académie de Rennes, un rapport du recteur, en 1880, soulignait l'urgence de franciser une « Bretagne qui n'a pas été volontairement rattachée à la France » [15].

----

* Qualificatif donné aux instituteurs de la 3ème République avant 1914.

Le dessein d'une scolarisation générale cheminait inéluctablement dans la foulée des droits de l'homme et de par les nécessités de la société industrielle. La Révolution en avait affirmé le principe allant dans ce domaine plus loin que certains maîtres des Lumières, Voltaire en tête, soucieux de conserver des analphabètes pour les tâches subalternes. Les contenus et l'organisation de l'école de la 3ème République répondirent aussi à la volonté de communiquer à tous les enfants de France la religion de la patrie, telle que la concevaient les Pères de la République (cf. *supra*, ch. 1).

Mais il fallait d'abord enseigner, pensaient-ils, la langue et proscrire tous les « patois » méprisés comme baragouinages pitoyables. « Nous qui parlons notre langue, tandis que tant de nos compatriotes ne font que la balbutier », déplorait Gambetta en 1871. Avant lui, les hommes de 1789, amoureux de la langue française, selon eux incomparable à d'autres, firent pencher la balance en faveur du français langue unique contre ceux qui étaient disposés à tenir compte des diversités linguistiques caractéristiques du royaume. L'abbé Grégoire fut l'inspirateur d'une grande enquête sur les « patois de France ». Le rapport montra que, sur 83 départements, environ 15 parlaient exclusivement le français. Le 30 juillet 1794, Barère de Vieuzac, député des Hautes-Pyrénées renchérissait : « Citoyens, vous détestez le fédéralisme politique, abjurez celui du langage. La langue doit être une comme la République » [16].

Dans la ligne des « grands ancêtres » révolutionnaires, l'école de Jules Ferry imposa le français, prescrivant par circulaire les méthodes les plus pernicieuses pour parvenir au but. L'enfant pris en flagrant délit de « patoiser » recevait un objet d'« infamie » — bout de carton ou bâton dans les Pyrénées orientales, cheville dans le Cantal, brique en Corrèze et dans les Flandres (qu'on devait tenir à bout de bras) — . Le « délinquant » n'était délivré de sa honte que par un petit camarade fautif à son tour. A la fin de la classe, celui qui détenait l'objet exécutait un pensum. Peu à peu cependant, dans la mesure où l'école fut un moyen d'ascension sociale, le français fut apprécié dans les familles et se répandit vraiment à partir des années 1890, lorsque, remarque Eugen Weber, les instituteurs eux-mêmes, souvent d'origine paysanne, en eurent acquis la parfaite maîtrise [17].

Culturellement et idéologiquement, le rôle de l'école fut ambigu. Imaginée et organisée par la bourgeoisie républicaine, elle était inadaptée aux cultures ouvrières, populaires, « provinciales », à la fois méprisées et ignorées. Fernand Pelloutier, secrétaire de la Fédération des Bourses entre 1893 et 1901, et toute une presse ouvrière d'avant 1914 dénoncèrent cette inadaptation. Mais parallèlement, comme l'a souligné Mona Ozouf, l'école, « dans sa religion du progrès » et malgré son inadaptation, enseignait que « les inégalités sont individuelles, provisoires, corrigibles » diffusant « l'image sainte de la civilisation laïque et républicaine, l'enfant pauvre qui raffle toutes les couronnes à la distribution des prix » [18].

L'enseignement de l'histoire — l'inculcation de « la France à l'école » — et la multiplication des cartes murales furent l'instrument d'une nouvelle perception de la patrie.

L'école républicaine fut ainsi tout à la fois une entreprise d'alphabétisation et d'égalisation intellectuelle sur une base méritocratique et une formidable machine à uniformiser en réduisant ou éliminant ce que la France de la fin du XIXème siècle conservait encore comme différences de culture et de langages. Cependant, le sentiment des autonomies se traduisit encore par des tendances fédéralistes (la grande révolte du midi agricole en 1907 préconisa une « fédération de tous les départements vinicoles ») et par les localisations des résistances au service militaire [19].

Parallèlement aux mutations techniques et économiques de l'époque (progrès des communications, industrialisation, exode rural), à l'instauration du suffrage universel et du service militaire obligatoire, l'école républicaine « a transformé les Français en Français ». La légende républicaine fut le socle de l'institution imaginaire de la société française. Une identité collective se forgea autour de l'idée d'une France éternelle, des ancêtres gaulois, du Panthéon des Grands Hommes (sauveurs ou conquérants, de Vercingétorix à Clemenceau et Foch, sans oublier Jeanne d'Arc), des rois qui ont fait la France, de la Révolution qui a créé la nation.

Le drame de 1940 a souligné l'ambivalence de cette identité. La confusion entre la nation et l'État incarné par un « Sauveur » explique les « noces de Pétain et de la France ». La fierté patriotique d'être le pays qui avait, par la Révolution, apporté la liberté et l'égalité au monde suscita l'adhésion à de Gaulle et à l'idée de Résistance. Et cette ambiguïté fit germer dans l'esprit de nombre de Français le mythe du « double jeu » de Pétain, de la connivence tacite entre le Maréchal et de

Gaulle, bref, cette longue « équivoque » qui ne fut levée qu'après le 11 novembre 1942, lorsque la zône dite libre fut envahie par l'armée allemande [20]

Mais c'est la guerre d'Algérie qui fut le révélateur explosif des contradictions idéologiques sous-tendant l'identité républicaine forgée par l'histoire inculquée à l'école.

### Le butoir algérien

L'idéologie nationale diffusée par l'école républicaine était doublement ambiguë :

1. La citoyenneté reposait implicitement sur l'affirmation d'un modèle culturel unique, celui d'un individualisme laïc et tolérant, a-religieux, enclin à se poser comme universel et donc à récuser inconsciemment tout autre modèle. L'espace purement politique de la citoyenneté égalisatrice mordait ainsi sur un espace culturel qui récusait dans son principe l'enracinement des individus dans d'autres communautés que la communauté nationale.

2. La confusion entre la nation « une et indivisible » et l'État, dont l'armature restait centralisée et autoritaire, n'habituait pas la société civile à se penser de façon autonome et l'idéologie officielle n'incitait pas les citoyens à dénoncer les abus régaliens de l'État commis sous le couvert de l'intérêt « national ».

Cette double ambiguïté conduisit au drame algérien. La citoyenneté égalitaire fut refusée aux musulmans « inassimilables », jusqu'à l'insurrection de la Toussaint 1954. Dans ces trois départements « français », une succession d'occasions manquées — projet Blum-Violette de 1936, statut de 1947, Algérie autonome dans une République française fédérale suggérée par Ferhat Abbas — , enferma la décolonisation dans l'impasse. C'était en fait l'idéologie nationale républicaine qui ne parvenait pas à se décoloniser. Et quand la guerre fut là, l'appareil répressif de la République, au nom de l'unité et de l'indivisibilité de la nation, se développa en Algérie contre les « rebelles » et en France métropolitaine contre leurs « complices » à la recherche de l'information vraie et hantés par la fidélité française aux droits de l'homme.

C'est pourquoi le butoir algérien ne peut être gommé de notre mémoire, car il est le passage obligé de l'idéologie nationale forgée par la 3ème République aux ouvertures possibles vers une nouvelle « francité ». Celle-ci devra combiner l'héritage de la citoyenneté égalitaire et l'existence de mémoires et d'appartenances communautaires diverses dans un nouveau *consensus* démocratique, dans un imaginaire collectif, en mouvement, en construction, échange d'inspirations et de cultures tournées vers l'avenir, et non pas repli frileux et craintif d'une identité figée sur un passé légendaire et prétendu unique.

# CONCLUSION

Notre histoire nationale est le résultat d'un empilement de textes et d'un emboîtement d'interprétations visant à la louange du pouvoir en place. La mémoire franque a célébré Clovis et Charlemagne confondus dans une même lignée de saints rois, oints de Dieu. Les Capétiens se sont approprié cette mémoire. Les élites francisées du royaume s'en sont imprégnées par la lecture des *Grandes Chroniques*. De cette « matière » de France émergea, dans l'imaginaire des élites à partir du XIVème siècle, l'idée d'une « nation » France. Avec la Révolution, le Tiers-état bourgeois prend le pouvoir au nom de la « nation » et le corps des représentants se substitue au roi. L'historiographie enregistre cette mutation sans se modifier : elle demeure l'histoire des rois, l'histoire de l'État, elle devient celle de la nation par le subterfuge des Gaulois, ancêtres du « peuple », garants d'une mythique origine commune et d'une homogénéité ethnique et culturelle, fondement de l'identité nationale. La Révolution, en outre, confère une valeur transcendentale à cette identité : la France est le pays qui a apporté la liberté au monde. L'école républicaine sacralise cette vision du passé.

La société française est confrontée aujourd'hui à trois questions majeures qui relèvent de la représentation d'elle-même que lui donne cette histoire.

— La nature et le rythme des immigrations des trois dernières décennies, mais aussi, prenons garde de ne pas l'oublier, la construction de la Communauté européenne, mettent en jeu l'imaginaire national par la coexistence de cultures différentes et par les nouvelles fusions qu'engendre la « pluri-culturalité » en France et en Europe.

— Par l'Islam, le religieux fait intrusion dans la société civile sous une forme inconnue ou plutôt méconnue de la laïcité républicaine. Des intégrismes pointent ici et là, pas seulement dans certains milieux musulmans, mais aussi dans tel courant du judaïsme, dans la mouvance de Mgr Lefèvre, dans l'emprise des sectes. Comment réagira la société laïque ?

— Les rapports entre l'État et la société civile sont incertains et confus lorsqu'un « libéralisme » sans rivage et le nationalisme le plus hexagonal se joignent dans une même profession de foi.

Face à ces perplexités, les repères d'identité hérités de l'histoire ne permettent plus de nous tourner vers l'avenir. D'où le refuge illusoire dans les célébrations festives du passé.

Le discours frileux ou méchant de ceux qui voudraient nous convaincre que nous sommes menacés de « disparaître » sous la vague des nouvelles « invasions » ne débouche sur aucun futur, mais il se réclame de stéréotypes que l'histoire républicaine a diffusés : origine gauloise, France éternelle défendue à Poitiers par Charles Martel, nation supérieure à toute autre (« la nationalité française se mérite »).

Le modèle d'assimilation que nous offrait cette histoire est devenu inopérant : il a dans le passé éludé le problème de l'identité musulmane. Notre schéma de la laïcité devra être repensé s'il veut prendre en compte les aspirations et les cultures religieuses. Les missions de l'État seront cernées et clairement affirmées quand on cessera de confondre l'État et la nation.

Défendant son « code de la nationalité », qui introduirait une discrimination entre les jeunes nés en France, selon l'origine de leurs parents, Albin Chalandon s'est plu à citer Renan : « L'existence d'une nation est un plébiscite comme l'existence d'un individu est une affirmation perpétuelle de la vie » [1]. Prenons-le au mot, la vie humaine est inséparable de réflexions et de retours critiques sur soi-même : nous voici conviés à relire le passé à partir de notre triple interrogation.


### 1. Nous sommes un mélange de cultures et d'ethnies à l'extrême-ouest de l'Europe

En France, mais aussi en Belgique, ou en Allemagne fédérale, l'immigration récente est un fait incontournable que ne modifieront ni le renvoi des clandestins ni le retour au pays d'un certain nombre de chômeurs. L'existence de la communauté européenne, d'autre part, est un acquis, mais l'intégration n'y progressera que si en chaque pays s'effectue la connaissance et la reconnaissance de l'autre, par la découverte d'un fonds commun, une inter-culture, dont ne peut rendre compte l'histoire de chaque nation, fermée sur elle-même, « légitimée » dans l'expansion qui l'a confrontée à la nation « ennemie ». L'attachement sans restriction à la version nationaliste du passé paraît contradictoire avec la sincérité d'une profession de foi européenne. Les célébrations franco-allemandes de Verdun ne mettent-elles pas implicitement en cause l'historiographie traditionnelle de la guerre de 14-18 ? Le passé est le passé, on ne peut qu'en prendre acte dans ses tragédies, mais rien n'oblige à l'accepter sans critique en l'enfermant dans la seule logique de l'État-nation.

Aucun « peuple » d'Europe, et particulièrement les Français, ne correspond à l'abstraction créée par le nationalisme du XIXème siècle. Nous ne sommes pas l'incarnation d'une essence invisible et mystérieuse, « gauloise » en ce qui nous concerne. Nous sommes le résultat de millénaires de brassages, indiscernables dans l'épaisseur du passé, identifiables partiellement depuis deux millénaires, à condition qu'on ne relie pas l'existence de ces anciennes ethnies à celle d'un hexagone imaginaire projeté dans le passé : Ligures, Ibères, Celtes, Romains, Francs, Bretons, Visigoths, Ostrogoths, Burgondes, Huns, Basques, Vikings, Arabes, Berbères, Hongrois, Juifs, Polonais, Russes, Espagnols, Italiens, Portugais, Antillais, Maghrébins, Viêt-Namiens... les migrants des deux derniers siècles étant eux-mêmes le résultat de complexes « meltings pots ».

Les cultures familiales des immigrés récents s'effilochent chez les enfants nés en France, elles survivent à l'état de lambeaux, ce qui provoque, à l'adolescence surtout, des perceptions d'identité ambivalentes et floues.

Ces jeunes s'intégreront mieux dans une identité française qui ne sera plus présentée comme une essence passéiste, mais comme une dynamique en mouvement depuis des siècles. Cerner la diversité de nos racines et des cultures qui nous composent, c'est faire progresser dans la conscience collective le désir et la volonté de créer le *mélange* de demain. Et dans cette remémoration de nos diversités, non seulement les enfants d'immigrés récents sauront mieux d'où ils viennent, mais des Français plus « anciens », déracinés dans l'anonymat des banlieues et dépourvus de tout repère, rencontreront ainsi les fragments d'un passé dont ne leur a jamais rien dit, l'histoire de la « nation » !

## 2. La Révolution française a institué le religieux dans le politique, et la laïcité républicaine est inachevée

La laïcité républicaine a mis un terme bénéfique à cent ans d'affrontements post-révolutionnaires entre le « Rouge » et le « Noir », entre la République et l'Église catholique. Un siècle s'est écoulé depuis. Le contexte a changé : évolution de l'Église catholique, présence de deux millions de Français musulmans ou d'origine musulmane, résurgence d'un traditionnalisme juif très ritualisé. Chômera-t-on le vendredi, le samedi ou le dimanche ? A Noël, à Hanouka ou au Ramadan ? Si l'on veut aujourd'hui exorciser les intégrismes latents dans toutes les confessions religieuses, peut-être vaut-il mieux poser les questions de ce genre, qui peuvent paraître incongrues ou anecdotiques, quitte à y apporter des réponses de bon sens. La République avait inventé le congé du « jeudi » pour que l'Église catholique puisse enseigner le catéchisme. Si les minorités religieuses doivent accepter le calendrier issu d'un passé chrétien, encore faudrait-il qu'elles se sentent « reconnues » dans leurs problèmes d'adaptation à ce calendrier.

Au moment du Ramadan, des articles de presse ont souligné les difficultés d'observance pour les musulmans isolés. A Sarcelles, une récente élection a coïncidé avec Roshashana, une partie de la communauté juive a refusé de voter. Et l'on sait qu'il y a désaccord entre l'Église et bien des parents (même catholiques) en ce qui concerne le repos scolaire hebdomadaire du mercredi ou du samedi.

Je rejoins ici, en l'élargissant au judaïsme, le plaidoyer de Bernard Stasi en faveur d'une reconnaissance de l'identité musulmane dans notre pays. Notre laïcité jusqu'à présent reposait sur l'idée que la religion était un fait individuel et non une culture et un fait communautaire. L'espace politique français, celui de la citoyenneté égalitaire, est individuel et extérieur à la sphère du religieux.

L'école laïque régla le contentieux entre le catholicisme officiel et la République en proscrivant de ses contenus ce qui relevait de la « religion », du « catéchisme » enseigné hors l'école. De ce fait la Bible n'eut pas droit de cité comme fondement de la culture et de la pensée occidentale, à côté de la philosophie grecque. Certes « les Hébreux ou Israélites » ont toujours figuré dans le programme d'histoire ancienne du secondaire, et l'Église est forcément présente comme enveloppe du Moyen Age. Mais comme conceptions du monde, comme dynamiques spirituelles, comme *mémoires*, ni le judaïsme ni le christianisme ne sont vraiment abordés. Nous avons souligné combien l'histoire des Juifs est extérieure à la logique du champ traditionnel de l'histoire de France.

En fait, parce que la laïcité de la fin du XIXème siècle était empreinte de scientisme, la dimension religieuse et spirituelle a plus ou moins été gommée de la culture commune des Français. La base consensuelle de la culture républicaine française est une culture politique se référant à l'héritage de la Révolution et à un humanisme sans Dieu. Mais cette culture républicaine subit de plein fouet ce que l'on appelle la « crise des idéologies », c'est-à-dire l'impasse d'une pensée ancrée dans la croyance du progrès linéaire d'une humanité illuminée par un peuple Messie (ou une classe ou un parti) à partir d'une coupure « révolutionnaire » dans le devenir. Impasse du politique vécu sur le registre religieux, immergé inconsciemment dans le transcendental.

Tocqueville avait écrit : « la Révolution française est une révolution politique qui a opéré à la manière et qui a pris en quelque chose l'aspect d'une révolution religieuse ». Les nouvelles approches historiographiques de la Révolution, françaises ou anglo-saxonnes, viennent affiner notre perception des processus suivant lesquels « la révolution a institué le religieux au cœur du politique ». Le récent livre de l'historien américain Timothy Tackett montre qu'après un temps de fusion entre la sacralité catholique et les liturgies des grandes fêtes révolutionnaires l'obligation du serment imposé aux prêtres en 1791 a bouleversé les consciences et mis fin à l'unanimité du début. En rupture avec l'Église, la Révolution investit en elle-même une sacralité dont le Dieu était la Nation et les (vrais) révolutionnaires le Messie collectif.

Relire la Révolution pour y cerner les transferts du religieux dans le politique, suivre les méandres ultérieurs des « passions françaises » c'est dépister dans le présent les dérapages manichéens et sectaires qui relèvent d'un mésusage du religieux. Laïciser la culture politique française, c'est dissocier objectivement ce qui relève de l'essentiel, des valeurs éthiques fondamentales (inspirées ou non par une transcendance) et ce qui relève de la solution, de l'option technique et c'est, dans la critique, ne pas mélanger les deux niveaux. La vraie coupure, dans la société française est dans le respect ou non de ces valeurs fondamentales.

N'est-ce pas, du reste, cette laïcisation du politique, ce refus des intolérances verbales et passionnelles que réclame une majorité de Français et qu'a traduit, à la fin de 1986, la bonne image de marque de la « cohabitation » et la remontée de Mitterrand dans les sondages ? Le mouvement étudiants-lycéens de novembre-décembre 1986, les grèves « basistes » qui ont suivi, me semblent significatifs d'un désir de se référer à des valeurs et des formes d'organisation, que ne traduirait plus exactement la culture politique héritée du passé et de la représentation de ce passé. Désacraliser, laïciser le politique, c'est aujourd'hui relativiser les étiquettes officielles gauche-droite en affinant les vrais niveaux éthiques de nos choix. C'est aussi assumer en pleine clarté le problème d'une laïcité inter-culturelle dans laquelle la part religieuse de chaque culture serait reconnue à condition qu'elle accepte de reconnaî-tre celle de l'autre et le droit à l'agnosticisme.

### 3. L'État régalien soumis à sa seule raison doit être dissocié de l'État de droit au service de la nation, c'est-à-dire des citoyens

L'histoire critique du pouvoir, esquissée dans la dernière partie de ce livre, voudrait contribuer à clarifier le débat de plus en plus confus sur les rapports de l'État et de la société civile. Le brouillage est porté à son extrême par le discours des « libéraux » acharnés à désengager l'État dans tous les secteurs de l'activité économique, sociale, culturelle et cependant fa-rouchement attachés, jusqu'à preuve du contraire, à l'État-nation « un et indivisible », dès lors qu'il s'agit de revendica-tions canaques, antillaises ou corses.

L'histoire critique de l'État et des abus de son pouvoir ne nous ramènerait pas à Bakounine et à l'anarchisme du XIXème siècle, mais nous aiderait à engager un débat de fond sur la nature et les missions d'un État réellement démocratique dans la société d'aujourd'hui. L'État doit assurer le meilleur équi-libre possible des ressources, la sûreté de chacun, l'*Habeas Corpus* et le droit des citoyens à la vérité, y compris sur l'État lui-même.

Les notions de service public, de puissance publique

doivent être clarifiées, décantées : les débats autour de l'école, de la télévision, des prisons l'attestent. Ces débats seront d'autant plus sérieux et rigoureux que le discours politique sera laïc et dépassionné.

Un large consensus existe aujourd'hui dans notre pays sur la *démocratie*. Il se noue autour de la *Constitution*. L'État français est un État de droit dont la base éthique doit être le respect des droits de l'homme en chaque habitant du pays. Cet État se tournera vers l'avenir non en se contemplant de façon narcissique dans le passé, mais en faisant le bilan critique de sa propre histoire, en reconnaissant la pluralité des points de vue, la diversité des cultures hier et aujourd'hui, ici dans l'hexagone et là-bas outre-mer. L'État travaillera à sa décolonisation, à sa démocratisation, en mettant en cause sa manie du secret et les blocages d'information sur lui-même, dans l'histoire qu'il a prétendu contrôler et dans les « affaires » du présent. Il ne saurait se prendre pour la nation, alors qu'il est à son service et que trop souvent il a ignoré ou violenté les citoyens. Il doit cesser de traiter les Français en mineurs à qui toute vérité n'est pas bonne à dire.

Non! l'État n'est pas la nation car la nation ce n'est pas la France une et indivisible, mais la société des Français, multiple, diverse, complexe. L'État doit être le garant des missions de justice sociale et de service public dans un effort maximum de liberté, et de juste répartition des richesses au service des plus démunis, sans pour autant se confondre avec la société civile.

Une francité nouvelle, contractuelle, dynamique, créative, généreuse, interculturelle est à inventer. Ouverte sur l'Europe et sur le monde, elle devra rompre avec le mythe gaulois qui a relayé le vieux mythe franc et avec une histoire conçue comme célébration du pouvoir des rois, puis de l'État-nation.

De nouvelles lectures de notre passé, dont ce livre voudrait souligner l'urgence, sont nécessaires au mûrissement de cette francité.

# POST-SCRIPTUM. MÉMOIRES A RECONSTRUIRE

L'identification des Français en leurs divers passés est inséparable d'une histoire critique du pouvoir dynastique-étatique, puis étatique-national, puisque, dans la majorité des cas, la construction de la France reposa sur l'incorporation obligée d'espaces soumis et de peuples vaincus.

Mémoires multiples, les mémoires des Français d'aujour-d'hui trouveront place, par des procédés de flash-back ou d'élargissement historiographique, dans le schéma de formation d'une France multi-culturelle. Les limites de cet essai ne permettent pas de les retracer toutes dans leur diversité.

Les Français, originaires des Antilles redécouvriront leurs ancêtres Ciboneys, Arawaks, noirs transplantés par la traite, hindous et chinois immigrés, ou « créoles » espagnols, anglais, français.

Dans le passé du Maghreb, les repères néolithiques, berbères, phéniciens, romains, arabo-islamiques, ottomans, coloniaux français, post-coloniaux jalonneront les mémoires algériennes — musulmans de père pro-FLN ou harki, Pieds-noirs descendant d'insurgés de juin 1848, de colons espagnols ou de juifs séculairement enracinés — .

Chercheurs des domaines islamiques, historiens des Antilles, de la colonisation, de la guerre d'Algérie, géographes, ethnologues, journalistes concernés par les « terres violentes » de Nouvelle-Calédonie, enseignants, citoyens de toutes origines contribueront au travail pluriel d'une mémoire française en mouvement.

# ANNEXE

# TABLEAU SYNOPTIQUE
## DES ROIS DE FRANCE,
### DE PHARAMOND A LOUIS-PHILIPPE Ier,
D'après Hénault, Lenglet Du Frenoy et Velly.

| NOMS DES ROIS. | Monte sur le trône en | Agé de | Règne | Meurt en | Voir Pag. |
|---|---|---|---|---|---|
| **1re DYNASTIE.** | | | | | |
| 1er Pharamond . . | 420 | ans | 8 ans | 428 | 32 |
| 2e Clodion . . . . | 428 | ans | 10 ans | 448 | 34 |
| 3e Mérovée.   . . | 448 | ans | 8 ans | 456 | 36 |
| 4e Childéric Ier. . | 456 | 21 ans | 15 ans | 481 | 38 |
| 5e Clovis Ier. . . . | 481 | 15 ans | 30 ans | 511 | 40 |
| 6e Childebert Ier | 511 | 14 ans | 47 ans | 558 | 44 |
| 7e Clotaire Ier . . | 558 | 60 ans | 4 ans | 562 | 46 |
| 8e Cherebert . . . | 562 | 44 ans | 4 ans | 566 | 48 |
| 9e Chilpéric Ier. . | 566 | 30 ans | 18 ans | 584 | 50 |
| 10e Clotaire II. . . | 584 | 4 mois | 44 ans | 628 | 54 |
| 11e Dagobert Ier. . | 628 | 26 ans | 10 ans | 638 | 58 |
| 12e Clovis II. . . | 638 | 4 ans | 18 ans | 656 | 62 |
| 13e Clotaire III. . | 656 | 5 ans | 14 ans | 670 | 64 |
| 14e Childéric II. . | 670 | 18 ans | 3 ans | 673 | 66 |
| 15e Thierry Ier. . . | 673 | 23 ans | 18 ans | 691 | 68 |
| 16e Clovis III. . . | 691 | 11 ans | 4 ans | 695 | 70 |
| 17e Childebert II. | 695 | 12 ans | 16 ans | 711 | 72 |
| 18e Dagobert II. . | 711 | 12 ans | 4 ans | 715 | 74 |
| 19e Clotaire IV. . | 717 | ans | 17 moi | 719 | 76 |
| 20e Chilpéric II. . | 719 | 49 ans | 1 an | 720 | 78 |
| 21e Thierry II. . . | 720 | 6 ans | 17 ans | 737 | 80 |
| 22e Childéric III. . | 742 | ans | 9 ans | 754 | 82 |
| **2e DYNASTIE.** | | | | | |
| 23e Pepin . . . . . | 751 | 37 ans | 17 ans | 768 | 84 |
| 24e Charlemagne . | 768 | 26 ans | 46 ans | 814 | 88 |
| 25e Louis Ier. . . . | 814 | 36 ans | 26 ans | 840 | 92 |
| 26e Charles II. . . . | 840 | 17 ans | 37 ans | 877 | 94 |
| 27e Louis II. . . . . | 877 | 33 ans | 2 ans | 879 | 98 |
| 28e Louis, Carlom. | 879 | ans | 5 ans | 884 | 100 |
| 29e Charles-le-Gr. | 8 | 49 ans | 4 ans | 888 | 102 |
| 30e Eudes . . . . . | 888 | 30 ans | 10 ans | 898 | 106 |
| 31e Charles III. . | 898 | 19 ans | 25 ans | 929 | 108 |
| 32e Raoul . . . . . | 923 | ans | 13 ans | 936 | 112 |

| NOMS DES ROIS. | Monte sur le trône en | Agé de | Règne | Meurt en | Voir Pag. |
|---|---|---|---|---|---|
| 33e Louis IV. . . . | 936 | 16 ans | 18 ans | 954 | 114 |
| 34e Lothaire. . . . | 954 | 13 ans | 32 ans | 986 | 118 |
| 35e Louis V. . . . | 986 | 20 ans | 1 an | 987 | 122 |
| 3e DYNASTIE. | | | | | |
| 36e Hugues-Capet | 987 | 45 ans | 9 ans | 996 | 126 |
| 37e Robert. . . . . | 996 | 25 ans | 35 ans | 1031 | 130 |
| 38e Henri Ier. . . . | 1031 | 26 ans | 29 ans | 1060 | 134 |
| 39e Philippe Ier. . | 1060 | 8 ans | 48 ans | 1108 | 136 |
| 40e Louis VI. . . . | 1108 | 30 ans | 29 ans | 1137 | 140 |
| 41e Louis VII. . . | 1137 | 17 ans | 43 ans | 1180 | 144 |
| 42e Philippe II. . . | 1180 | 15 ans | 43 ans | 1223 | 148 |
| 43e Louis VIII. . . | 1223 | 36 ans | 3 ans | 1226 | 152 |
| 44e. Louis IX. . . . | 1226 | 11 ans | 44 ans | 1270 | 154 |
| 45e Philippe III. . | 1270 | 25 ans | 15 ans | 1285 | 162 |
| 46e Philippe IV. . | 1285 | 17 ans | 29 ans | 1314 | 166 |
| 47e Louis X. . . . | 1314 | 25 ans | 2 ans | 1316 | 170 |
| 48e Philippe V. . . | 1316 | 23 ans | 6 ans | 1322 | 172 |
| 49e Charles IV. . . | 1322 | 26 ans | 6 ans | 1328 | 174 |
| 50e Philippe VI. . | 1328 | 35 ans | 22 ans | 1350 | 176 |
| 51e Jean-le-Bon. . | 1350 | 30 ans | 14 ans | 1364 | 182 |
| 52e Charles V. . . | 1364 | 27 ans | 16 ans | 1380 | 186 |
| 53e Charles VI. . . | 1380 | 12 ans | 42 ans | 1422 | 190 |
| 54e Charles VII. . | 1422 | 20 ans | 39 ans | 1461 | 196 |
| 55e Louis XI. . . . | 1461 | 39 ans | 22 ans | 1483 | 200 |
| 56e Charles VIII. . | 1483 | 13 ans | 15 ans | 1498 | 204 |
| 57e Louis XII. . . . | 1498 | 36 ans | 17 ans | 1515 | 208 |
| 58e François Ier. . | 1515 | 20 ans | 32 ans | 1547 | 214 |
| 59e Henri II. . . . . | 1547 | 29 ans | 12 ans | 1559 | 224 |
| 60e François II. . | 1559 | 15 ans | 17 mois | 1560 | 228 |
| 61e Charles IX. . . | 1560 | 10 ans | 14 ans | 1574 | 230 |
| 62e Henri III. . . . | 1574 | 22 ans | 15 ans | 1589 | 236 |
| 63e Henri IV. . . . | 1589 | 36 ans | 21 ans | 1610 | 242 |
| 64e Louis XIII. . . | 1610 | 9 ans | 33 ans | 1643 | 252 |
| 65e Louis XIV. . . | 1643 | 5 ans | 72 ans | 1715 | 262 |
| 66e Louis XV. . . | 1715 | 5 ans | 59 ans | 1774 | 278 |
| 67e Louis XVI. . . | 1774 | 20 ans | 19 ans | 1793 | 292 |
| 68e Louis XVII. . . | 1793 | 8 ans | 28 moi | 1795 | 302 |
| Napoléon, emper.. | 1804 | 35 ans | 10 ans | 1821 | 316 |
| 69e Louis XVIII. . . | 1814 | 58 ans | 10 ans | 1824 | 324 |
| 70e Charles X. . . | 1824 | 67 ans | 6 ans | 1836 | 328 |
| 71e Louis-Phil. Ier. | 1830 | 57 ans | | | 332 |

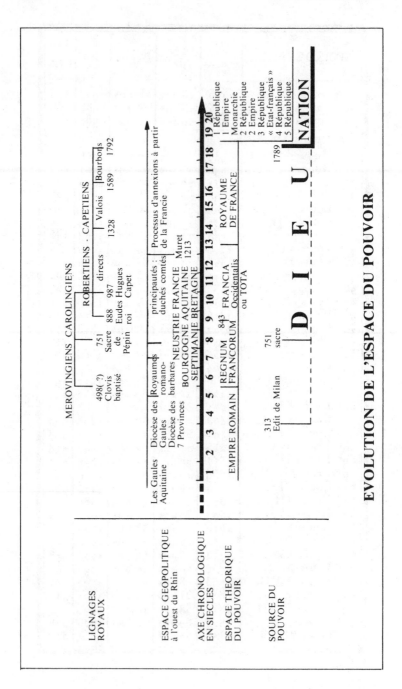

EVOLUTION DE L'ESPACE DU POUVOIR

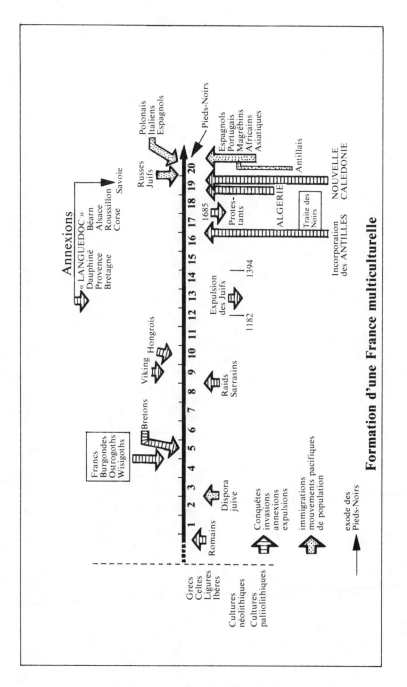

**Formation d'une France multiculturelle**

# SOURCES BIBLIOGRAPHIQUES

## Notes de l'Introduction

1. Cf. Hugues SASSIER, *Hugues Capet*, Paris, Fayard, 1987, p. 11-21.
2. Karl Ferdinand WERNER, in *Histoire de France*, sous la direction de Jean FAVIER, tome 1, *Les origines*, Paris, Fayard, 1984, p. 25.
3. André LEROI-GOURHAN, *Le geste et la parole*, t. 1 et 2, Paris, Albin Michel, 1965
4. Georges DUBY, *Le dimanche de Bouvines*, Paris, Gallimard, 1973, p. 14.

## Notes du chapitre 1

1. Paul VIALLANEIX, *La voie royale*, Essai sur l'idée de peuple dans l'œuvre de Michelet, Paris, Flammarion, 1971, p. 64.
2. Jules MICHELET, in *Œuvres complètes*, éditées par P. Viallaneix, Paris, Flammarion, 1974, t. IV, p. 11.
3. Jules MICHELET, *Le Peuple*, Paris, Flammarion, 1972, p. 57 (première édition 1846).
4. *Ibid.*, p. 75.
5. *Ibid.*, p. 199.
6. Jules MICHELET, *Histoire de la Révolution française*, Paris, Gallimard/ Pléiade, 1952 (publiée entre 1847 et 1853), t. 1, p. 21.
7. *Le Peuple*, p. 228, 216.
8. Paul BÉNICHOU, *Le Temps des prophètes*, Doctrines de l'âge romantique, Paris, Gallimard 1977, pp. 522-523.
9. *Ibid.*, p. 547.
10. *Le Peuple*, p. 239.
11. P. BÉNICHOU, *op. cit.*, p. 340.
12. *Le Peuple*, pp. 240, 246.
13. *Histoire de la Révolution*, préface de 1847.
14. Alice GÉRARD, *La Révolution française, mythes et interprétations 1789-1970*, Paris, Flammarion, 1970, p. 69.

15. *Ibid.*, p. 69.
16. Cité par Claude NICOLET, *L'Idée républicaine en France*, Essai d'histoire critique, Paris, Gallimard, 1982, p. 95.
17. François FURET, La Gauche et la Révolution au milieu du XIXe siècle, Paris, Hachette, 1986, ch. IV.
18. *Histoire de la Révolution*, t. I, p. 20.
19. Cité par C. NICOLET, *op. cit.*, pp. 99-100.
20. A. GÉRARD, *op. cit.*, p. 69.

## Notes du chapitre 2

1. *Le Peuple*, pp. 240 à 243.
2. Cité par Pierre NORA, *Lavisse instituteur national* in *Les lieux de mémoire*, t. I, La République, Paris, Gallimard, 1984, p. 265.
3. Mona OZOUF, *L'École de la France*, Essai sur la Révolution, l'utopie et l'enseignement, Paris, Gallimard, 1984, pp. 185 à 213.
4. GUIOT et MANE, *Histoire, cours élémentaire, 1911*, cité *ibid.*, p. 195.
5. GUIOT et MANE, *op. cit.*.
6. Dominique MAINGUENAU, *Les livres d'école de la République, 1870-1914*, Paris, Le Sycomore, 1979, p. 71.

## Notes du chapitre 3

1. Pierre NORA, *op. cit.*, p. 278.
2. Mona OZOUF, *op. cit.*, p. 212.
3. *Ibid.*, p. 12.
4. Cf. Colette BEAUNE, *Naissance de la nation France*, Paris, Gallimard, 1985, pp. 267 à 287.
5. Cité par P. NORA, *op. cit.*, p. 269.
6. Colette et Francis JEANSON, *L'Algérie hors-la-loi*, Paris, Seuil, 1955, p. 32.

## Notes du chapitre 4

1. Mona OZOUF, *op. cit.*, pp. 245-249. On ne saurait oublier que, face aux manuels républicains, ceux de l'autre école ont entretenu, jusque vers les années 1940, la contre-légende d'une Révolution satanique éclatant dans le ciel limpide d'une royauté au-dessus de tout soupçon. Cf. J. FREYSSINET-DOMINJON, *Les Manuels d'histoire de l'école libre*, 1882-1959, Paris, A. Colin, 1969.
2. *Ibid.*, p. 246.
3. Sur les mutineries, cf. Guy PEDRONCINI, *Les mutineries de 1917*, Paris, PUF, 1967. Sur l'année 1917, cf. *Historiens-Géographes*, n° 315, juillet-août 1987.

## Notes du chapitre 5

1. René GIRAULT, *L'Histoire et la géographie en question*, Ministère de l'Éducation nationale, service d'information, 1983, p. 12.
2. *École élémentaire. Programmes et instructions.* CNDP/Livre de poche, 1985, p. 58.

3. Marc FERRO, *Comment on raconte l'Histoire aux enfants à travers le monde entier*, Paris, Payot, 1981, p. 58. cf. aussi, du même auteur, *L'Histoire sous surveillance*, Paris, Calmann-Lévy, 1985.

4. Louis-René NOUGIER, *Premiers éveils de l'homme*, Art, magie, sexualité, dans la préhistoire, Lieu Commun, 1984, p. 77.

5. Jacques BERQUE, *L'Immigration à l'École de la République*. Rapport au ministre de l'Éducation nationale, CNDP/La Documentation française, août 1985.

6. Cf. J. FREYSSINET-DOMINJON, *op. cit..*

7. Pierre NORA, *op. cit.*, p. 279.

## Notes du chapitre 6

1. *La Chanson de Roland*, Paris, Folio/Gallimard, 1979. Par exemple p. 340, ligne 3528 : « Requerent Franc par sigrant estultie »; ligne 3533 : « quant de Franceis les escheles vit rumpre ». Traduction : « Ils assaillent les Français avec une telle audace (...) quand il voit céder les compagnies des Français (...).

2. Karl WERNER, *op. cit.*, p. 20.

3. Karl WERNER, *ibid.*, p. 151.

4. *Ibid.*, p. 153.

5. *Ibid.*, pp. 20, 155.

6. *Ibid.*, p. 240

7. *Ibid.*, p. 213.

8. *Ibid.*, p. 263.

9. *Ibid.*, pp. 231-235.

10. Pierre RICHÉ, in *Histoire de la France*, sous la direction de Georges DUBY, Paris, Larousse, 1970, t. I, p. 178.

11. *Ibid.*, pp. 159-160.

12. Karl WERNER, *op. cit.*, pp. 294, 286, 319.

13. *Ibid.*, pp. 313-314.

14. Pierre RICHÉ, *op. cit.*, pp. 169-188.

15. Cf. Laurent THEIS, *La véritable histoire du roi Dagobert*, in *L'Histoire*, n° 17, novembre 1979 et *Dagobert, un roi pour un peuple*, Paris, Fayard, 1982. Karl WERNER, *op. cit.*, pp. 330-331.

16. Karl WERNER, *ibid.*, p. 333.

17. Georges DUBY, *Les trois ordres ou l'imaginaire du féodalisme*, Paris, Gallimard, 1978, p. 29.

18. Robert FOLZ, in *Histoire Universelle*, Paris, Gallimard/Pléiade, 1957, t. 2, p. 593.

19. Karl WERNER, *op. cit.*, p. 304.

20. *Ibid.*, p. 21.

21. Colette BEAUNE, *Naissance de la nation France*, *op. cit.*, p. 55.

22. Adrian VERHULST, in *Histoire de la France*, *op. cit.*, t. I, p. 192.

23. K. WERNER, *op. cit.*, p. 363 et Colette BEAUNE, *op. cit.*, pp. 83-125.

24. K. WERNER, *op. cit.*, pp. 26-27.

25. Bernard GUÉNÉE, *Histoire et culture historique dans l'Occident médiéval*, Paris, Aubier, 1980, pp. 309-311, 334.

26. Karl WERNER, *op. cit.*, p. 33. Bernard GUÉNÉE, *Les Grandes Chroniques de France*, in *Les lieux de mémoire*, La Nation, t. I, pp. 189 à 214.

27. Karl WERNER, *op. cit.*, p. 412.

28. *Ibid.*, p. 30 et Colette BEAUNE, *op. cit.*, pp. 20-26.

29. Bernard GUÉNÉE, *Histoire et culture historique, op. cit.*, p. 335.

30. Colette BEAUNE, *op. cit.*, p. 310 et Georges DUBY, *Le Dimanche de Bouvines, op. cit.*, pp. 121-123.

## Notes du chapitre 7

1. Bernard GUÉNÉE, *Histoire et culture historique, op. cit.*, p. 273.

2. Colette BEAUNE, *op. cit.*, p. 208.

3. Amin MAALOUF, *Les Croisades vues par les Arabes*, Paris, J.-C. Lattès, 1983, pp. 19 et 17.

4. LAGARDE et MICHARD, *Moyen Age, Les grands auteurs français*, Paris, Bordas, 1950, p. 3.

5. *La Chanson de Roland, op. cit.*, p. 52, lignes 16-17; p. 56, lignes 49-50; p. 54, ligne 36.

6. Bernard GUÉNÉE, *op. cit.*, pp. 176, 218.

7. Jean-Yves GUIOMAR, *L'Idéologie nationale*, Nation, Représentation, Propriété, Paris, Champ libre, 1974, p. 52.

8. Cité par Karl WERNER, *op. cit.*, p. 39.

9. Alfred FIERRO-DOMENECH, *Le Pré carré*, Géographie historique de la France, Paris, Robert Laffont, 1986, pp. 153-154.

10. *Ibid.*, p. 158.

11. Colette BEAUNE, *op. cit.*, p. 293.

12. Colette BEAUNE, *op. cit.*, p. 310.

13. Elisabeth CARPENTIER, in DUBY, *Histoire de la France, op. cit.*, t. I, p. 362.

14. *Ibid.*, pp. 363, 339 et Colette BEAUNE, *op. cit.*, p. 208.

15. Voir Colette BEAUNE, *op. cit.*, pp. 216, 217, 224, 225, et ch. IX pp. 264-290.

16. Elisabeth CARPENTIER, Jacques ROSSIAUD, in DUBY, *Histoire de la France, op. cit.*, t. I, pp. 363, 339.

17. Colette BEAUNE, *op. cit.*, pp. 113-115.

18. Cf. Georges DUBY, *Le Dimanche de Bouvines, op. cit.*, p. 22.

19. Voir Colette BEAUNE, *op. cit.*, pp. 106-110, 112, 118.

20. Voir Colette BEAUNE, *ibid.*, pp. 346, 347, 238, 246, 66, 73, 127, 126, 159, 151, 189, 190, 195, 167, 169.

21. *La Chanson de Roland, op. cit.* p. 216, lignes 2015-2018; p. 240, lignes 2309-2311.

22. Colette BEAUNE, *op. cit.*, pp. 313, 300, 321.

23. Bernard GUÉNÉE, *op. cit.*, pp. 137, 312, 320-321.

24. *Ibid.*, pp. 339, 314.

## Notes du chapitre 8

1. Pierre de RONSARD, *Œuvres complètes*, t. 6, Paris, Garnier, 1924, pp. 378, 539.

2. Colette BEAUNE, *op. cit.*, pp. 26, 30, 32.

3. Karl WERNER, *op. cit.*, p. 35.

4. Colette BEAUNE, *op. cit.*, pp. 32, 33.

5. Karl WERNER, *op. cit.*, p. 36.

6. Colette BEAUNE, *op. cit.*, pp. 36-37.

7. Claude-Gilbert DUBOIS, in *Nos Ancêtres les Gaulois*, Actes du Colloque international de Clermont-Ferrand, Faculté des Lettres et Sciences humaines de Clermont-Ferrand, 1982, p. 23.

8. *Ibid.*, pp. 23, 24.

9. Karl WERNER, *op; cit.*, p. 37.

10. Raymond MAS, in *Nos Ancêtres les Gaulois, op. cit.*, pp. 45, 48.

11. Karl WERNER, *op. cit.*, pp. 39, 40.

12. Jean EHRARD, in *Nos Ancêtres les Gaulois*, pp. 100, 101.

13. Cité par Karl WERNER, *op. cit.*, p. 42.

14. Cité par Pierre MICHEL, in *Nos Ancêtres les Gaulois*, p. 221.

15. Claudine LACOSTE, in *Nos Ancêtres les Gaulois*, pp. 203-209.

16. *Ibid.*, pp. 205, 206.

17. *Ibid.*, p. 208.

18. J. MICHELET, *Histoire de France*, Livre I, in Œuvres complètes, t. IV, Paris, Flammarion, 1974, pp. 113, 115, 116.

19. Comme le remarque Christian CROISILLE, in *Nos Ancêtres les Gaulois*, p. 217.

20. J. MICHELET, *Histoire de France, op. cit.*, p. 140.

21. Suzanne CITRON, in *Nos Ancêtres les Gaulois*, p. 403.

22. Rémi MALLET, in *Nos Ancêtres les Gaulois*, pp. 231 à 244.

23. Michel VOVELLE, *La Chute de la monarchie, 1787-1792*, Nouvelle histoire de la France contemporaine, Paris, Seuil, 1972, p. 36.

24. Cité par Jacques GODECHOT, *L'Idée de patrie*, Annales historiques de la Révolution française, oct.-déc. 1971, p. 489.

25. Jean-Yves GUIOMAR, *op. cit.*, p. 22.

26. Michel VOVELLE, *op. cit.*, p. 111.

27. Colette BEAUNE, *op. cit.*, pp. 324, 332.

28. Jean-Yves GUIOMAR, pp. 23-24.

29. *Ibid.*, p. 154.

30. ROBESPIERRE, *Discours et Rapports à la Convention*, Paris, U.G.E.-10/18, 1965, pp. 120, 121.

31. Jean-Yves GUIOMAR, pp. 225-263.

32. Fernand BRAUDEL, *Identité de la France*, Paris, Flammarion, 1986, t. I, p. 291.

33. Cité par Jean-Yves GUIOMAR, p. 185.

34. *Ibid.*, p. 23.

35. *Ibid.*, p. 95 et suivantes.

36. ROBESPIERRE, *Discours*, p. 308.

37. Cité par Mona OZOUF, *L'Ecole de la France, op. cit.*, p. 33.

### Notes du chapitre 9

1. Eugen WEBER, *La Fin des terroirs*, La modernisation de la France rurale 1870-1914, Paris, Fayard, 1983, p. 153.

2. MICHELET, *Histoire de France, op. cit.*, pp. 321-326. Cf. aussi Marcel GAUCHET, in *Les Lieux de mémoire*, La Nation, t. I, pp. 247-309.

3. MICHELET, *ibid.*, p. 328 et Paul VIALLANEIX, *La Voie royale, op. cit.*, pp. 256-257.

4. P. Viallaneix, *ibid.*, p. 263 et Michelet, *Histoire de la Révolution*, Livre III, ch. 1.

5. Guy Bourdé, Hervé Martin, *Les Ecoles historiques*, Paris, Seuil, 1983, ch. 6.

6. *Ibid.*, pp. 169-170.

7. Charles Seignobos, *Histoire sincère de la nation française*, Essai d'une histoire de l'évolution du peuple français, Rieder, 7e édit., 1933.

8. *Ibid.*, p. V.

9. *Ibid.*, pp. 99, 103.

10. *Ibid.*, p. 4-5.

11. *Ibid.*, pp. 116-117.

12. *Ibid.*, pp. 494, 495, 500.

13. *Ibid.*, p. 494.

14. Hervé Le Bras, Emmanuel Todd, *L'Invention de la France,* Atlas anthropologique et politique, Paris, Pluriel, 1981, pp. 8, 18, 19.

15. *Ibid.*, pp. 20, 19.

16. *Ibid.*, p. 111.

17. Fernand Braudel, *L'Identité de la France*, T. 1, Espace et Histoire, T. 2, Les hommes et les choses.

18. in *L'Histoire*, juin 1986, no 90, pp. 94-95.

19. Introduction p. 9.

20. Pierre Chaunu, *La France*, Histoire de la sensibilité des Français à la France, Paris, Laffont/Pluriel, 1982, p. 11.

21. *Ibid.*, p. 181.

22. *Ibid.*, p. 209.

23. *Ibid.*, p. 194 et suiv.

24. *Ibid.*, p. 364.

25. *L'Histoire*, mai 1985, no 78.

26. P. Chaunu, *op. cit.*, p. 366.

### Notes du chapitre 10

1. François Furet, *Penser la Révolution française*, Paris, Gallimard, 1978.

2. Pierre Chaunu, *op. cit.*, pp. 221-222.

3. in *L'Histoire*, no 73, décembre 1984.

4. Cité par Alain Finkielkraut, in *L'Identité française,* Tiercé 1985, p. 40.

5. Jean Lacouture, *De Gaulle*, T. I, Le Rebelle, Paris, Seuil, 1984 p. 15.

6. André Astoux, « *Eh bien mon cher et vieux pays... »*, Dialogues posthumes avec De Gaulle, Lieu Commun 1985, pp. 239, 248.

7. *Le Monde*, 30 août 1986.

8. Cf. Karl Werner, *op. cit.*, pp. 342-349, *Histoire de la France*, t. I, *op. cit.*, pp. 191, 192, et Edgar Weber, *Maghreb arabe et occident français*, Publications de l'Université de Toulouse-Le Mirail, 1985, pp. 61-69.

9. Léon Poliakov, *Histoire de l'antisémitisme*, Calmann-Lévy/Pluriel, Paris, 1981, t. I, p. 241 et suivantes.

10. Amin Maalouf, *op. cit.*, p. 55.

11. Cf. Emmanuel Le Roy Ladurie, *Histoire du Languedoc,* Paris, P.U.F. 1974, et surtout, *Histoire d'Occitanie*, sous la direction d'André Armengaud et Robert Lafont, (malheureusement épuisé et non réédité), Hachette, 1979.

12. Michelet, *Histoire de France, op. cit.*, p. 528.

13. Michel RAGON, *Les Mouchoirs rouges de Cholet*, Paris, Albin Michel/Livre de poche, 1984, pp. 48, 164 notamment. Reynald SECHER, *La Chapelle-Basse-Mer, village vendéen*, Révolution et contre-révolution, Perrin, 1986. Voir aussi Jean-Clément MARTIN, *La Vendée et la France*, Paris, Seuil, 1987, paru après rédaction de ces lignes. Ce livre constitue une passionnante mise au point sur l'historiographie du soulèvement vendéen.

14. François DOSSE, *L'Histoire en miettes*, Des « Annales » à la « nouvelle histoire », Paris, La Découverte, 1987, p. 116.

## Notes du chapitre 11

1. Robert LAFONT, *Sur la France*, Paris, Gallimard, 1968, p. 57.

2. Georges DUBY, *Les Trois ordres ou l'imaginaire du féodalisme*, Paris, Gallimard, 1978, p. 425.

3. *Ibid.*, p. 121.

4. Robert CLARKE, *Naissance de l'Homme*, Paris, Seuil, 1980, p. 165.

5. Louis-René NOUGIER, *op. cit.*, p. 15.

6. Ce paragraphe s'inspire largement de Karl Werner, *op. cit.*, ch. XVI et XVII, pp. 431-496. Cf. aussi, Yves SASSIER, *Hugues Capet*, Paris, Fayard, 1987.

## Notes du chapitre 12

1. Jean FAVIER, *Le Temps des principautés*, op. cit. , p. 35.

2. *Ibid.*, pp. 39, 40, 82.

3. Ce paragraphe s'inspire notamment de Jean FAVIER, *op. cit.*, pp. 102-103 et André JORIS, Histoire de la France, *op. cit.*, pp. 305, 308.

4. In, *Le Dimanche de Bouvines, op. cit.*, p. 233.

5. Georges DUBY, *Les Trois Ordres..., op. cit.*, pp. 62-71, 223-225.

6. Jacques ROSSIAUD, in *Histoire de la France, op. cit.*, t. I, p. 345.

7. Philippe MARTEL, in *Histoire d'Occitanie, op. cit.*, p. 336.

8. Robert LAFONT, *Sur la France, op. cit.*, p. 143.

9. P. CHAUNU, in *La France, op. cit.*, pp. 221-222.

10. Cité par Jean DELUMEAU, in *Histoire de la France, op. cit.*, T. II, p. 88.

11. Robert LAFONT, *op. cit.*, p. 108.

12. *Histoire d'Occitanie, op. cit.*, p. 243.

13. Jean-Louis BIGET, in *L'Histoire*, nov. 1986, n° 94, *Les Cathares*, p. 20.

14. Robert LAFONT, *op. cit.*, p. 115.

15. Ce paragraphe est largement inspiré par Robert Lafont, *op. cit.*, ch. 3, *Du Pré carré à l'hexagone*, notamment pp. 118-128 et pp. 148-152.

16. Cf. Roger DUCHÈNE, *La Provence devient française*, Fayard, 1986, t. 1, ch. XIII et XIV.

17. *Histoire d'Occitanie, op. cit.*, p. 480.

18. *Sur la France, op. cit.*, p. 107.

19. *Ibid.*, p. 109.

20. *Ibid.*, pp. 157-158.

21. Hersart de LA VILLEMARQUÉ, *Essai sur l'histoire de la langue bretonne*, in *Aux origines du nationalisme breton*, t. II, pp. 54-55, U.G.E.-10/18, 1977.

22. *Ibid.*, p. 58.

23. Ce paragraphe, comme le suivant, est inspiré par Béatrice PHILIPPE, *Etre Juif dans la société française*, Pluriel/Montalba, 1979. Léon POLIAKOV, *Histoire de l'antisémitisme, op. cit.*, t. I et II. Abraham Léon SACHAR, *Histoire des Juifs*, Flammarion, 1973. André CHOURAKI, *Histoire du judaïsme*, P.U.F., 1957. On y ajoutera Patrick GIRARD, *Pour le meilleur et pour le pire*, Édition Bibliophone 1987, paru après la rédaction de ce livre. L'*Histoire de la France* et l'*Histoire de France*, utilisées par ailleurs, n'apportent aucun élément de connaissance sur le passé juif, (ni breton, ni provençal...).

24. Béatrice PHILIPPE, *op. cit.*, pp. 116-117.

25. Expression utilisée par Janine GARRISSON dans *L'Édit de Nantes et sa révocation. Histoire d'une intolérance*, Paris, Seuil, 1985. Cf. aussi Elisabeth LABROUSSE. *Une foi, une loi, un roi. La révocation de l'Édit de Nantes*, Labor et Fides/Payot, 1985.

26. p. 78.

27. Cité par J. ESTÈBE, in *Histoire d'Occitanie, op. cit.*, p. 465.

28. *Histoire d'Occitanie*, pp. 446-448.

29. J. GARRISSON, *op. cit.*, pp. 267-269.

30. Yves-Marie BERCÉ, *Croquants et Nu-Pieds*, Les soulèvements paysans en France du XVIe au XIXe siècle, Archives/Gallimard-Julliard, 1974, p. 16.

31. *Histoire d'Occitanie*, pp. 450-455.

32. Yves-Marie BERCÉ, *op. cit.*, pp. 31-35.

33. *Ibid.*, pp. 49-52.

34. Morvan LEBESQUE, *Comment peut-on être breton ?* Essai sur la démocratie française, Seuil, 1970, pp. 63, 65, 66. Cf. aussi Paul KEINEG, *Le Printemps des Bonnets Rouges*, P.-J. Oswald, Théâtre hors la France, 1972.

35. Jean MEYER, *La France moderne, Histoire de France, op. cit.*, T. 3, p. 436.

36. Robert LAFONT, *op. cit.*, p. 163.

37. Jean MEYER, *op. cit.*, pp. 443-447.

### Notes du chapitre 13

1. Béatrice PHILIPPE, *op. cit.*, pp. 122-175.

2. Timothy TACKETT, *La Révolution, l'Église, la France*, Le serment de 1791, Paris, Le Cerf, 1986.

3. Maurice AGULHON, in *Histoire de la France, op. cit.*, t. II, p. 402.

4. Ce paragraphe s'inspire d'*Histoire de l'Occitanie*, pp. 694-698 et 705-712.

5. Maurice AGULHON, *La République au village*, Paris, Seuil, 1979.

6. Philippe VIGIER, *La Seconde République dans la région alpine*, Étude politique et sociale, Paris, P.U.F., 1963.

7. Cf. Roland CAYROL, *La Presse écrite et audio-visuelle*, Paris, P.U.F., 1973.

8. in *Histoire d'Occitanie*, pp. 625-626.

9. Claude LANGLOIS, Postface à Timothy TACKETT, *op. cit.*, p. 331.

10. *Histoire d'Occitanie*, p. 703.

11. *Les Constitutions de la France depuis 1789*, Paris, Garnier-Flammarion, 1970, pp. 391, 406, 441.

12. Cf. J.-C. GUILLEBAUD, *Les Confettis de l'Empire*, Paris, Seuil, 1976. Et « Ces îles où l'on parle français », *Hérodote*, 1985, n° 37-38.

13. Pierre VIDAL-NAQUET, *La Torture dans la République*, Paris, Maspero 1972.

14. François FURET, Jacques OZOUF, *Lire et écrire*, L'alphabétisation des Français de Calvin à Jules Ferry, Paris, Éditions de minuit, 1977, cf. pp. 352-353.

15. Eugen WEBER, *op. cit.*, pp. 153, 158.

16. *Histoire d'Occitanie*, p. 728. Cf. aussi Philippe VIGIER, *Diffusion d'une langue nationale et résistance des patois en France au XIXe siècle*, Romantisme, n° 25-26, 1979, pp. 191-208.

17. Eugen WEBER, *op. cit.*, ch. XVIII.

18. in *L'École de la France, op. cit.*, p. 23.

**Note de la conclusion**

1. *L'Évènement du Jeudi*, 20-26 novembre 1986.

# INDEX

## DES NOMS ET DES THÈMES

Personnages historiques ou légendaires : Romain
*Auteurs et grands textes de référence cités : Italique*
**Personnages historiques cités comme auteurs : Gras**
Thèmes et repères historiques, politiques, et géopolitiques : romain
Presse et revues : italique

# TABLE DES MATIÈRES

## TROISIÈME PARTIE
## IDENTIFICATION DES FRANÇAIS

1. Nous sommes un mélange de cultures et d'ethnies à l'extrême-ouest
de l'Europe.

2. La Révolution française a institué le religieux dans le politique et
la laïcité républicaine est inachevée.

3. L'État régalien soumis à sa seule Raison doit être dissocié de l'État
de droit au service de la nation c'est-à-dire des citoyens.

*Chez les mêmes éditeurs*

(extraits des catalogues)

## Editions EDI

BADIA Gilbert et coll. — *Les bannis de Hitler, accueil et luttes des exilés allemands en France (1933-1939)*, coédition PUV, publié avec le concours du CNL, 1984, 416 p.

*Black Power* (Etude et documents), textes rassemblés, traduits et présentés par Yves LOYER, 1968, 264 p.

BONNEFF Léon et Maurice. — *La vie tragique des travailleurs*, préfaces de Michelle PERROT et Lucien DESCAVES, publié avec le concours du ministère de la recherche et du CNL, 1984, 276 p.

BRÉCY Robert. — *La grève générale en France*, préface de Jean MAITRON, 1969, X-102 p.

CANDAR Gilles. — *Jean Jaurès Libertés*, préface de Madeleine REBÉRIOUX, postface de Yves JOUFFA (Ligue des droits de l'homme), 1987, 220 p.

CHOMBART de LAUWE Marie-José. — *Vigilance. Vieilles traditions extrémistes et droites nouvelles*, préface de Madeleine REBÉRIOUX postface de Yves JOUFFA (Ligue des droits de l'homme), Nouvelle édition enrichie et actualisée, 1986, 192 p.

CRAIPEAU Yvan. — *Ces pays que l'ont dit socialistes...*, 1982, 344 p.

DENIS Roch. — *Luttes de classes et question nationale au Québec, 1948-1968*, coédition avec les P.S.I. de Montréal, 1979, 608 p.,

DIENER Ingolf. — *Apartheid ! La cassure. La Namibie, un peuple, un devenir...*, présentation de Claude MEILLASSOUX, co-édition Arcantère, 1986, 344 p.

DOMMANGET Maurice. — *Blanqui*, 1970, 104 p.

DOMMANGET Maurice. — *Eugène Pottier, membre de la Commune et chantre de l'Internationale*, 1971, XII-172 p.

DUPONT Fritz (Collectif franco-allemand). — *La sécurité contre les libertés. Le modèle ouest-allemand, modèle pour l'Europe ?* 1979, 304 p.

ITOH Makoto. — *La Crise mondiale. Théorie et pratique*, traduit et présenté par Claude MEILLASSOUX. Publié avec l'aide du CNL, 1987, 260 p.

JAKUBOWSKI Franz. — *Les superstructures idéologiques dans la conception matérialiste de l'Histoire*, préface de J.-M. BROHM, postface de B. FRAENKEL, avec un texte de L. TROTSKY, 1972, rééd. 1976, 222 p.

LEON Abraham. — *La conception matérialiste de la question juive*, préfaces de M. RODINSON et E. GERMAIN, avec les textes d'I. DEUTSCHER et Léon TROTSKY, 1968. Nouvelles éditions 1970 et 1980, XL VIII-206 p.

MARX Karl et ENGELS Friedrich. — *Critique de l'économie nationale*, présentation de J.-M. BROHM. Textes inédits, édition bilingue, 1975, 176 p.

*Marx...ou pas ? Réflexions sur un centenaire*. — Ouvrage collectif. Vingt-trois auteurs répondent à une introduction de Jean-Marie BROHM. Présentation de Denis WORONOFF, 1986, 344 p.

MOGNISS. — *Jeunes immigrés hors les murs*, préface de Michel LAVAL et J.-P. MAGNARD, 1982, 64 p., 18 X 23 (coll. Questions Clefs, N°2).

*Otto Bauer et la Révolution* (coll. « Praxis »). — Textes rassemblés et présentés par Yvon BOURDET, 1968, 304 p.

PASUKANIS Eugène. — *La théorie générale du droit et le marxisme*, préface de J.-M. VINCENT, 1970, rééd. 1976,180 p.

PERROT Michèle et KRIEGEL Annie. — *Le socialisme français et le pouvoir*, 1966, 224 p.

*La Question chinoise dans l'Internationale communiste*. — Dossier présenté par Pierre BROUÉ, 1965. Rééd. augmentée, 1976, 544 p.

RADEK Karl. — *Les voies de la Révolution russe*, préface de F. BELLEVILLE, 1972, 96 p.

RAJSFUS Maurice. — *Des Juifs dans la collaboration, l'U.G.I.F. 1941-1944*. — Préface de Pierre VIDAL-NAQUET, 408 p. + 8 hors texte.

RAJSFUS Maurice. — *Sois Juif et tais-toi ! 1930-1940, les Français « israélites »* face au nazisme*, 1981, 320 p.

SOUHAILI Mohamed.— *Les Damnés du royaume. Le drame des libertés au Maroc*, préface de Jean ZIEGLER, texte de Bernard LANGLOIS, 1986, 92 p.


## Les Editions Ouvrières


*Les universités populaires*. — Lucien MERCIER, 1986, 192 p.

*Enseigner l'histoire aujourd'hui*. — Suzanne CITRON, 1984, 166 p.

*Destins de Clio en France depuis 1800*. — Emile COORNAERT, 1977, 192 p.

Affiche *Déclaration des Droits de l'Homme et du Citoyen*. — format 40 X 55 cm.

*1914-1918 : L'autre front*. — Etudes coordonnées par Patrick FRIDENSON, 1977, 235 p.

*Les Sources de l'histoire ouvrière, industrielle et sociale en France XIXème et XXème siècles*. — Guide documentaire, Michel DREYFUS, 1987, 298 p., 22 X 30.

*1789 La Révolution racontée aux enfants*. — Raoul DUBOIS, 1987, 254 p.

*Le Mouvement Social*. — Revue dirigée par Madeleine REBERIOUX et Patrick FRIDENSON. Abonnement 4 numéros par an.

*Dictionnaire biographique du Mouvement ouvrier français*. — Sous la direction de Jean MAITRON et Claude PENNETIER, 29 volumes déjà disponibles.

*Bobigny, banlieue rouge*. — Annie FOURCAUT, 1986, 216 p.

Ce livre a été saisi et enrichi par l'éditeur
sur micro-informatique (système Act Grafic).
Transcodage et mise en pages par Louis-Jean Imprimeur.
N° d'éditeurs (EDI) : 304.92 — (EO) : 4461

Dépôt légal : 540 — Octobre 1987